Odette Beane

ONCE UPON A TIME

Traduit de l'anglais (États-Unis)
par Sébastien Baert

D0068276

Aux fans extraordinaires,
vous êtes les plus beaux en ce royaume

Titre original : *Reawakened – A Once Upon a Time Tale*
Première publication en 2013 par Hyperion.

© Éditions Michel Lafon, 2013, pour la traduction française.
7-13, boulevard Paul-Émile-Victor – Ile de la Jatte
92521 Neuilly-sur-Seine Cedex
www.lire-en-serie.com

ONCE UPON A TIME

PREMIÈRE PARTIE

COMMENT RETROUVER QUELQU'UN

CHAPITRE PREMIER

BIENVENUE À STORYBROOKE

ela faisait près de trois semaines qu'elle était à la recherche de Ryan Marlow, depuis qu'il avait vidé les comptes en banque des membres de sa famille et fui New York, poursuivi pour détournement de fonds. Emma Swan ignorait pour quelle raison il avait décidé de faire une halte à Boston pour aller surfer sur un site de rencontres, mais elle se souciait rarement de ce que pouvaient bien faire ceux qu'elle traquait parce qu'ils avaient profité de leur liberté sous caution pour s'échapper. Elle n'était pas payée pour tout connaître de leurs vies, mais pour les retrouver et les ramener.

Elle l'observa, peu à l'aise, perchée sur ses hauts talons.

Marlow n'avait pas encore remarqué sa présence, même si cela faisait un moment qu'elle le surveillait. Aussi beau que sur les photos, il avait néanmoins un petit côté obséquieux. Cela lui seyait parfaitement, car l'arrogance et l'exubérance semblaient aller de pair avec ce genre de banquiers. Il lui paraissait presque trop confiant. Au point qu'elle en avait mal au ventre, en fait.

Elle s'approcha de lui.

– Ah ! vous devez être Emma, déclara-t-il en se levant de table.

Elle le gratifia de son plus beau sourire « Ravie de faire votre connaissance » et lui tendit la main. Elle fronça les sourcils en voyant l'état de ses propres ongles. Elle avait oublié de les vernir.

Il se fendit d'un large sourire, l'air lascif. Comme un loup. Il lui serra la main, sans la quitter des yeux.

– Ryan ? s'enquit-elle.

En s'asseyant, après avoir décelé quelque chose dans son regard, elle lui rendit son sourire.

– Vous semblez soulagé.

– Je suis désolé, s'excusa-t-il en ricanant nerveusement. On ne sait jamais à quoi les personnes vont ressembler quand on les rencontre sur Internet. En vrai, je veux dire, ajouta-t-il en se rasseyant. Et vous êtes… eh bien, vous êtes ravissante. Aussi bien en ligne que dans la vraie vie.

Elle ne rougit même pas, se contentant de baisser les yeux, faisant mine d'être flattée. Que disait son profil, déjà ? Divorcé, sans enfants, il aimait le yoga et le basket de rue. Bien. Elle connaissait aussi sa véritable histoire. À New York, il avait trois enfants de moins de dix ans et une femme qui travaillait à temps partiel pour tenter de s'en sortir seule. En ce moment même, elle remplissait une demande d'aide sociale. Anéantie. Brisée. Tentant d'expliquer à ses enfants où se trouvait leur père. C'était la réalité. Et Ryan Marlow avait le toupet de fixer des rendez-vous galants après l'avoir tant fait souffrir.

– Alors ! se lança Ryan. Parlez-moi un peu de vous, Emma.

Elle lui adressa son sourire le plus séduisant.

– Eh bien, tout d'abord, je suis très fine psychologue.

Il sembla surpris.

Elle allait se faire un plaisir de l'arrêter.

Dans un autre monde, à une autre époque, quelques semaines seulement après avoir été réveillée par l'amour de sa vie, Blanche-Neige tenait la main du Prince Charmant dans la salle de bal du château royal.

Le couple était entouré de tous les sujets du royaume. Ils se regardaient dans les yeux pendant que l'évêque demandait à Blanche si elle acceptait d'épouser le prince.

Elle n'eut aucune hésitation. Elle acquiesça, et les deux amoureux se sourirent affectueusement tandis que l'évêque les déclarait mari et femme. Les musiciens de la Cour commencèrent à jouer, et les nouveaux époux se penchèrent l'un vers l'autre pour échanger un baiser.

La dernière fois qu'ils s'étaient embrassés, un miracle s'était produit. Le prince avait tiré Blanche du sommeil magique dans lequel l'avait plongée la Méchante Reine. Mais ils n'étaient pas encore débarrassés d'elle.

Cette fois, au moment même où leurs lèvres se touchèrent, un formidable coup de tonnerre retentit, plus fort que la musique, arrachant un cri à presque toutes les personnes présentes. Les invités se retournèrent tous d'un coup vers les immenses portes de la salle de bal – d'où le fracas semblait provenir –, qui s'ouvrirent violemment, heurtant les murs de chaque côté de l'entrée.

Là, sur le seuil, se tenait une silhouette toute de noir vêtue.

La Méchante Reine.

Encore.

Merveilleux, pensa Blanche. *Il ne manquait plus que ça.*

Des gardes se précipitèrent sur elle alors qu'elle se dirigeait vers Blanche-Neige et le prince, qui se tenaient au centre de la salle, dans les bras l'un de l'autre. Plusieurs soldats se précipitèrent sur elle, mais elle les projeta dans les airs d'un simple geste de la main. Sa magie était encore puissante, cela ne faisait aucun doute.

Quand la cruelle souveraine ne fut plus très loin, Blanche poussa le prince en arrière, s'empara de son épée et la dégaina avant qu'il puisse l'en empêcher. Elle brandit l'arme en direction de la reine, le regard flamboyant.

– Vous n'êtes pas la bienvenue! déclara-t-elle, sa voix puissante se répercutant contre les murs de la gigantesque salle. Allez-vous-en. Immédiatement.

La reine s'immobilisa, sans se départir de son sourire.

– Comme on se retrouve, Blanche-Neige.

Le Prince Charmant, sa main sur celle de Blanche, lui fit lentement baisser le bras, jusqu'à ce que la pointe de l'épée touche le sol de pierre.

– Elle n'a plus aucun pouvoir, lui rappela-t-il posément. Nous avons déjà gagné.

Il avait raison. Blanche le savait. Après que le prince l'eut libérée de sa terrible malédiction, ils avaient tous les deux uni le royaume contre la Méchante Reine, lui ôtant tout pouvoir et permettant de nouveau à l'amour de régner.

– Allez-vous-en, ordonna-t-il à la souveraine. Vous avez déjà perdu, et je ne vous permettrai pas de gâcher cette journée. C'est terminé. Laissez-nous vivre en paix.

– Je ne suis pas là pour gâcher quoi que ce soit. Je suis venue vous offrir un présent.

– Nous n'en voulons pas, rétorqua aussitôt Blanche. Peu importe ce dont il s'agit.

– Il n'en reste pas moins que je vais vous l'offrir, insista la reine.

Elle haussa un sourcil.

– C'est généreux de ma part, non?

Elle était à la fois magnifique et terrifiante. Elle avait les traits durs, les cheveux aussi noirs que de l'onyx, le regard aussi perçant que glacial. Sans doute avait-elle jadis été une jeune fille innocente, mais tout le monde était désormais conscient que la haine et l'amertume avaient pris le dessus. Blanche la connaissait depuis fort longtemps, et, chaque fois qu'elle la voyait, elle lui semblait encore plus aigrie. Elle avait du mal à comprendre comment quelqu'un pouvait contenir autant de haine.

Quand la Méchante Reine reprit la parole, d'autres gardes

affluèrent dans la salle et commencèrent à la cerner, mais son regard ne vacilla pas.

– Le présent que je vais vous offrir, c'est le bonheur, poursuivit-elle d'un air grave. Ce bonheur. Aujourd'hui.

– Que voulez-vous dire ? demanda prudemment le prince.

– Ce que je veux dire, bon prince, c'est que demain je vais entamer l'œuvre de ma vie : détruire votre bonheur. À tout jamais. Tout ce que vous aimez, absolument tout ce que vous aimez vous sera enlevé, à vous tous.

Le Prince Charmant en ayant assez entendu, il lança son épée d'un geste aussi rapide que l'éclair. La pointe en avant, l'arme se dirigeait vers la reine, droit sur son cœur.

Juste avant de se faire transpercer, la souveraine se volatilisa dans un nuage de fumée noire et violette.

L'épée disparut également.

Blanche-Neige, la main sur le bras de son nouvel époux, regarda le nuage se dissiper en tourbillonnant.

Épuisée, Emma longea le couloir qui menait à son appartement, ses escarpins rouges à talon dans la main gauche, un sac de provisions dans l'autre. Elle n'était pas aussi satisfaite qu'elle l'avait espéré d'avoir arrêté Ryan Marlow, et voilà qu'elle avait mal à la tête, à présent.

Elle avait aussi mal à la main.

Il avait tenté de s'enfuir, bien sûr. Ils essayaient tous. Il était parvenu à gagner sa voiture, mais Emma avait pris soin d'immobiliser son véhicule avec un sabot. Elle lui avait alors plaqué la tête contre la portière.

Ces choses-là, les recherches, les poursuites, c'était devenu prévisible. Que savait-elle faire d'autre, de toute façon ? Et où pourrait-elle aller ? Elle n'éprouvait plus le même enthousiasme, mais elle s'efforçait de ne pas trop y penser. De toute façon, tout finissait toujours par se résoudre après une bonne nuit de sommeil ou quelques verres de scotch.

Arrivée chez elle, Emma déposa ses courses sur le comptoir, mit un peu de musique et s'empara du petit gâteau d'anniversaire qu'elle s'était acheté. Elle récupéra les bougies au fond du sac et en planta une dans la pâtisserie avant de l'allumer. C'était loin d'être une grande fête, mais c'était déjà ça.

Elle contempla un moment la flamme. Encore une année. Encore une année toute seule.

Elle ferma les yeux.

S'il vous plaît, pensa-t-elle, *ne me laissez pas seule le soir de mon anniversaire.*

Ses paroles, quelque peu déprimantes, lui résonnèrent dans la tête mais c'était ce qu'elle souhaitait de tout son cœur.

Elle n'était pas du genre à s'apitoyer sur son sort. Elle n'était pas la seule à avoir eu un passé difficile et se sentait suffisamment forte pour endurer la douleur d'une existence sans intérêt. Cela ne signifiait pas qu'elle ne se sentait jamais seule, non, mais simplement qu'elle était capable de supporter la solitude. Cependant, parfois, elle éprouvait le besoin d'avoir un peu de compagnie.

Au moment même où elle souffla la bougie, la sonnette retentit. Elle se tourna vers la porte en fronçant les sourcils, passant en revue les divers fugitifs qu'elle avait traqués ces dernières années, tentant de se rappeler si l'un d'eux venait d'être libéré de prison. *Sans doute*, se dit-elle. Un de ces jours, elle allait se prendre un coup de massue en pleine tête en ouvrant sa porte.

Elle jeta un coup d'œil dans le judas et se demanda: *Qu'est-ce que c'est que ça?*

Elle ouvrit. Oui, c'était bien un garçonnet qu'elle ne connaissait pas. Il avait le cheveu brun et hirsute, et portait un vieux sac à dos si rempli qu'il semblait sur le point de craquer. Il la fixa avec de grands yeux ronds.

— Euh, qu'est-ce que tu veux? dit-elle d'un ton hésitant.

– Salut. C'est toi Emma Swan ?

– Ouais, et t'es qui toi ?

Le gamin esquissa un sourire et lui tendit la main.

– Je m'appelle Henry Mills, lui apprit-il. Je suis ton fils.

Elle le regarda fixement, sans lui serrer la main.

– Je n'ai pas de fils, se contenta-t-elle de lui répondre, l'air impassible.

Le garçon ne tint aucun compte de sa déclaration. Au lieu d'insister, il la poussa et examina la cuisine.

Elle était trop bouleversée pour réagir, pour le retenir.

– Il y a dix ans, poursuivit-il d'un ton désinvolte en regardant autour de lui avant de se tourner vers elle, vous n'avez pas laissé un bébé à l'adoption ?

Emma demeura silencieuse. En se retournant elle se vit dans le miroir. Elle était pâle comme la neige.

– Eh bien, c'est moi. Le bébé, je veux dire. Vous allez manger ce gâteau ?

– Je…

Il était possible que ce soit lui. Emma n'avait pas l'impression qu'il mentait, et il avait les mêmes yeux qu'elle. Mais s'il s'agissait du fils qu'elle avait mis tant d'années à tenter d'oublier, le voir en face d'elle, parlant nonchalamment d'un gâteau, lui donna envie de s'enfuir. La tête lui tournait. Elle se sentit…

Elle n'en avait aucune idée.

Elle avait toujours du mal à définir ce qu'elle éprouvait.

Elle ferma la porte et se retourna, cherchant quelque chose à lui répondre.

– Tu peux le prendre, lui assura-t-elle d'un air distrait.

Cela sembla lui plaire. Elle mit la pâtisserie dans une assiette, ôta la bougie, installa le garçon sur un tabouret et s'excusa.

Dans la salle de bains, elle s'observa dans le miroir et tenta de se ressaisir, cramponnée au bord du lavabo. Avait-elle beaucoup changé en dix ans, alors qu'elle n'avait que dix-huit ans et vivait entièrement seule ? Elle se rappela s'être regardée dans le miroir à l'époque, quelques jours avant l'accouchement, terrée dans un motel poussiéreux, sans qui que ce soit pour l'aider. La solitude. Elle se souvenait l'avoir ressentie, à ce moment-là, prenant conscience que ce nouveau-né qu'elle était sur le point d'abandonner aurait pu signifier la fin de son isolement si elle l'avait gardé. Mais ça n'avait pas été le cas.

Elle prit quelques brèves inspirations.

— Ressaisis-toi, Swan, se dit-elle à voix haute.

Au son de sa propre voix, une autre partie de son esprit s'anima, plus raisonnable, plus sceptique et plus résistante. La vieille Emma. Emma la coriace. Emma sous caution. La véritable question était de savoir qui était vraiment ce gamin. Il ne s'agissait certainement pas de son fils. Elle était pliée en deux, anéantie, et, pour ce qu'elle en savait, peut-être fouillait-il dans ses affaires, dans l'autre pièce, à moins qu'il ne soit un leurre destiné à la faire tomber dans un piège impliquant un certain nombre de grands gaillards qui surgiraient chez elle dès qu'elle commencerait à se confier…

C'était un coup monté. Assurément. Quelqu'un connaissait son passé. Quelqu'un connaissait son passé et savait comment l'atteindre. Elle se précipita vers la cuisine, s'apprêtant à crier.

Le garçon était toujours attablé, savourant le petit gâteau. Il se tourna vers elle, le regard désarmant.

— Hé ! dit-il. Comment c'était, dans la salle de bains ?

— Hé ! répéta-t-elle en fronçant de nouveau les sourcils.

Elle s'approcha de lui, posa la main sur la table et la retira aussitôt. Elle ne savait plus comment se comporter avec ce gamin.

— J'aimerais te poser quelques questions, lui annonça-t-elle enfin.

— D'accord. Vas-y.

— Comment… m'as-tu retrouvée ?

— Je suis assez débrouillard, répondit-il.

16

Cette question sembla l'ennuyer à mourir; il était mani-festement plus intéressé par la réaction d'Emma que par ses propres sentiments.

– Ça ne se passe pas comme je l'avais prévu, lui avoua-t-il.

– Quoi donc? Cette conversation?

– Oui.

– Et comment croyais-tu que ça allait se passer?

– Plus comme à la télé, tu vois? Avec des larmes et des embrassades.

– Je ne suis pas du genre à pleurer, petit.

– Je vois ça.

Elle aurait pu croire qu'il se moquait d'elle. Ou qu'il le lui reprochait, au moins.

– On ferait bien d'y aller, ajouta-t-il.

Elle esquissa un sourire sceptique, cessant de hausser les sourcils. Elle appréciait beaucoup son audace, qui qu'il soit.

– Désolée, j'ignorais qu'on allait quelque part. Tu étais sur le point de partir et j'allais me coucher. On allait ne plus jamais se revoir.

– On va quelque part, insista-t-il en hochant la tête. Il faut que tu me raccompagnes chez moi. Il faut que tu m'y conduises, du moins.

– Et où habites-tu?

– À Storybrooke.

Elle le dévisagea puis jeta un coup d'œil au livre qu'il avait sorti de son sac à dos. *Ah. Je vois. Ce gamin,* se dit-elle, *est en pleine «phase» psychologique.*

– Storybrooke? répéta-t-elle. Tu te moques de moi?

– Non, pourquoi? demanda-t-il d'un ton innocent. C'est comme ça que ça s'appelle.

– D'accord, gamin. On s'est bien amusés. Mais, premiè-rement, je n'ai pas de fils et, deuxièmement, je ne vais pas tarder à appeler les flics. Je n'ai pas de temps à perdre avec ça, et visiblement tu as fait une fugue. Tes parents savent où tu es? J'appelle les flics.

Elle se dirigea vers le téléphone, se rendant compte qu'elle l'avait dit deux fois.

– Non, tu ne le feras pas.

Elle se tourna vers lui, le téléphone à la main.

– Ah bon ?

– Non, insista-t-il en prenant une autre bouchée de gâteau. Parce que si tu les appelles, je leur dirai que tu m'as enlevé.

Emma réfléchit. Elle eut de nouveau des doutes. S'il était réellement son fils, c'était un bon plan : la police la suspecterait d'avoir voulu récupérer son fils biologique, ou, au minimum, elle se retrouverait prisonnière d'une bureaucratie tatillonne pendant des heures, si ce n'étaient des jours. Cela lui causerait plus d'ennuis que ça n'en valait la peine, même si elle était dans son droit.

Mais, tout de même, quelque chose ne collait pas, dans toute cette histoire. Il ne pouvait pas s'agir de son fils.

– Écoute, petit, dit-elle, j'ai une sorte de superpouvoir. Un truc dont je suis capable. Tu sais ce que c'est ? Je devine toujours quand on me ment. Toujours. Et toi, là, tu me mens.

Elle n'était pas certaine d'y croire elle-même, mais elle le laissa réfléchir. Elle était douée pour détecter les mensonges et, en réalité, il semblait lui dire la vérité. Alors elle ne savait plus quoi en penser.

Il avala une dernière bouchée de gâteau.

– Moi aussi, je suis doué pour deviner quand on me ment, déclara-t-il.

– Vraiment ? Vas-y, crache le morceau.

Il hocha lentement la tête. Elle comprit qu'il commençait à perdre confiance en lui. Il semblait contrarié. *Ce n'est qu'un petit garçon*, se dit-elle.

Et puis, cette autre Emma au cœur tendre refit surface et se dit : *Non, Emma. C'est ton fils.*

C'étaient de petites choses. Il avait les mêmes oreilles que son père. Ses yeux ressemblaient légèrement aux siens, juste un peu, comme si elle se regardait dans un miroir. Elle décela même un petit quelque chose dans le ton de sa voix. Bien sûr, il aurait été bien de pouvoir comparer ses oreilles, ses yeux et sa voix à elle à ceux de son propre père et de sa propre mère. Mais c'était une autre histoire. Elle n'avait jamais connu ses parents.

Ce n'est pas un coup monté, tenta de se convaincre Emma. *Tu le sais parfaitement.*

– Je t'en prie, n'appelle pas la police. D'accord ? Raccompagne-moi juste chez moi.

Elle prit une inspiration.

– À Storybrooke ? Tu veux que je te conduise à Storybrooke ? C'est ce que tu me demandes. Et ce sera tout ?

– Hmm-hmm.

Elle soupira. Il était inutile de lutter contre ce gosse.

– Très bien. Allons à Storybrooke, alors.

Elle ne l'aurait pas cru capable d'afficher un si grand sourire.

Blanche-Neige, le ventre bien rond, attendant l'heureux événement avec autant de hâte que d'anxiété, s'empressa d'emboîter le pas du geôlier le long du sinistre couloir. Le Prince Charmant et elle étaient sur le point de s'entretenir avec le seul homme du royaume qui avait la réponse à leur question. Blanche-Neige n'avait pu trouver la paix depuis que la reine avait proféré ses menaces. Elle avait besoin de connaître la vérité.

Le geôlier, un homme corpulent et dyspepsique, n'appréciait guère cette idée.

– Ne lui dites jamais comment vous vous appelez, et, tenez, mettez ça, leur conseilla-t-il en leur tendant deux grosses capes à capuchon. Votre meilleure défense, ce sera l'anonymat.

Le prince s'empara des capes, enfila la sienne et tendit l'autre à son épouse.

– Pourquoi t'ai-je laissée m'embarquer dans cette histoire ? lui demanda-t-il.

– C'est le seul moyen, tenta-t-elle de le convaincre. Tu sais que je ne me trompe jamais.

– Il a raison de s'inquiéter, madame, confirma le geôlier d'un ton effrayant. Tous ceux qui se sont entretenus avec Rumpelstiltskin l'ont amèrement regretté.

Le prince et Blanche se consultèrent du regard. Tous les deux étaient anxieux.

– C'est moi qui lui parlerai, dit simplement le prince.

Tout au bout du long couloir lugubre, ils atteignirent enfin tous les trois la dernière cellule. Elle était plongée dans l'obscurité, et seules les flammes de leurs torches leur permettaient d'en distinguer les barreaux irréguliers.

Le geôlier s'exclama :

– Rumpelstiltskin ! J'ai une question pour toi.

– Non, ce n'est pas vrai, retentit une voix perplexe dans les ténèbres. Ce sont eux qui ont une question à me poser. Le Prince Charmant et Blanche-Neige aimeraient savoir s'ils doivent tenir compte des menaces de la reine. Je me trompe ?

– Comment sais-tu ça ? demanda le geôlier. Qui est descendu te parler ?

– Personne, mon bon ami ! résonna la voix de Rumpelstiltskin.

Blanche ne le voyait pas, mais il lui semblait qu'il s'était levé brusquement. Le prince porta la main à son épée.

– Cessons cette comédie, intervint Blanche, s'avançant et ôtant son capuchon. Dites-nous ce que vous savez.

– D'accord, répondit Rumpelstiltskin en s'approchant des barreaux. Si vous me donnez quelque chose en échange, ma douce Blanche-Neige.

Le prince s'interposa alors entre le cachot et son épouse.

– Vous ne sortirez pas d'ici. C'est hors de question. Inutile de l'envisager.

– Non, pas dans l'immédiat, reconnut Rumpelstiltskin. Bien sûr que non. Je sortirai plus tard. Quand on partira tous. Ce qu'il me faut, ce sont des garanties. Pour plus tard. Alors ?

– Que voulez-vous dire ? demanda le prince. Qu'est-ce que...

– Dites-nous ce que vous voulez, s'impatienta Blanche-Neige. Nous n'avons pas de temps à perdre.

– Le nom de votre enfant à naître, ce serait... parfait.

– C'est hors de question ! s'écria le prince.

– Entendu, intervint Blanche, sans tenir compte de l'intervention de son époux. Maintenant, dites-nous. Qu'est-ce que la reine a prévu pour nous ? Comment va-t-elle pouvoir nous prendre notre bonheur ? Je sais qu'elle a un plan.

Rumpelstiltskin se tenant à présent devant les barreaux de sa cellule, ils distinguèrent son visage écailleux verdâtre. Il avait une verrue sur son nez tordu, et des dents jaunes et pointues. C'étaient là les effets de quelque magie noire, mais Blanche en ignorait l'origine et s'en moquait éperdument.

Il esquissa un sourire, dardant sa langue obscène entre ses lèvres.

– La Méchante Reine a mis au point une puissante malédiction, expliqua-t-il aussitôt. À moins qu'elle en ait trouvé une qui existait déjà. Et sa malédiction arrive. Elle n'affectera pas que ce royaume. Elle les touchera tous... Vous serez bientôt tous emprisonnés. Tout comme moi. Mais en pire. Vous serez prisonniers, nous serons tous prisonniers du temps.

– Balivernes ! se gaussa le prince. Allons...

Rumpelstiltskin ne tint aucun compte de sa remarque et prit un ton grave.

– Le temps va s'arrêter. Nous serons tous pris dans son piège, souffrant pour l'éternité. La reine nous gouvernera, nous réduira en esclavage. Nous serons perdus, désorientés. Sans plus aucun espoir. Il n'y aura plus de fins heureuses.

Il patienta, le temps qu'ils assimilent ses paroles.

– Aucun d'entre nous ne pourra l'en empêcher.

Blanche lui lança un regard sévère. Rumpelstiltskin était un être rusé, mais il ne mentait jamais, ce qui la poussa à le croire. Ils couraient un grand danger, comme la reine l'avait promis.

– Qui, alors ? le pressa-t-elle.

– L'enfant, répondit-il en se tournant vers son ventre. Seule l'enfant sera en mesure de contrarier ses plans. Il vous faudra la mettre en lieu sûr, ajouta-t-il. Loin d'ici. Tout commencera quand elle atteindra l'âge de vingt-huit ans. Elle nous sauvera. Nous tous.

Il avait prononcé cette dernière phrase avec simplicité, comme s'il s'agissait d'une évidence.

– Elle ? s'étonna le prince en se tournant vers Blanche. Mais c'est un garçon.

– Vraiment ? Je n'en suis pas si sûr, Votre Altesse ! dit le prisonnier en chantonnant.

– Il faut que nous nous préparions, fit remarquer Blanche au prince. Viens, mon amour. Sa prophétie est exacte, j'en ai la conviction.

– Attendez ! s'écria Rumpelstiltskin. Le nom de l'enfant ! J'en ai besoin ! Nous avions conclu un marché !

Blanche se tourna vers l'homme au visage monstrueux.

– Emma, dit-elle. Elle s'appellera Emma.

Les routes étaient désertes. Ils sortirent bientôt de Boston.

Emma jeta un coup d'œil au garçon, qui avait ouvert le livre sur ses genoux. D'après l'illustration, elle avait l'impression qu'il lisait quelque chose à propos de Blanche-Neige, ou de quelqu'un qui lui ressemblait et qui aimait la compagnie des merlebleus, mais il ne lui semblait pas connaître cette partie de l'histoire : elle se trouvait dans une sorte de prison, discutant avec un Gobelin. Emma reporta son attention sur la route et tenta de se remémorer le conte. N'était-il pas question d'une bande de nains ? Qui chantaient ? C'était tout embrouillé dans son esprit. L'une de ses familles d'accueil lui avait fait voir tous les films de Disney et elle les avait adorés, mais, à ses yeux, il ne s'agissait que d'un conte de fées.

– Il te plaît, ce livre ? demanda Emma.

N'obtenant aucune réponse, elle lui jeta de nouveau un coup d'œil, s'attendant à le voir plongé dans sa lecture. Mais il regardait par la vitre avec ses grands yeux, un sourire au coin des lèvres.

– On est arrivés, déclara-t-il.

Elle suivit son regard et aperçut le panneau : Bienvenue à Storybrooke.

Le trajet n'avait pas été très long, en réalité, mais suffisamment pour qu'elle puisse tourner le problème dans tous les sens. Était-ce vrai ? Henry était-il son fils ? Quand elle en doutait, elle se sentait à la fois soulagée et déçue. Quand elle en était convaincue, elle n'était plus déçue du tout. Et éprouvait une tout autre forme de soulagement.

– Génial, dit-elle. « Bienvenue à Storybrooke ». Nous y voilà. Fabuleux. Tu as une adresse ?

– C'est une toute petite ville. C'est très simple.

– Je n'en doute pas un seul instant, marmonna Emma en ralentissant alors qu'ils passaient devant les premières maisons et les premiers bâtiments.

Cette bourgade ressemblait à toutes celles de cette région des États-Unis : des boutiques et des maisons, certaines neuves aux couleurs vives, d'autres en piteux état ou poussiéreuses. Elle était sans doute plus complexe et moins mignonne qu'elle en avait l'air quand on se donnait la peine de gratter un peu. Emma n'avait jamais entendu parler de Storybrooke, mais elle avait l'impression de connaître cette ville comme elle les connaissait toutes.

– Sérieusement, insista-t-elle, où habites-tu ?

– Je ne te le dirai pas.

Elle leva les yeux au ciel et gara son véhicule. *Les gosses. Toujours le mot pour rire.* L'intensité de ses sentiments s'était passablement dissipée. Elle n'était plus à présent que fatiguée et quelque peu perplexe. Pour le moment, elle n'avait pas l'intention de s'étendre sur la question. Il lui suffisait de le ramener chez lui et d'éviter de se faire arrêter. *Concentre-toi sur cet objectif, Swan*, s'intima-t-elle. *Ne complique pas les choses.*

Il y avait peu de voitures garées à proximité, et il était suffisamment tard pour que tous les magasins soient fermés. Les lieux paraissaient déserts. Elle leva les yeux vers l'horloge incrustée dans la tour de ce qui ressemblait à une bibliothèque.

— Il est déjà huit heures et quart, dit-elle. Cessons de jouer.

— Cette horloge est bloquée sur huit heures et quart, lui fit remarquer Henry.

— Pardon ?

— C'est à cause de la Méchante Reine, expliqua-t-il. Elle a arrêté le temps. Elle a envoyé tout le monde ici. Depuis la Forêt enchantée. Tout le monde est piégé ici. Et prisonnier du temps, aussi. Ils ne le savent même pas.

— Pourquoi ils ne partent pas pour aller là où le temps s'écoule, alors ?

— Il arrive des choses affreuses à ceux qui tentent de partir.

— Ah oui ? s'enquit Emma en plissant les yeux. De quel genre ?

Avant qu'il ait pu répondre, elle sursauta car on frappait à la vitre passager avec une lampe torche. Un homme mince à l'air inoffensif se tenait à côté de la voiture, ajustant ses lunettes, le regard rivé sur son compagnon de route. Il tenait un parapluie, alors qu'il ne pleuvait même pas.

— C'est toi, Henry ? demanda-t-il.

Le garçon se tourna vers l'homme et baissa sa vitre.

— Salut, Archie.

L'homme ajusta de nouveau ses lunettes et regarda Emma. Celle-ci lui adressa un sourire.

– Qui est-ce? demanda-t-il.

Amical mais sceptique, pensa-t-elle. *Je le serai aussi.*

– C'est ma mère, déclara Henry.

– Je ne suis pas… commença Emma.

– Ma vraie mère, ajouta l'enfant.

Archie dévisagea Henry un long moment, puis son regard revint sur Emma.

– Je vois.

– J'essaie simplement de le ramener chez lui, expliqua Emma, le regard innocent. Pourriez-vous m'indiquer le chemin? Il est venu chez moi, à Boston. J'ignore où il habite et il refuse de me le dire.

– Bien sûr, déclara Archie, se détendant visiblement. Il habite chez le maire, évidemment. Regina Mills. C'est l'hôtel particulier de Mifflin Street.

Emma jeta un coup d'œil au garçon, qui haussa les épaules d'un air innocent.

– Le maire? répéta-t-elle. Vraiment? Tu es le prince de cette ville?

– Pour quelle raison as-tu manqué notre séance, aujourd'hui, Henry?

– Je n'étais pas là, prétexta le garçon. J'étais en vacances.

Archie lui lança un regard compréhensif.

– D'accord. Qu'est-ce que je t'ai déjà dit à propos des mensonges, Henry?

– Que ça ne fait du mal qu'à la personne qui les profère. Au bout du compte.

L'homme hocha la tête.

– Je le raccompagne chez lui, docteur, intervint Emma. Je vous remercie.

Elle s'éloigna, sans cesser d'observer cet homme mystérieux dans son rétroviseur.

– Alors, comme ça, c'est ton psy, hein?

C'étaient toujours des types bizarres.

– En quelque sorte. Mais c'est aussi Jiminy Cricket.

– Pardon ?

– Tout le monde ici, je te l'ai dit, est un personnage de conte de fées. Tu ne m'as pas écouté ? Un personnage du livre.

Il désigna l'ouvrage sur ses genoux.

Elle jeta de nouveau un coup d'œil au psy, qui rapetissait à vue d'œil dans son rétroviseur. Elle dressa la tête. Il avait une drôle de démarche.

– Mais oui. Si tu le dis…

Ils poursuivirent leur route en silence, Emma cherchant du regard la maison du maire. Concentrée sur le fait de raccompagner Henry chez lui, elle ne s'était pas permis de trop réfléchir à ce qu'il lui avait dit. Tout ce dont elle se souvenait, c'était d'un bébé qu'on ne l'avait autorisée à tenir dans ses bras qu'un court instant, une petite chose fragile et en pleurs qui l'avait regardée avec ses yeux troubles sur le lit dur de sa cellule. Ensuite, elle se rappelait avoir été dévastée. Pendant des mois. Des années. Il était amusant qu'un si petit être ait pu grandir à ce point et devenir un enfant capable de marcher et de parler. C'était l'histoire la plus fantastique et la plus folle qui soit.

Rien au monde ne l'avait fait plus souffrir que lorsque l'infirmière le lui avait pris des bras. Elle était si épuisée qu'elle n'avait même pas fondu en larmes. Elle se rappelait le visage fragile du nouveau-né et tenta de se retenir de regarder Henry pour le comparer au souvenir qu'elle en avait.

Elle aperçut Mifflin Street et tourna. Il s'agissait d'une impasse, et il était facile de deviner laquelle des maisons était celle du maire.

– On est arrivés, annonça-t-elle en immobilisant sa voiture. Je suis certaine que tes parents seront ravis de te revoir.

– Il n'y a que ma mère, rectifia Henry en baissant les yeux sur ses mains. Et c'est le mal incarné.

– Je sais qu'on peut avoir cette impression, parfois.

Il se tourna vers elle.

– Non, dit-il d'un ton léger. Tu ne comprends pas. C'est vraiment le mal. Pour de vrai. Le mal ? Satan ?

Elle aurait préféré prendre un ton ferme, mais elle ne savait plus vraiment quoi lui dire. Était-ce à elle de tenter de le réconforter ? Comment faisait-on…

– Je ne crois pas… commença-t-elle.

– Henry ! Henry !

Emma se tourna. Une femme magnifique à la chevelure noire et à la tenue austère sortit de la maison et courut vers la voiture. Elle avait le regard rivé sur le garçon.

– Tu es blessé ? Où étais-tu passé ?

– Ça va, ça va, se plaignit-il. J'ai retrouvé ma mère.

La femme se figea et regarda Emma pour la première fois. Celle-ci sentit alors la froideur de son cœur.

– Vous… vous êtes sa mère biologique ? demanda-t-elle.

Emma hocha la tête, tentant de prendre un air à la fois étonné et innocent.

– Apparemment, se contenta-t-elle de répondre. Ravie de faire votre connaissance.

Elle ne savait comment prendre le regard que lui lança alors la femme avant de dire :

– Bien. Je vois. Que diriez-vous d'un verre de cidre ?

Henry la regarda d'un air plein d'espoir.

Emma demanda :

– Vous n'auriez pas quelque chose de plus fort ?

Suite à l'entrevue avec Rumpelstiltskin, tout le château prit connaissance de la malédiction, qui s'abattit sur lui comme une sinistre nappe de brume. Blanche-Neige ne voulait pas perdre une seconde. Après plusieurs entretiens avec les représentants du Royaume enchanté, il fut décidé de prendre un certain nombre de mesures afin de protéger le royaume.

La Fée bleue exposa les faits sans détour : s'il était vrai que la Méchante Reine envisageait de lancer une malédiction qui les prendrait tous au piège et que la fille à venir de Blanche-Neige était la seule capable de les libérer, alors il fallait tout faire pour la protéger.

Son plan était simple : grâce au dernier arbre de la Forêt enchantée, Geppetto fabriquerait une armoire qui mettrait Blanche-Neige à l'abri de la malédiction et la transporterait, ainsi que son enfant, en lieu sûr. Ensuite, Blanche élèverait sa fille jusqu'à son vingt-huitième anniversaire. Puis, quand cette dernière atteindrait cet âge, elle accomplirait son destin et les sauverait tous.

Tandis que Geppetto façonnait l'armoire, la grossesse de Blanche-Neige approchait de son terme. Le Prince Charmant et elle, sachant qu'ils seraient séparés, firent de leur mieux pour s'y préparer. Ce ne serait que temporaire, se promirent-ils l'un et l'autre. La petite Emma grandirait vite et les sauverait tous. D'une manière ou d'une autre.

Si seulement c'était si simple…

Un soir, alors que Blanche était sur le point d'accoucher, un panache de brume verdâtre apparut à l'horizon. Il semblait de plus en plus gros, s'élevant au-dessus des arbres comme s'il s'agissait de la fumée d'un volcan.

Le sort en était jeté. La malédiction.

Grincheux vociférait.

– Il est temps, signifia le prince à son épouse. Prépare-toi.

Étendue sur le lit, Blanche-Neige ne pouvait parler. Elle avait ressenti une première contraction un peu plus tôt dans la journée mais n'en avait rien dit, espérant qu'il s'agissait d'une fausse alerte. Elle venait d'en sentir une nouvelle, plus franche. Elle ferma les yeux, inspirant profondément.

– Le bébé arrive, déclara-t-elle.

Elle rouvrit les yeux. Et ne put retenir ses larmes. À l'autre bout de la pièce, surpris, le prince se tourna vers elle.

– Le bébé arrive maintenant, mon amour.

Emma prit place dans le bureau du maire, un verre de cidre à la main, le regard rivé sur une toile représentant un pommier.

– Je suis navrée qu'il vous ait dérangée, s'excusa Regina.

Elle était installée face à Emma, ses jambes parfaites croisées, semblant avoir retrouvé son calme.

– Je ne sais vraiment pas ce qui lui est passé par la tête.

– On dirait qu'il traverse une mauvaise passe, avança Emma en buvant une gorgée. J'ai l'impression. Enfin, je n'en sais rien.

– Depuis que je suis maire, j'ai toujours eu du mal à trouver le bon équilibre. Vous devez me comprendre. Vous travaillez, j'imagine ?

– Je travaille, confirma-t-elle sans tenir compte de l'air condescendant de Regina.

– Eh bien, quand on élève seule son fils, c'est comme si on avait deux boulots à temps plein. Et donc, oui, il m'arrive d'être sévère avec lui. Mais c'est pour son bien. Je veux qu'il réussisse, et j'évite de lui donner l'impression que tout lui est dû. Mais je ne crois pas que ça fasse de moi quelqu'un de méchant. Je me trompe ?

– S'il dit ça, c'est uniquement à cause de ce conte de fées.

– Quel conte de fées ?

– Vous savez, son livre. Il croit que tout le monde est un personnage de dessin animé. Par exemple, il est persuadé que son psy, c'est Jiminy Cricket. Vous voyez ?

Emma, qui n'avait plus quitté son verre des yeux, se tourna vers Regina et fut étonnée de la voir plutôt inquiète.

– Désolée. Je ne vois vraiment pas de quoi vous parlez.

Mince, elle n'est pas au courant de l'existence de ce livre, conclut Emma. Il y avait bien trop de malentendus. Il lui fallait partir de là avant de trouver le moyen de faire exploser toute la ville.

– Vous voulez que je vous dise ? demanda-t-elle. Je vais retourner à Boston, je crois. Je ne veux pas rester dans vos jambes. Je suis ravie qu'il soit en sécurité.

Quand elle se leva, Regina l'imita.

– Moi aussi, lui assura cette dernière en lui tendant la main. Je vous remercie pour tout ce que vous avez fait. Vraiment. Je suis heureuse qu'il soit revenu sain et sauf.

Ne pensant pas pouvoir se résoudre à faire ses adieux à Henry, Emma alla directement à sa voiture. Elle ouvrit la portière mais ne put s'empêcher de regarder derrière elle, vers les fenêtres éclairées, à l'étage.

Elle le vit brièvement avant que l'on éteigne la lumière de la chambre.

Elle l'abandonnait de nouveau…

Tu t'en remettras, se promit-elle en se dirigeant vers la sortie de la ville, afin de regagner Boston. Ses sentiments s'estomperaient. D'ailleurs, elle savait à présent où il était. Et en sécurité. C'était déjà ça. Sans doute madame le maire lui permettrait-elle de venir de temps à autre lui dire bonjour… Elle aurait dû prendre ses coordonnées. Elle aurait dû…

Du coin de l'œil, elle aperçut quelque chose sur le siège passager. Elle plissa les yeux et alluma le plafonnier. C'était son livre. *Le petit enfoiré !* se dit-elle. Elle ne put s'empêcher d'esquisser un sourire. Au moins, elle avait un prétexte pour revenir, à présent.

Le sourire aux lèvres, distraite par le livre, Emma faillit ne pas voir le loup qui se tenait au milieu de la route.

Elle poussa un petit cri, freina et tourna brusquement le volant, tout cela en même temps. La dernière chose qu'elle vit fut le loup, impassible, la regardant nonchalamment perdre le contrôle de sa voiture. Ses grands yeux rouges ne clignèrent même pas.

Tandis que les nuages tourbillonnants de la nappe de brume fantomatique se répandaient à travers le pays, s'infiltrant dans les forêts et cernant le château, dans ses appartements Blanche-Neige était en plein travail, poussant des hurlements, aux bons soins de Prof.

Le Prince Charmant accourut auprès d'elle et lui prit la main. Il avait bien tenté de la convaincre d'aller dans l'armoire dès le début, mais elle avait refusé, essayant de le persuader qu'il était trop tard. Seul le salut de son enfant lui importait, mais le chemin était semé d'embûches. Une chose à la fois. À présent, le plan initial était obsolète. Il leur faudrait improviser.

– Je vois la tête! s'écria Prof. Poussez!

Puis le prince entendit des pleurs et vit le nouveau-né dans les bras du nain. Blanche leva les yeux et adressa un sourire à son époux.

– Prends-la, lui dit-elle. Vite!

Il fronça les sourcils.

– Que veux-tu dire?

– Prends-la, répéta-t-elle. Prends-la et va la mettre dans l'armoire. C'est le seul moyen.

Elle vit son bien-aimé comprendre enfin ce que cela signifiait.

– Non! s'écria-t-il. Il faut que vous restiez ens...

– C'est le seul moyen, insista-t-elle en lui remettant Emma.

Il la prit dans ses bras. Ils admirèrent son joli petit minois.

– Prenez soin de Blanche-Neige, demanda-t-il à Prof en se levant. Je reviens dans une minute.

Il quitta la chambre en courant, le nourrisson dans les bras.

Emma revint à elle et passa un moment à regarder fixement un mur de béton, se demandant pourquoi elle n'était pas chez elle, pourquoi elle était habillée et pourquoi il faisait jour dehors, incapable de se rappeler ce qui s'était passé. Elle songea à son rêve, à son fils, à cette petite ville…

Elle tourna la tête et aperçut les barreaux.

Oh.

Elle était au poste de police.

À Storybrooke, dans le Maine.

Un homme assez grand, manifestement le shérif, se tenait près de son bureau, étudiant des documents. Quand il remarqua qu'elle avait repris connaissance, il lui adressa un signe de tête.

– Bonjour. Je m'appelle Graham. Et vous êtes en état d'arrestation.

– Pourquoi suis-je emprisonnée?

Ce fut tout ce qu'elle trouva à dire.

– Il semblerait que vous ayez un peu trop bu, hier soir.

Le poing fermé, il porta son pouce à sa bouche.

– J'ai eu un accident à cause d'un loup. C'était un accident.

– D'un loup? répéta Graham l'air passablement amusé. Vous m'en direz tant. J'en ai entendu de bonnes, mais celle-là, c'est la meilleure!

Avant qu'il puisse continuer à se moquer d'elle, Regina Mills surgit dans le commissariat, les yeux écarquillés. Elle se dirigea droit sur Graham.

Encore un peu sonnée, Emma se redressa.

– Henry a encore fugué! s'exclama-t-elle. Il faut que…

Elle remarqua alors la présence d'Emma.

– Que fait-elle ici?

Elle se dirigea droit vers la cellule.

– Je vois. Il ne s'agit pas d'une coïncidence, n'est-ce pas ?
Vous savez où il est ? demanda-t-elle.

– Je ne l'ai pas vu depuis mon départ de chez vous, madame
le maire.

Emma était bien moins d'humeur à faire preuve de cour-
toisie que la veille au soir. Elle se tourna vers Graham.

– J'ai un alibi. Deux, en fait. Ce monsieur et un loup.

Graham hocha la tête.

– Eh bien, je peux m'en porter garant, au moins : elle a
passé la nuit ici.

– Il n'était plus dans sa chambre ce matin, expliqua
Regina.

Emma perçut une réelle inquiétude dans sa voix.

– Et ses amis ? s'enquit-elle. Vous le leur avez demandé ?

– Il n'en a pas.

Elle fronça les sourcils, n'aimant guère entendre ce genre
de propos. Cela lui rappelait un peu trop sa propre enfance.

– Tous les enfants ont des amis. Et son ordinateur ? Vous
avez jeté un coup d'œil à ses e-mails ?

– D'où vous vient cette idée ?

– Je retrouve les gens, madame. C'est mon boulot. Ne vous
inquiétez pas. Faites-moi sortir de là et je vous le ramènerai.
Gracieusement.

Regina et Graham se consultèrent du regard.

– Puis je rentrerai chez moi, ajouta-t-elle.

Elle regarda le shérif un long moment, vérifiant qu'il avait
bien compris le marché.

– Les ordinateurs, ce n'est pas vraiment ma spécialité,
reconnut Graham. Et on dirait bien qu'elle sait de quoi elle
parle.

Frustrée, Regina tourna les talons et se dirigea vers la porte.

– Très bien. Faites-la venir chez moi. Je veux simplement
retrouver mon fils. Peu importe la méthode.

Le shérif la conduisit chez Regina. Emma était installée
à l'arrière, contemplant la ville par la vitre ; tous les deux

gardèrent le silence. Arrivée à destination, la maîtresse des lieux les conduisit dans la chambre du garçon. Emma se dirigea aussitôt vers l'ordinateur.

– Ce gamin est futé, déclara-t-elle un peu plus tard. Il a vidé sa boîte de réception.

Elle s'empara de son porte-clés et brandit une petite clé USB.

– Heureusement pour vous, moi aussi, je suis maligne. C'est un petit utilitaire que je trouve bien commode.

Elle inséra la clé dans le port USB de l'ordinateur et regarda s'opérer le transfert des fichiers système détaillant son activité récente vers son propre périphérique de stockage.

– Il a une carte de crédit ? voulut savoir Emma.

– Il est trop jeune, répondit sa mère, manifestement agacée qu'elle puisse progresser si vite. Bien sûr que non.

– Eh bien, il en a utilisé une, lui fit-elle remarquer en désignant l'écran. C'est ce qui lui a permis de s'acheter un ticket de bus. Qui est… Mary Margaret Blanchard ? s'enquit-elle.

Les bras toujours croisés, Regina semblait furieuse.

– Son institutrice, répondit-elle. Je vais la tuer.

– Oh, je suis certaine qu'il la lui a « empruntée », lui certifia Emma.

Elle se leva et éteignit l'ordinateur.

– Eh bien, allons à l'école, alors. Peut-être sa maîtresse est-elle au courant de quelque chose.

Ils gardèrent encore le silence dans la voiture, sauf que, cette fois, Emma avait hâte de rentrer chez elle et de retrouver une vie normale. À ce stade, elle n'était même plus certaine qu'il puisse s'agir de son propre enfant. Il faudrait lui faire passer un test ADN, remplir de la paperasse… Elle se tourna vers Regina, dont elle n'apercevait que la nuque parfaitement coiffée. *On ne peut pas s'incruster comme ça dans la vie de quelqu'un d'autre. Cette femme est peut-être une garce, ça ne fait même aucun doute, mais c'est elle qui l'a élevé.* Elle méritait le respect. Elle méritait sa place. Emma avait dépassé les bornes. *Retrouve-le et va-t'en.* C'était bien son intention.

Elle fut sur le point de dire quelque chose à ce sujet, mais Graham la prit de court.

– Nous y voilà.

Ils venaient d'arriver à l'école.

D'une certaine façon, Mary Margaret Blanchard ressemblait exactement à l'idée qu'Emma s'en était faite d'après son nom : une jolie petite brune aux cheveux courts qui semblait à la fois discrète et, à en juger par l'étincelle dans son regard, potentiellement coriace. Ils arrivèrent au moment même où ses élèves sortaient de la classe, et lorsque Regina l'interrogea à propos de sa carte de crédit, elle se tut un long moment pour réfléchir. Emma comprit qu'elle se rappelait précisément l'instant où Henry l'avait dupée et s'était emparé de sa carte, avant même qu'elle ait ouvert son sac à main pour vérifier. Elle fouilla dans son portefeuille en hochant la tête.

– Le petit malin, déclara-t-elle. Je n'aurais jamais dû lui offrir ce livre.

– Qu'est-ce que c'est que ce livre dont tout le monde parle ? s'énerva Regina.

– C'est un recueil d'histoires, et je pensais que ça pourrait l'aider, expliqua-t-elle. C'est un garçon plein d'imagination. Il est spécial. On le sait toutes les deux. Il a besoin d'être stimulé.

Regina semblait en avoir suffisamment entendu, ou s'être sentie insultée par les paroles de Mlle Blanchard. Elle soupira, secoua la tête et se tourna vers Graham.

– Venez, allons chercher Henry. Nous perdons notre temps.

Elle se tourna de nouveau vers Mary Margaret.

– Ce dont il a besoin, mademoiselle Blanchard, c'est de rester en contact avec la réalité. Il lui faut des faits. Il n'a pas besoin d'histoires.

S'abstenant de lui répondre, Mary Margaret se contenta de hausser les sourcils. Regina quitta la pièce en trombe, suivie du shérif.

L'enseignante adressa un sourire bienveillant à Emma.

— Bienvenue à Storybrooke, déclara-t-elle sur le ton de la plaisanterie, arrachant un sourire à Emma.

«Coriace», c'était le bon terme. Elle aimait bien cette femme.

— Je crains que ce soit en partie ma faute, admit Mary Margaret en traversant la salle et en commençant à ranger son bureau. Il se sentait si seul, ces derniers temps. Je me suis dit que ces histoires lui feraient du bien.

Elle réfléchit un instant avant de se tourner vers Emma.

— Pourquoi croyez-vous que les histoires sont faites?

— Pour passer le temps? suggéra Emma.

Elle trouvait la question pour le moins étrange.

— Je les considère comme un moyen de nous aider à mieux comprendre le monde dans lequel nous vivons, se livra Mary Margaret. D'une façon différente. Regina se montre parfois dure avec Henry, mais il a des problèmes bien plus profonds que ça. Il est comme tant d'autres enfants adoptés: furieux, désorienté… Il se demande pourquoi tout le monde peut avoir…

Elle s'interrompit, prenant conscience de la personne à laquelle elle s'adressait. Emma lui fut reconnaissante de ne pas être allée au bout de sa pensée.

— Ce n'est rien, la rassura aussitôt Emma.

— Je ne voulais pas vous juger, regretta Mary Margaret. Je vous présente mes excuses. J'ai offert ce livre à Henry dans le seul but de lui donner ce que personne ici ne semble avoir: de l'espoir.

Elle avait l'air triste. Forte et triste à la fois. Emma se rendit compte qu'elle parlait d'elle-même.

— Vous savez où il est, n'est-ce pas?

L'institutrice baissa la tête en poussant un soupir.

– Eh bien, je n'en suis pas certaine, mais vous devriez aller voir à son château.

Ce qu'elle fit.

Le «château» de Henry était en fait un gros tas de détritus.

Ce fut la réflexion que se fit Emma, en tout cas en se garant devant l'aire de jeux, à la limite de la ville. Elle se trouvait en bordure d'océan et surplombait la digue. De sa Coccinelle, elle aperçut le garçon au premier étage d'une construction en bois branlante surmontée d'un toit pointu. Assis en tailleur, il regardait en contrebas. Elle s'empara de son livre.

– Tu ne peux pas t'enfuir tout le temps, lui dit-elle quand elle eut péniblement gravi la structure bancale. Tout le monde s'inquiète.

– Non, c'est faux. Tout le monde s'en fiche.

– J'ai ton livre, lui indiqua-t-elle. Tu l'as oublié dans ma voiture.

Il le prit et déclara :

– C'est censé être le début de la bataille finale. Le grand dénouement.

– À un moment, il va falloir que tu grandisses et que tu laisses tomber tout ça, Henry, lui fit-elle remarquer. Les histoires, c'est génial, mais, tôt ou tard, il faut redescendre sur terre.

À son plus grand regret, elle eut l'impression de parler comme Regina ; mais celle-ci avait raison, il n'était pas très bon de croire en des choses imaginaires. Cela vous rendait vulnérable. C'était à peu près la seule leçon de vie qu'elle avait à lui offrir, – sa propre philosophie.

– Ce n'est pas la peine d'être méchante avec moi.

– Écoute, ce n'est pas…

– Mais il n'y a pas de problème, je sais pourquoi tu m'as abandonné.

Emma sentit sa gorge se serrer. Il la regardait, à présent un sourire bienveillant au coin des lèvres. *Bon sang!* se dit-elle, *ce gamin sait comment m'avoir.*

— Tu voulais me laisser le plus de chances possible, poursuivit-il. Je sais que tu l'as fait pour moi.

Elle ne put s'empêcher d'avoir les larmes aux yeux. Elle rêvait de pouvoir le prendre dans ses bras et de le serrer contre elle, contre sa poitrine. Elle l'avait abandonné une fois, et voilà qu'elle était sur le point de recommencer. Et, d'une manière ou d'une autre, cela ne la faisait pas moins souffrir, cette fois.

— Comment… comment peux-tu savoir ça, Henry? parvint-elle à lâcher.

— Parce que c'est exactement la raison pour laquelle Blanche-Neige t'a abandonnée, lui expliqua-t-il, fier de lui et de son raisonnement.

Emma baissa les yeux sur le livre posé sur ses genoux. *Les histoires nous aident à mieux comprendre le monde dans lequel nous vivons.* Mary Margaret avait au moins raison sur ce point.

— Il faut que je te ramène chez toi, Henry, lui rappela-t-elle. Je ne suis pas dans ce livre. Il n'y aura pas de «bataille finale». Mais je suis réelle. Et je veux que tu fasses de nouveau partie de ma vie. D'une façon ou d'une autre.

— Ne me force pas à retourner là-bas.

— Où ça? demanda-t-elle. Chez toi? Où tout le monde tient à toi? Je n'y ai jamais eu droit. On m'a trouvée sur le bas-côté d'une nationale. C'est là que mes parents m'ont abandonnée. À ton âge, j'étais dans le circuit des familles d'accueil. J'étais trois mois ici, trois mois là… et puis on me renvoyait ailleurs. Tu as une situation stable, quelque chose de bien. Tu es en sécurité, Henry. Tu es désiré.

— Ils ne t'ont pas abandonnée sur le bord d'une route, insista-t-il. C'est juste là que tu es apparue. Dans l'armoire.

Emma n'avait aucune idée de quelle armoire il voulait

parler, mais elle voyait bien qu'il n'avait pas l'intention de laisser tomber son monde imaginaire. Pas encore. Peut-être plus tard, dans quelques années. Sans doute quand il commencerait à être attiré par les filles. Mais elle était lasse de tenter en vain de le ramener à la réalité.

– Allons, dit-elle en le prenant par la main. Je te raccompagne chez toi.

***

– Reste avec moi.

Blanche-Neige l'avait trouvé par terre, en sang, tout juste conscient. Il avait été transpercé, et restait à présent étendu immobile, le regard rivé sur le plafond, le souffle léger et le regard vitreux. En larmes, elle tenait la main de son bien-aimé, trop affaiblie pour ébaucher le moindre mouvement. Elle avait dépensé toute son énergie pour aller le rejoindre. Les soldats de la reine avaient investi le château, en quête de l'armoire, sans se soucier d'elle, au chevet de son époux. Il était mourant mais y était parvenu. La petite Emma était en sécurité désormais. L'armoire était de l'autre côté. Elle l'embrassa sur la joue.

– Reste avec moi, mon amour, lui chuchota-t-elle.

– Oh ! comme c'est mignon…

Blanche-Neige frissonna au son de cette voix. Elle la connaissait depuis toujours. Elle l'avait entendue se faire de plus en plus glaciale au fil du temps. Elle avait entendu l'espoir et la joie en disparaître, jour après jour. Elle l'avait entendue lors de son mariage.

Elle leva les yeux vers la reine, qui regardait l'un de ses propres chevaliers d'un air de dédain.

– L'enfant, dit-elle. Donnez-la-moi.

– Elle n'est plus là, répondit le chevalier d'un ton bourru. Elle a disparu.

– Disparu où ? exigea-t-elle de savoir.

— Elle est en lieu sûr, intervint Blanche. Cela signifie que vous avez perdu, finalement. Vous perdrez toujours. À cause de ce que vous êtes. Le bien l'emportera toujours.

— Je t'en prie! dit la reine. Le bien ne gagne pas tout le temps. En fait, le bien perd presque toujours, ma jolie. Ce monde ridicule te met des idées fausses dans la tête, tu le savais? Non, bien sûr que non. Essaie d'aller passer une semaine dans un autre royaume. Essaie d'avoir un monstre pour parent. Ça t'apprendra à grandir très vite.

Elle se tourna vers l'entrée. La brume verte et violette que Blanche avait aperçue à sa fenêtre avait atteint le château. Elle s'y introduisait et les enveloppait comme s'il s'agissait de haine pure. La reine ouvrit les bras en souriant. Blanche-Neige, les yeux écarquillés, se cramponna au prince quand le château commença à vibrer. Elle fut prise de vertiges, mais comprit bientôt que la pièce tout entière tournait… s'ouvrant en deux. D'étranges objets apparurent dans le ciel à travers les fissures, un vent violent s'engouffrant dans la salle. Elle perçut ce qu'elle pensait être des cris.

— Où… commença-t-elle. Où va-t-on? finit-elle en hurlant.

— Dans un autre monde, ma chérie, éclata de rire la reine, avec un regard de démente, les bras à présent au-dessus de sa tête. En un lieu où seule ma fin sera heureuse.

Pour la seconde fois en vingt-quatre heures, Emma vit Regina accourir depuis la porte de chez elle, soulagée de revoir son fils. Elle le rejoignit à la portière de la voiture et l'enlaça un long moment. Henry endura l'épreuve en silence, sans lui rendre son étreinte. De nouveau, Regina rappela à Emma que, quoi qu'elle puisse penser d'elle, elle tenait à lui.

Peu après, il se libéra des bras de sa mère et se précipita vers la demeure.

Regina le suivit du regard, et Emma vit que lorsqu'il fit claquer la porte cela la fit souffrir.

– Je vous remercie, dit-elle en se tournant vers Emma.

– Tout le plaisir est pour moi.

– On dirait qu'il s'est pris d'amitié pour vous.

– Vous voulez entendre quelque chose de dingue? lui demanda Emma. Hier, c'était mon anniversaire et, en soufflant ma bougie, j'ai fait le vœu de ne pas passer la soirée toute seule. Juste à ce moment-là, il a sonné à ma porte.

Jusqu'alors, elle n'avait jamais fait le rapprochement.

Le maire la regarda d'un air glacial.

– J'espère qu'il n'y a pas de malentendu entre nous.

– Que voulez-vous dire?

– Vous n'êtes pas invitée à revenir dans son existence. Vous avez fait votre choix, il y a dix ans. Il est déjà suffisamment difficile d'élever seule un enfant. Il me sera encore plus compliqué d'être en concurrence avec une inconnue qui lui remplit le crâne d'histoires abracadabrantes, de bons moments et de tout ce qui lui passe d'autre par la tête.

– Je ne…

– Et ces dix dernières années, pendant que vous faisiez Dieu sait quoi, j'étais là pour changer ses couches, le réconforter quand il était malade et faire tout le sale boulot. Vous lui avez peut-être donné naissance, mais c'est mon fils.

Emma ne pouvait pas rivaliser et elle ne le souhaitait même pas.

– Je ne…

– Non, je ne vous laisserai pas parler, la coupa Regina, de plus en plus furieuse.

Elle s'approcha d'un pas.

– Et je ne vous laisserai rien faire d'autre. Vous savez ce que c'est qu'une adoption plénière? Vous vous rappelez que c'est vous qui l'avez demandée? Vous-même? Vous n'avez aucun droit sur lui. Il va falloir vous y faire. Je vous suggère de monter dans votre voiture et de quitter cette ville à tout jamais. Immédiatement. Sinon, je vous anéantirai, je vous le garantis.

Emma, sidérée, regardait Regina, progressivement entrée dans une colère noire. Elle eut de nouveau la même impression : plus cette femme voulait qu'elle s'en aille, plus elle-même voulait rester.

Le cœur battant, elle s'apprêta à partir. Mais il lui restait une question à lui poser.

— Vous l'aimez ?

Regina sembla d'abord surprise, puis furieuse.

— Bien sûr que je l'aime ! cracha-t-elle avant de tourner les talons et de rentrer chez elle.

Alors qu'elle redescendait la rue principale au volant de sa voiture, Emma ignorait ce qui lui avait pris. Elle décida de ne pas trop y penser. Elle avait la mauvaise habitude de réagir de cette façon. Quand elle aperçut l'enseigne des chambres d'hôte de Mère-Grand, elle eut soudain une certitude : elle ne pouvait pas abandonner Henry. Pas une deuxième fois.

Elle immobilisa la voiture.

À l'auberge, elle tomba sur une femme à la chevelure argentée, au beau milieu d'une dispute avec une jeune fille aux cheveux noirs.

— On est chez moi, et c'est moi qui décide ! Tu ne peux pas passer toutes tes nuits dehors.

— J'aurais dû partir à Boston, dit la fille d'un ton dédaigneux.

— Je suis vraiment désolée que ma crise cardiaque t'ait empêchée d'aller te pavaner sur la côte Est !

À cet instant, Emma s'éclaircit la voix, obligeant la vieille femme à se retourner. Celle-ci lui adressa un large sourire et Emma lui demanda une chambre, la jeune fille l'observant d'un air impassible.

— Bien sûr, bien sûr ! dit la femme se retournant derrière son comptoir. Il nous reste une chambre ravissante.

– Génial.

– Et comment vous appelez-vous, très chère? demanda-t-elle en ouvrant un registre.

– Emma. Emma Swan.

– Emma, retentit une voix masculine. Quel prénom charmant...

L'intéressée se retourna et aperçut derrière elle un homme étrange en costume et aux cheveux soyeux.

Appuyé sur sa canne et l'observant avec curieusité, il se dirigea ensuite vers le registre et jeta un coup d'œil à la vieille femme.

– Je vous remercie, déclara Emma.

– Tout est en ordre, affirma la femme, visiblement intimidée par la présence de cet homme. Tout est là.

Elle lui tendit une enveloppe.

– J'en suis certain, dit l'homme en s'en emparant. Je vous fais entièrement confiance.

Emma aperçut la liasse de billets qui dépassait de l'enveloppe.

Il lui sourit de nouveau.

– Enchanté d'avoir fait votre connaissance, mademoiselle Swan. Sans doute aurons-nous l'occasion de nous revoir.

Il la salua et quitta l'auberge.

– Qui est cet homme? demanda Emma dès qu'il fut parti.

– C'est M. Gold, répondit à voix basse la jeune fille. Le propriétaire des lieux.

– De la maison d'hôte?

– Non, intervint la vieille femme. De toute la ville.

Emma haussa les sourcils.

– Oh!

– Voici votre clé.

Elle tendit à Emma une grande clé métallique, presque amusante tant elle était ornée de fioritures. Rien dans cette ville n'était normal, visiblement.

– Combien de temps pensez-vous rester?

– Juste une semaine, répondit-elle sans quitter la clé des yeux. Juste une semaine.

Juste le temps qu'il lui fallait pour s'assurer que Henry allait bien. Il le fallait. Qu'aurait-elle pu faire d'autre? Elle voulait en savoir davantage sur son fils. Elle devait rester auprès de lui maintenant qu'elle l'avait retrouvé. Toute mère aurait réagi comme elle.

– Une semaine! s'écria la femme. C'est fantastique. Bienvenue à Storybrooke.

Emma prit la clé.

Dehors les aiguilles de l'horloge de la tour se mirent à tourner.

CHAPITRE 2

LE SORT NOIR

e premier jour, quand Emma se réveilla, elle se demanda brièvement ce qu'elle fichait dans cette maudite ville.

Mais elle le savait. Elle savait parfaitement pourquoi elle était là.

Elle était dans la salle de bains quand elle entendit frapper à la porte. En ouvrant, elle fut surprise de voir une Regina Mills tout sourire.

– Bonjour! la salua madame le maire. Je me suis dit que j'allais passer vous voir pour vous faire un présent.

Elle brandit un panier de pommes et s'introduisit dans la petite chambre sans attendre d'y avoir été invitée. Emma l'observa avec méfiance.

– Je suis sûre que vous les savourerez en rentrant chez vous, ajouta-t-elle. Il est dommage que vous n'ayez pas pu partir hier soir.

Après avoir regardé autour d'elle avec un certain dédain, Regina posa les pommes sur le plan de travail.

– J'ai décidé de rester, riposta Emma en contemplant les pommes. Mais merci quand même.

– Êtes-vous certaine que ce soit une bonne idée? demanda Regina d'un ton jovial, visiblement peu étonnée. Henry a connu un certain nombre de problèmes affectifs, et je suis persuadée que votre présence ne fera que le désorienter encore un peu plus, non?

– Le fait que vous m'ayez menacée à deux reprises en douze heures, finit par lui confier Emma, m'a donné envie de rester un peu plus longtemps.

– Pardon ? s'offusqua Regina. Vous considérez ces pommes comme une menace ? Je ne…

– Je sais lire entre les lignes. Je crois que je vais rester jusqu'à ce que je comprenne ce qui se passe réellement avec Henry. Je veux m'assurer qu'il va bien.

– Je vois. Vous craignez que je sois vraiment… maléfique, n'est-ce pas ? Vous aussi avez lu son livre. Je vous garantis qu'il va très bien. Et qu'il est entre de bonnes mains. Il n'a pas besoin de vous.

– Que voulez-vous dire ?

– Qu'il suit une thérapie, expliqua Regina. Il comprendra bientôt que la réalité a bien plus de sens que l'imagination. Comme je ne cesse de le lui rappeler. Et qu'une seule de nous deux qui sait ce qui est bon pour lui.

– Je commence à croire que vous avez raison sur ce point.

L'audace de cette femme était incroyable. Emma n'aurait jamais songé à entrer si effrontément chez une inconnue pour lui parler avec un tel mépris. Regina s'approcha d'elle, le sourire aux lèvres.

– Ravie de vous avoir rencontrée, mais il est temps pour vous de quitter la ville.

– Sinon ? s'enquit-elle, les bras toujours croisés.

La femme s'approcha encore. À une trentaine de centimètres de son visage, elle lui conseilla d'un ton glacial :

– Ne me sous-estimez pas, mademoiselle Swan. Vous n'avez aucune idée de ce dont je suis capable.

Emma prit le temps de la réflexion.

– Eh bien, lui répondit-il enfin, vous allez m'en faire la démonstration, n'est-ce pas ?

Regina plissa les yeux.

– Vous l'aurez voulu.

Dix minutes plus tard, Emma dirigea ses pas vers le *diner*, éprouvant un grand besoin de café. Elle devait aussi réfléchir. Comprendre pourquoi Regina se donnait tant de mal pour lui faire quitter la ville. Cet endroit... Quelque chose clochait. Mais quoi donc ?

Elle trouva la situation d'autant plus étrange en apercevant son propre visage en une du quotidien de la ville, *Le Miroir*.

Il s'agissait d'une vieille photo d'identité qu'elle avait faite en Floride. Elle s'empara d'un exemplaire du journal et s'installa à une table.

Vraiment ? se dit-elle. *Il ne leur a fallu qu'une journée pour rassembler toutes ces informations ?*

Celui qui avait rédigé l'article, un certain Sidney Glass, était parvenu à retracer un grand nombre d'épisodes de sa vie en très peu de temps. Il savait que Henry avait vu le jour à Phoenix et avait découvert où elle avait vécu depuis. Il avait compris qu'elle avait eu des problèmes avec la justice. Il ne savait pas tout de sa vie, mais presque. Elle frissonna. C'était précisément la raison pour laquelle elle détestait les petites villes.

– Et voilà.

Elle leva les yeux. La même fille qu'à la maison d'hôte, celle qui s'était disputée avec sa grand-mère, se tenait devant sa table en souriant. Elle posa une tasse de chocolat chaud sur la table.

Emma jeta un coup d'œil à son badge : « Ruby ».

– Merci, Ruby, mais je n'ai pas commandé ça.

– Je sais, répondit la serveuse en souriant, la tête inclinée.

Emma fut impressionnée par l'éclat de son rouge à lèvres. Il était presque incandescent.

– Vous avez un admirateur.

En tournant la tête, elle aperçut le shérif Graham, attablé à l'autre bout de la salle. Il lisait le journal en savourant un café.

Elle se leva et se précipita vers lui avec le chocolat.

– Ah, vous avez décidé de rester, alors ? demanda-t-il d'un ton avenant.

Elle se contenta de le dévisager.

– Voulez-vous vous joindre à moi ?

Il lui fit signe de s'asseoir.

– Écoutez, le chocolat, c'est très gentil de votre part. Et je suis impressionnée que vous ayez deviné que j'aimais la cannelle, peu de monde le sait. Mais je ne suis pas là pour me faire draguer. Alors merci, mais non merci, shérif.

Elle posa brutalement la tasse sur sa table.

– Ce n'est pas moi qui vous ai commandé ça, se défendit-il en haussant les épaules et en prenant un air innocent.

– C'est moi, retentit une voix.

C'était Henry. Il se trouvait à la table voisine, presque couché sur sa banquette ; elle ne l'avait pas vu.

– Moi aussi, j'aime bien la cannelle, ajouta-t-il. Salut ! Je suis content que tu sois restée.

– Henry ? Qu'est-ce que tu fais là ? Tu n'as pas école ?

– Si, j'y vais tout de suite. Tu m'accompagnes ?

Elle soupira, lançant un regard d'excuse à Graham. Il lui sourit et reprit la lecture de son journal. Il y avait quelque chose chez lui qui lui plaisait bien. Évidemment, il était sous la coupe de Regina, mais il semblait avoir sa propre personnalité. Et il était plutôt beau garçon. Plutôt, oui.

Elle lui dit au revoir d'un signe de tête.

Henry la conduisit à l'extérieur du *diner*.

– Franchement, j'ai du mal à croire que tu sois restée, reconnut-il une fois dehors. Ça va fonctionner.

Il était tout excité. Emma lui sourit.

– Ta mère aurait préféré que je m'en aille, j'ai l'impression.

– C'est parce que c'est la Méchante Reine.

Elle fronça les sourcils. Il semblait pourvu d'une imagination fertile, mais elle ne put s'empêcher de repenser à ce que Regina lui avait dit, dans sa chambre : il voyait un psy. Et s'il avait un réel problème ? Était-ce ce qu'il y avait de mieux à faire, l'accepter? Elle l'ignorait. Elle devrait avoir une conversation avec Archie.

– Explique-moi, se résigna-t-elle, préférant lui parler de quelque chose qui l'enthousiasmait plutôt que de le sermonner parce qu'il inventait des choses.

– Quoi? La malédiction?

– Oui. De quoi s'agit-il?

– Ouais, d'accord, répondit le garçon, de plus en plus excité. Alors, toi et moi, on doit la briser. C'est notre mission. Et la première phase de l'opération, c'est l'«identification».

Il la regarda d'un air entendu.

– Toute cette opération s'appelle l'opération Cobra.

Emma l'écouta consciencieusement expliquer la malédiction en question. Tous les habitants de Storybrooke – tous! – venaient d'un autre pays. Le Royaume enchanté. Ils y vivaient alors heureux, et sous des apparences différentes. Mais, afin de punir Blanche-Neige et le Prince Charmant de l'avoir trahie, la Méchante Reine avait décidé de lancer une malédiction sur l'ensemble du royaume. Une malédiction qui empêcherait qui que ce soit de connaître le bonheur. Tous les habitants du Royaume enchanté furent transportés dans cette petite ville, dans ce monde-là, sur Terre, une planète dépourvue de magie. Personne ne pouvait en partir, le temps s'était arrêté, et personne n'avait conscience de ce qui s'était passé. Ils avaient tous perdu la mémoire, et cela faisait vingt-huit ans qu'ils étaient coincés là, vivant les mêmes journées, de manière répétitive. À l'exception de Henry, qui avait tout compris grâce au livre et n'avait pas vu le jour dans le Royaume enchanté.

– La Méchante Reine s'est procuré la malédiction auprès de sa pire ennemie, Maléfique, expliqua Henry. Elle s'est rendue à son château, et il y a eu cette gigantesque bataille magique. La reine a volé la malédiction du sceptre de Maléfique. C'était un combat dingue!

Emma hocha la tête.

– Mais pour que la malédiction fonctionne correctement, poursuivit-il, il fallait que la reine prenne le cœur de la personne à laquelle elle tenait le plus au monde.

– Ouah! s'exclama Emma. C'est intense.

– Je sais! Et devine le cœur de qui elle a pris pour faire fonctionner le sort? Tu ne trouveras jamais.

– Je ne vois pas à qui une Méchante Reine pourrait tenir.

– Le cœur de son père. Elle a tué son père pour pouvoir lancer la malédiction!

– Eh bien, elle avait un sérieux complexe d'Œdipe.

– Le mieux, c'est quand on apprend qui tu es.

– Je viens du Royaume enchanté? s'étonna Emma. Qui l'eût cru?

Henry fit comme s'il ne l'avait pas entendue et lui expliqua qu'elle était la fille de Blanche-Neige et du Prince Charmant.

Elle trouva cela hilarant.

Non seulement cela, mais aussi le fait qu'elle était la seule personne susceptible de pouvoir lever la malédiction, d'après le garçon. C'était écrit dans ses histoires. Elle était née juste avant que la malédiction s'abatte.

Il fit pivoter son sac à dos et en tira quelques pages. Il avait dû les arracher de son livre. Il lui montra l'illustration d'un nouveau-né enroulé dans une couverture brodée du nom «Emma».

– C'est ça, ta preuve irréfutable? demanda-t-elle en examinant le dessin. Il y a plein d'autres Emma dans le monde, tu sais?

Elle lui prit les pages des mains, les étudia de plus près, à la recherche d'une signature ou d'une date. Mais il n'y avait rien de tout cela. Ni date, ni signature. Peut-être ces indications figuraient-elles dans le livre lui-même. Quoi qu'il en soit, c'était une sacrée coïncidence que ce nourrisson dans cette couverture. Cela lui rappela celle dans laquelle elle était enroulée quand on l'avait trouvée, celle qui ne l'avait jamais quittée quand elle était allée de foyer en foyer. Elle devait sans doute toujours l'avoir, dans un carton, à Boston. Mais ce n'était pas le genre de chose qu'elle aimait se rappeler. La plupart de ses souvenirs de l'époque étaient douloureux.

— Je crois que tu ferais bien de lire ces pages, lui recommanda Henry. Cette partie, c'est ton histoire. Je sais que tu ne me croiras pas tant que tu ne l'auras pas lue.

Il hocha la tête pour lui-même avant de poursuivre.

— Mais tu ne doit surtout pas les montrer à ma mère. Tu ne peux pas. C'est pour ça que je les ai arrachées. Ce serait… très mal.

Elle jeta un coup d'œil aux pages.

— Vraiment? demanda-t-elle en regardant une illustration de la reine.

Elle ressemblait un peu à Regina. Emma comprenait comment il avait pu se convaincre de la véracité de toute cette histoire.

Plus ou moins.

— Très, très mal. Très, très, très mal.

Emma et Henry arrivèrent bientôt à l'école. Avant d'aller en classe, il leva les yeux vers elle en souriant et lui dit:

— Merci de me croire à propos de la malédiction. Je savais que ce serait le cas.

Elle était anéantie. Et lui très sérieux. Elle n'allait certainement pas lui dire: «Mais de rien, je n'en ai pas cru un mot!».

— Je n'ai pas dit que j'y croyais, se contenta-t-elle de lui affirmer, pensant qu'il valait sans doute mieux être franche avec lui, mais en douceur. Je t'ai simplement écouté.

Et c'était entièrement vrai.

Pourtant, Henry continua à lui sourire. Puis il tourna les talons et courut vers sa salle de classe. Elle le suivit du regard, ignorant toujours comment gérer son approche «intéressante» de la réalité. Cette opération Cobra semblait le mettre de très bonne humeur, et son instinct lui disait que ce n'était jamais une mauvaise chose en soi qu'un enfant soit heureux. C'était le boulot d'une mère, non? Mais, au fond d'elle-même, elle avait l'impression de faire preuve d'une certaine imprudence, comme une grand-mère qui donnerait des bonbons à ses petits-enfants jusqu'à ce qu'ils en tombent malades. Comme une étrangère qui, ayant une vision des choses à court terme est incapable de percevoir le plan d'ensemble.

– Ça fait du bien de le voir sourire.

Emma sursauta. Mary Margaret s'était approchée d'elle.

– Oh, j'imagine… Ce n'est pas grâce à moi, en revanche. C'est grâce à la magie.

– Vous êtes là, non? C'est ce qui compte.

Emma hocha la tête d'un air embarrassé et croisa les bras.

– Regina sait-elle que vous n'êtes pas partie?

– Oui. Elle a tenté de me faire du charme ce matin avec un discours vibrant de colère. Très, très agréable. Comment cette femme a-t-elle pu se faire élire à des fonctions officielles? Elle est tout sauf sociable.

– J'ai l'impression qu'elle est maire depuis toujours, réfléchit tout haut Mary Margaret.

Emma la regarda en haussant un sourcil.

– Que voulez-vous dire?

– Je crois que tout le monde a trop peur pour se présenter face à elle, poursuivit-elle. Et je crains d'avoir compliqué les choses en offrant ce livre à Henry.

– Où vous l'êtes-vous procuré?

– Euh… Je ne m'en souviens plus très bien. Ici, à l'école, il me semble.

– Et pour qui vous prend-il, au fait? lui demanda Emma.

– Moi? C'est idiot.

Elle baissa les yeux en souriant.

– Il est persuadé que… que je suis Blanche-Neige.

– Ouah! Blanche-Neige… répéta Emma en hochant la tête, impressionnée. Pas mal.

– Et vous?

Elle la dévisagea, ne souhaitant plus lui répondre maintenant qu'elle s'était rendu compte de ce que cela signifiait. Cette femme, cette femme chaleureuse qui avait à peu près son âge, ou même un peu moins, serait sa mère. Emma s'étonna de constater à quel point son imagination appréciait cette idée et tenta de s'y arrimer, ne serait-ce que quelques secondes. C'était précisément le genre de chose qu'elle avait eu l'habitude de faire pendant son enfance, un jeu auquel elle jouait toute seule pendant des heures, cachée dans un placard ou roulée en boule sous un arbre : elle imaginait ce à quoi sa mère pouvait ressembler… qui elle était, où elle était, pourquoi elle avait été contrainte de l'abandonner. En quelques années, ces affabulations avaient fini par former un ensemble cohérent, une image floue dans son esprit qu'il lui arrivait de prendre pour un souvenir. Souriante, la femme s'approchait d'elle en ouvrant les bras et en l'appelant «Emma, Emma» d'une voix douce et tendre. C'était idiot. Inventé de toutes pièces. Complètement ridicule. Elle s'en était rendu compte à l'âge de onze ou douze ans et avait aussitôt cessé de jouer à ce jeu. À tout jamais.

– Moi ? Oh, je ne suis pas dans le livre.

– C'est vrai. Vous êtes d'ailleurs.

Emma lui sourit.

– Mais je dois aller voir Jiminy Cricket.

Mary Margaret fronça les sourcils.

– Son psy, Archie, expliqua-t-elle. Savez-vous où je peux le trouver ?

L'institutrice le lui indiqua, et Emma prit la direction du cabinet, de l'autre côté de la ville, se demandant s'il était judicieux ou non de sa part de se mêler de la thérapie de Henry, mais incapable de s'en empêcher. Il était fort probable qu'Archie ne puisse rien lui révéler. Mais Henry était son fils…

Il lui était étrange de constater avec quelle facilité elle s'était résolue à se considérer comme sa mère, et elle se remémora son entrevue avec Mary Margaret, le pouvoir de l'imagination. Dans ce cas, c'était la réalité, mais, malgré tout, l'idée était la même, non? On ignorait quelque chose, puis on en découvrait l'existence, et boum, on se mettait à tout remettre en question. Elle allait devoir se montrer prudente. Elle avait de nombreux points sensibles et était particulièrement vulnérable, dans cette ville. Pendant tant d'années, elle s'était façonné une carapace, et voilà qu'en à peine deux jours on y avait fait apparaître un certain nombre de failles. Encore un peu et on ne tarderait pas à les exploiter.

Devant sa porte, Archie la salua avec le sourire et l'invita à entrer dans son petit cabinet. Elle lui avoua aussitôt qu'elle souhaitait lui parler de Henry.

– Oh, non, non, d'un point de vue éthique, ça m'est impossible…

– Je sais. Le secret médical. Je voudrais juste savoir une chose. Vous pouvez peut-être faire une entorse au règlement.

Archie se détendit et croisa les bras.

– De quoi s'agit-il?

– Quelle est la raison de son état? demanda-t-elle.

Elle s'était posé cette simple question toute la matinée.

– Pourquoi a-t-il un problème avec la réalité? Est-ce qu'il est… fou? Ou s'agit-il simplement de son imagination? Je dois savoir s'il est malade, si c'est grave, si… je ne sais pas. Quel est votre diagnostic?

Il sembla affligé par sa question, surtout par l'emploi du terme « fou ». Il ajusta nerveusement ses lunettes, secoua de nouveau la tête et se dirigea vers son bureau.

– S'il vous plaît, ne lui parlez pas comme ça. Ne lui dites pas que vous le croyez fou. Ce serait terrible.

Il lui fit signe de s'asseoir et prit lui-même place dans son fauteuil.

– Ces histoires, c'est son langage. Prenez la chose sous cet angle. C'est sa façon de communiquer avec les autres, pour le

54

moment. Il en a vu de toutes les couleurs. C'est son moyen d'expression, mademoiselle Swan. C'est une bonne chose.

– Il est donc en train de régler ses problèmes.

– Exactement.

– Quels sont ses problèmes, alors ?

La question qui venait logiquement après la première.

Archie sembla comprendre où elle voulait en venir. Il inclina la tête en retroussant les lèvres.

– C'est à cause de Regina, n'est-ce pas ? Elle le rend malheureux ? l'encouragea Emma.

– Non, non, il serait exagéré de dire ça, et bien trop réducteur. Bien sûr que non. C'est une femme complexe, et une mère exigeante, mais c'est aussi une bonne mère.

Elle remarqua qu'il avait hoché la tête en prononçant cette dernière phrase. Il semblait en être convaincu.

– Quelle relation entretenez-vous avec votre mère ? Vous voyez ce que je veux dire ?

Une nouvelle flèche en plein cœur.

– Manifestement, vous n'avez pas lu le journal de ce matin, lâcha Emma.

– Que voulez-vous dire ?

– J'ai été abandonnée, moi aussi. Je ne connais pas ma mère.

– Oh… dit-il calmement, comme si cela expliquait beaucoup de choses.

Hochant la tête, il porta la main à son menton.

– Je vois. Très bien. Vous comprenez ce que j'essaie de vous dire, alors. On a toujours des relations compliquées avec sa mère, avança-t-il en souriant. Et avec son père.

– Quelque chose me dit que tout se complique dès qu'il est question de Regina.

– Elle fait ce qu'elle peut, mais elle lui en demande trop, poursuivit-il.

Il soupira, manifestement aux prises avec une autre idée, puis ouvrit un classeur.

– Vous devriez prendre ce dossier. Lisez-le, vous verrez.

Sceptique, Emma fronça les sourcils. Il se comportait bizarrement ; quelque chose clochait.

– Pour quelle raison feriez-vous ça ?

– Parce qu'il tient à vous, répondit-il en lui tendant le dossier. Et parce que je tiens à lui.

Elle réfléchit un moment. Quelque chose ne lui plaisait pas, c'était une certitude, mais elle mourait d'envie de consulter ce dossier. Quoi qu'il puisse mijoter, elle était certaine de pouvoir le gérer. Elle tendit la main et prit le dossier.

– Une simple question de logique, hein, docteur ?

– Exactement, approuva-t-il en ajustant de nouveau ses lunettes.

Quand elle se leva, il l'imita pour la raccompagner.

Il ne lui fallut pas longtemps pour comprendre qu'elle avait eu raison à propos du bon docteur. Quelques heures plus tard seulement, le shérif apparut «mystérieusement» à sa porte, la considérant d'un air grave.

– Je suis désolé, mademoiselle Swan, s'excusa Graham en lui montrant ses menottes, mais vous êtes en état d'arrestation.

Emma eut du mal à croire ce qu'elle entendait. Elle était à nouveau dans sa chambre, et venait tout juste de se doucher et de se changer. Le shérif la regardait d'un air compatissant. Elle avait ouvert la porte, croyant qu'il s'agissait de Mère-Grand, qui lui apportait du linge propre. Au lieu de cela, Graham lui apprenait qu'elle était accusée d'avoir dérobé le dossier de Henry dans le cabinet d'Archie.

– C'est lui qui me l'a remis, insista-t-elle en lui tendant les documents. C'est ridicule. Vous vous rendez compte que Regina a tout orchestré, n'est-ce pas ? C'est elle qui, d'une manière ou d'une autre, l'a forcé à dire ça.

– Je vais être obligé de vous menotter, regretta-t-il. Désolé.

– Très bien. Arrêtez-moi encore une fois. Vous avez un problème ? Arrêtez Emma !

Elle se retourna brusquement et le laissa lui entraver les poignets dans son dos.

– Quelle police efficace!

Au commissariat, alors qu'il la prenait en photo, elle l'interrogea à propos de Regina.

– Tout le monde semble avoir peur d'elle, dans cette ville. Vous le savez aussi bien que moi. Pourquoi personne ne souhaite-t-il régler ce problème? À quoi d'autre est-elle mêlée?

– Il s'agit du maire, répondit Graham. Elle se mêle de tout.

– De tout? répéta-t-elle en haussant un sourcil.

– Eh, du calme! la pria-t-il en l'accompagnant à sa cellule. Ça fait deux jours que vous êtes là, alors qu'elle, ça fait des dizaines d'années. Dites-vous que vous n'êtes peut-être pas au courant de tout, d'accord?

– Je sais faire la différence entre ce que j'ai volé et ce qu'on m'a donné, se défendit-elle. Archie est un menteur.

De nouveau, Graham garda le silence. Mais Emma aurait juré discerner un petit quelque chose dans son regard.

Elle fulmina un bon quart d'heure sur la couche de sa cellule avant de se lever en entendant une voix familière.

– Eh! Il faut que vous la laissiez sortir!

C'était Henry. Il devançait Mary Margaret Blanchard. Surpris, Graham leva les yeux de son bureau.

– Qu'est-ce que tu fais là, Henry? demanda-t-il.

Perplexe, il se tourna vers l'institutrice.

– Mademoiselle Blanchard?

– On est venus payer sa caution pour la faire sortir, déclara Henry.

Puis, après avoir jeté un coup d'œil à Emma, il esquissa un sourire.

– Enfin, elle, parce que moi, je n'ai pas d'argent.

– Pourquoi faites-vous ça? s'étonna Emma.

L'air penaud, Mary Margaret fouilla dans son sac à main.

– Je n'en sais rien. J'ai confiance en vous.

Le shérif sembla quelque peu surpris par la tournure des événements, mais il accepta sans sourciller.

Tandis que Mary Margaret et Graham remplissaient la paperasse, Henry s'approcha de la cellule.

– Bien joué, lui chuchota-t-il.

Elle se pencha et s'adressa à lui sur le même ton.

– Qu'est-ce qui est bien joué?

– Le fait de te faire arrêter. C'est le plan. J'ai compris.

Il hocha la tête.

– Les renseignements. L'opération Cobra, hein?

– Bien sûr, lui répondit-elle. Quelque chose dans ce goût-là.

– Parfait, déclara Graham à l'autre bout de la pièce en brandissant une feuille de papier.

Emma se redressa de toute sa hauteur.

– Génial, dit-elle. Faites-moi sortir de là.

Elle se tourna vers Henry.

– J'ai des choses à faire.

Elle se rendit directement à la quincaillerie.

Emma était douée pour retrouver des gens, oui. Et elle avait le chic pour savoir quand on lui mentait. Deux aptitudes qui lui avaient été bien utiles pour traquer des fugitifs; mais elle en avait une troisième, la face cachée, le lien obscur entre les deux premières, se disait-elle parfois, une qualité qui faisait d'elle une excellente chasseuse de primes. Elle savait atteindre les gens pile là où ça faisait mal. Si on la cherchait un peu trop, elle aussi était capable de trouver des failles dans une armure. Quand elle le voulait, elle n'hésitait pas à les chercher et, les ayant trouvées, ne craignait pas de tirer la première.

Elle choisit une tronçonneuse avec un moteur à deux temps, demanda à ce qu'on la retire de sa boîte et qu'on lui fasse le plein, puis elle paya avec sa carte de crédit.

– Vous avez un peu de jardinage à faire? demanda la femme derrière le comptoir.

– Non, répondit-elle. Pas du tout.

Quand on me prend quelque chose de précieux, je n'hésite jamais à rendre la pareille. L'idée tournait en boucle. Sa colère l'empêcha de penser à quoi que ce soit d'autre lorsqu'elle descendit la rue principale en direction de l'hôtel de ville. Elle pénétra dans le jardin de derrière en appuyant sur le démarreur et en tirant sur la poignée de l'engin, le regard rivé sur le précieux pommier de Regina. Devant le tronc, elle hésita, puis décida de ne pas l'abattre complètement. Une grosse branche suffirait. Une blessure, mais pas mortelle. Ce n'était que le début, et elle n'était pas encore tout à fait prête à déclencher une guerre nucléaire.

La lame de l'outil s'enfonça dans la branche sans réelle difficulté, et celle-ci émit un craquement satisfaisant juste avant de tomber. Emma recula en se fendant d'un sourire. Il lui fut inutile de lever les yeux vers la fenêtre. Elle y sentait la présence de Regina, qui observait la scène.

Après un moment de silence, Regina surgit de l'édifice.

– Que faites-vous? hurla-t-elle en se dirigeant à grands pas vers Emma, qui brandit alors la tronçonneuse comme une arme.

Elle avait coupé le moteur et n'avait aucune intention de découper le maire en deux. Elle n'en était pas là. Pas encore.

– Je cueille des pommes, répondit-elle froidement.

– Vous avez perdu la tête?

Emma s'approcha d'elle.

– Non. En revanche, il semblerait que ce soit votre cas si vous avez cru me faire peur. Il va falloir faire mieux que ça, la prochaine fois. Si vous me cherchez encore des noises, je reviendrai pour en faire du petit bois, dit-elle en désignant le pommier. Parce que, voyez-vous, ma petite dame, vous n'avez aucune idée de ce dont je suis capable.

Elle fit demi-tour puis s'éloigna, laissant Regina près de l'arbre, sans voix.

Quelques heures plus tard, étant enfin parvenue à se calmer grâce à une promenade dans les bois, Emma retourna à la maison d'hôte de Mère-Grand avec une nouvelle détermination. Elle ignorait encore comment, mais elle allait trouver le moyen de s'immiscer dans la vie de Henry.

Mère-Grand, manifestement plutôt mal à l'aise, l'arrêta dans le couloir.

– Je suis désolée, très chère, annonça-t-elle, mais on n'accepte pas les délinquants, ici. Je me vois au regret de vous demander de partir.

– Pardon? C'est à cause de l'article dans le journal de ce matin?

Elle hocha la tête d'un air attristé.

Emma, que plus rien n'étonnait, lui tendit la clé de sa chambre.

– Et laissez-moi deviner, dit-elle. C'est un appel depuis le bureau du maire qui vous a rappelé votre propre règlement?

– Nous essayons de faire en sorte que nos clients soient en sécurité, déclara la vieille femme en lui prenant la clé. Voilà tout.

Eh bien, il m'est déjà arrivé de dormir dans ma voiture, après tout, se dit Emma. Elle emballa quelques affaires et les porta jusqu'à sa Coccinelle.

– Qu'est-ce que… s'étonna-t-elle, les yeux plissés, en approchant avec son sac.

Il y avait un sabot à la roue avant de sa voiture. *Encore Regina. Cette femme ne s'arrête-t-elle donc jamais?*

Alors qu'elle se faisait cette réflexion, son téléphone sonna. Un numéro inconnu.

En revanche, la voix lui était tout à fait familière.

C'était Regina. Elle souhaitait passer un marché.

Emma se rendit à pied à la demeure du maire, à près d'un kilomètre de là. À son arrivée, on lui indiqua son bureau. Les deux femmes se saluèrent avec appréhension, et Regina lui fit signe de s'asseoir. Elle lui apporta à boire, pas du cidre cette fois, et se servit également un verre.

– Merci d'être venue. J'aimerais que nous nous conduisions en personnes civilisées. Je suis persuadée que ça peut fonctionner.

– De quoi parlez-vous ?

– De tout ça. De vous. D'ici. J'ai l'impression que vous êtes plus déterminée que jamais à rester en ville. Je ne suis pas aveugle. Je sais qu'en me mettant en travers du chemin de mon fils, il finira par en vouloir encore plus que ce qu'il a déjà.

Emma se détendit un peu et s'enfonça sur son siège en prenant une inspiration.

– D'accord, acquiesça-t-elle. Je vous écoute.

– J'accepte que vous soyez là pour me reprendre votre fils.

Et voilà. Emma réfléchit un instant avant de lui répondre :

– Ce n'est pas dans mes intentions.

– Alors que faites-vous ici ? lui demanda Regina.

Emma s'était posé la question toute la journée, n'en étant toujours pas vraiment sûre.

– Franchement, je m'inquiète pour Henry, reconnut-elle enfin. Il est persuadé que tous les habitants de cette ville sont des personnages de contes de fées. Ce n'est pas bon signe.

Regina hocha la tête.

– Et pas vous, si je comprends bien ?

– Bien sûr que non. Je ne crois pas que ma mère soit Blanche-Neige, ni que vous soyez la Méchante Reine. Henry a du mal à faire la distinction entre le rêve et la réalité. C'est complètement fou.

Elle fronça les sourcils en voyant Regina esquisser un sourire. Quand celle-ci jeta un coup d'œil sur la droite, Emma se retourna brusquement vers la porte du bureau. Henry, l'air abattu, observait la scène.

– Tu me prends pour un fou ? demanda-t-il, les larmes aux yeux.

Emma eut l'impression que son cœur allait s'arrêter de battre.

– Non, Henry, je…

Mais il était trop tard, il s'enfuit. Avant qu'elle ait pu se lever, il avait disparu.

Furieuse, elle se tourna vers Regina.

– Vous l'avez fait exprès. Vous saviez qu'il serait là.

– Bien sûr, que je le savais, déclara-t-elle d'un ton glacial. C'est mon fils. Il arrive tous les jeudis à cinq heures précises. Une mère sait toujours ce que font ses enfants.

Emma, le cœur battant, sentit monter en elle un sentiment de colère mêlé de tristesse et de regret. Elle avait perdu Henry. Elle l'avait fait souffrir. Qu'importe la façon dont c'était arrivé. Elle s'était conduite comme une idiote en acceptant de venir là.

– Vous n'avez pas de cœur, dit-elle à Regina.

Ce fut tout ce qui lui vint à l'esprit avant de se lancer à la poursuite de Henry.

Il était dans le cabinet d'Archie Hopper. Emma les aperçut par la fenêtre quand elle s'approcha du bâtiment. Un simple regard lui avait permis d'apprendre ce qu'elle voulait savoir. À l'intérieur, Henry était recroquevillé dans son fauteuil, l'air abattu, et cela lui brisa le cœur. Elle ne supportait pas de le voir triste – et, au contraire, le voir heureux la mettait en joie. Sans doute s'agissait-il de l'unique boussole susceptible de la guider.

Elle surgit dans le cabinet sans frapper et, surpris, Henry et Archie levèrent tous les deux les yeux vers elle.

– Il faut que je te parle, déclara Emma.

Archie se leva.

– Mademoiselle Swan, vous n'avez pas le droit ! s'offusqua-t-il en levant les mains.

Elle le fusilla du regard, le forçant à baisser la tête. Il se mit ensuite à tripoter ses lunettes.

– Je suis désolé pour le dossier. C'est elle qui m'a dit de…

– Ce n'est pas grave, Archie. Ce n'est pas ce qui me préoccupe le plus, pour le moment.

Elle se tourna vers Henry.

– Je veux que tu saches que c'est pour toi que je suis restée. C'est pour toi que je suis là. Je ne te prends pas du tout pour un fou. Je crois que c'est cette ville et cette malédiction qui sont folles.

Le garçon sembla sceptique au début de son discours, mais il se détendit au fur et à mesure qu'elle parlait.

Rassurée, Emma tira la liasse de feuilles de sa poche et poursuivit.

– J'ai lu ces pages. Tu avais raison, elles sont dangereuses. Et il n'y a qu'un moyen d'empêcher Regina de connaître mon histoire.

Elle s'approcha de la cheminée et y jeta les pages du livre.

– Il ne faut pas qu'elle tombe dessus.

Tous trois regardèrent les feuilles brûler.

– À présent, c'est nous qui avons l'avantage.

Henry esquissa un sourire.

– Génial! s'exclama-t-il.

Emma se tourna vers Archie, s'attendant à ce qu'il lui décoche un regard de remontrance, mais elle comprit qu'il se réjouissait de voir le garçon si heureux.

– Je savais que tu étais venue pour m'aider! s'écria Henry.

– Tu as raison. C'est pour ça que je suis venue. Et ce n'est pas une malédiction qui pourra m'en empêcher.

CHAPITRE 3

LE PONT DES TROLLS

ur la grand-route, à une quinzaine de kilo-
mètres au-delà du château du roi Midas,
environ un an avant leur mariage, le Prince
Charmant et Blanche-Neige se sont vus pour
la première fois.

Dans un premier temps, la rencontre ne fut pas des plus
amicales.

Quand elle s'apprêta à bondir de son arbre sur le carrosse qui conduisait le Prince Charmant et sa future épouse
à travers la forêt, Blanche-Neige menait une existence de
fugitive. Naturellement, à l'époque, elle ignorait de qui il
s'agissait, ce que l'avenir leur réservait, ainsi que la manière
curieuse dont ces fiançailles s'étaient déroulées. À ses yeux,
ce n'étaient que des gens fortunés dont le carrosse méritait
de se faire dévaliser. Son objectif était le même qu'avec ceux
qu'elle avait attaqués depuis qu'elle était en cavale : se pro-
curer de l'argent et parvenir à s'en sortir indemne. Vivre et
combattre. Éviter la reine et ses soldats, trouver le moyen de
laver son honneur.

Étendue sur une grosse branche, elle regarda le carrosse
cheminer, jusqu'à ce qu'il s'immobilise. L'homme, avec une
certaine arrogance, jugea-t-elle, sortit de sa voiture, longea le
sentier et observa le tronc d'arbre qui les empêchait d'aller
plus loin. C'était Blanche qui l'avait abattu pendant la nuit
puis déposé là. Un plan simple et efficace. Elle était stupéfaite
qu'il puisse fonctionner presque chaque fois.

Elle bondit sur la voiture. En un clin d'œil – elle était devenue plutôt douée –, elle s'empara d'une bourse à l'intérieur, remarquant tout juste la présence d'une majestueuse blonde à l'air endormi qui se tortillait les cheveux. Seule la bourse l'intéressait, et, en filant comme une flèche, elle prit conscience de son poids. Elle devait sans doute contenir un objet de valeur. Elle sauta sur l'un de leurs chevaux avant même que la femme ait eu le temps de crier.

Trente secondes plus tard, le vent dans la figure, Blanche-Neige disparaissait au triple galop sur un étalon alezan, pensant déjà au pont des Trolls. Elle fut surprise d'entendre un cri derrière elle. En se retournant, elle constata que l'homme arrogant la poursuivait.

Elle leva les yeux au ciel.

Ils croient toujours qu'ils vont pouvoir me rattraper, se dit-elle.

Toutefois, l'homme l'étonna tant il semblait bon cavalier. Quand elle regarda de nouveau par-dessus son épaule, il n'était plus qu'à deux longueurs. Elle éperonna de nouveau son étalon, mais il était déjà trop tard. Elle sentit l'homme poser les mains sur ses épaules, et ils chutèrent tous les deux lourdement de leurs montures.

Ils roulèrent un long moment par terre. Blanche se mit en boule pour mieux supporter l'impact, mais elle entendit l'homme pousser un grondement et comprit qu'il avait eu le souffle coupé. Quand ils s'immobilisèrent enfin, il se retrouva au-dessus d'elle, respirant avec peine. Il la dévisagea en plissant les yeux, et elle supposa qu'il venait simplement de découvrir qu'il s'agissait d'une femme. Elle méprisa l'étonnement qu'elle lut dans son regard.

Même si, dut-elle reconnaître, il avait de très beaux yeux.

Elle profita de cet instant où ils se dévisageaient l'un l'autre pour le frapper au menton à l'aide d'une pierre.

Sonné, il bascula à la renverse. Elle repartit au galop quand elle l'entendit s'écrier :

– Je te retrouverai ! Un jour ou l'autre, je te retrouverai !

Mary Margaret Blanchard marchait seule dans la rue principale, les mains dans les poches de sa jupe, le regard rivé sur le trottoir. Elle sortait d'un rendez-vous avec le docteur Whale. Un rendez-vous vraiment épouvantable.

Elle donna un coup de pied dans une pierre en soupirant, puis leva les yeux vers l'horloge de la tour. À quand remontait la dernière fois qu'elle était sortie avec un homme qui lui plaisait ? Elle l'ignorait. Il avait été pédant, ce à quoi elle aurait certainement dû s'attendre ; c'était un médecin, après tout. Mais il s'était également montré si indifférent vis-à-vis d'elle qu'elle éprouva une tristesse familière. Les autres la trouvaient-ils ennuyeuse ? Elle avait toujours eu du mal ne serait-ce que pour s'entendre avec quelqu'un. Toute sa vie elle avait eu l'impression de sortir avec la mauvaise personne. Elle...

Elle fut interrompue dans sa rêverie par ce qu'elle vit de l'autre côté de la rue : Emma Swan, la mère biologique de Henry, assise derrière le volant de sa Coccinelle jaune, plongée dans la lecture de son journal.

Le sourire aux lèvres, elle traversa la rue pour aller frapper à sa vitre.

– Vous avez décidé de rester en ville pour Henry, n'est-ce pas ?

Elle l'admirait d'avoir pris cette décision. Elle avait du mal à en apprécier les raisons mais trouvait cela admirable.

– Je ne sais pas, mais une chose est sûre, j'ai décidé de rester, répondit Emma en étirant ses jambes. Ce que je n'arrive pas à croire, c'est qu'il n'y a rien à louer, dans cette ville, dit-elle en brandissant le journal. Et pas de boulot. À quoi ça rime ?

– Je n'en sais rien. J'ai l'impression que les gens aiment que les choses restent comme elles sont, par ici.

– Que faites-vous dehors ?

Mary Margaret croisa les bras.

– Je sors d'un rendez-vous catastrophique, merci bien.

Emma hocha la tête.

– Je vois le genre. Moi aussi, je connais ça.

– Personne n'a jamais dit qu'il était facile de trouver l'amour de sa vie, n'est-ce pas ?

Emma acquiesça de nouveau et Mary Margaret crut déceler quelque chose dans son regard. Quelque chose à propos de l'« amour de sa vie », peut-être, qui l'avait fait énormément souffrir. Elle se sentit soudain très mal à l'aise. Pourquoi fallait-il toujours qu'elle mette les pieds dans le plat ?

– Eh bien, je vous souhaite une bonne nuit, dit Emma.

– Vous savez, vous pouvez venir loger chez moi, lui proposa soudain Mary Margaret.

Elle en fut elle-même surprise, mais, en y réfléchissant, considéra que ce n'était pas une si mauvaise idée, après tout. Cela pourrait fonctionner. Elles pourraient s'entendre.

Elle ajouta en souriant :

– Enfin, jusqu'à ce que vous retombiez sur vos pieds.

– C'est, euh… très gentil de votre part. Mais je dois avouer que je ne suis pas vraiment la colocataire idéale. Sans vouloir vous vexer, hein ? Mais c'est très gentil de votre part. Ça me fait énormément plaisir.

– Bien sûr, chuchota Mary Margaret avant de reculer d'un pas. Pas de problème. Comme vous voudrez.

Elles se dirent au revoir, et Mary Margaret rentra chez elle, tentant de se débarrasser de l'impression d'avoir été repoussée à deux reprises en une seule soirée. Le lendemain, c'était son jour de bénévolat à l'hôpital. Au moins, là-bas, les gens seraient contents de pouvoir lui parler.

Qu'est-ce qui avait bien pu la pousser à faire une telle proposition à une parfaite étrangère ? Aucune idée… Même en cherchant bien.

– J'ai retrouvé ton père.

Emma, installée à côté de Henry au dernier étage de son «château», les jambes pendant dans le vide, se tourna vers lui.

– Pardon?

On était samedi, mais Regina était occupée toute la journée, Henry et elle pouvaient donc passer un peu de temps ensemble. Elle était déjà allée le retrouver à cet endroit, et cela lui semblait ce qu'il y avait de mieux, vraiment. Inutile d'en parler à Regina, inutile d'en faire toute une histoire.

– J'en doute sérieusement, lui répondit-elle.

Parce qu'elle aussi avait tenté de le retrouver, un jour. De les retrouver tous les deux. Elle n'était pas allée bien loin, les circonstances de son «abandon» semblant quelque peu obscures. Il n'y avait rien. Que dalle. Il y avait peu de chances que ce gamin ait pu apprendre quelque chose qu'elle ne savait pas déjà.

– Si, c'est vrai, insista-t-il. Il est ici, en ville.

Il se tortilla pour pouvoir s'emparer de son livre. Emma leva brièvement les yeux au ciel, comprenant ce qu'il voulait dire. Il n'allait donc pas s'arrêter.

– Regarde, dit-il en tournant les pages jusqu'à celle qui représentait un homme, un bel homme à la mâchoire carrée, les yeux clos, du sang sur le menton, étendu dans l'herbe. C'est le Prince Charmant. Après que Blanche-Neige l'eut frappé et se fut enfuie.

– Quelle version tordue de Blanche-Neige es-tu en train de lire? demanda-t-elle en se saisissant du livre.

Elle en tourna quelques pages et en lut distraitement quelques passages.

– C'est compliqué, reconnut-il. Mais le plus important, c'est qu'il soit ici. C'est le grand amour de Mlle Blanchard, et elle ne sait même pas qu'il est là. Je l'ai vu. À l'hôpital. Il est dans le coma.

Emma revint sur l'illustration.

– Ce type? demanda-t-elle en le désignant du doigt.

– Il s'appelle M. X, déclara Henry.

– Ça signifie qu'ils ne connaissent pas son identité.

– Sans doute, mais je sais qui c'est, moi. Et toi aussi, maintenant. Et il faut trouver le moyen de le réveiller pour qu'il se souvienne de Mlle Blanchard.

Emma avait choisi pour stratégie de ne pas le contredire. La question suivante lui vint tout naturellement :

– Et comment est-on censés s'y prendre ?

– J'y ai déjà réfléchi. Il nous suffit de la convaincre de lui lire cette histoire.

– De quelle histoire s'agit-il ?

– De celle qui raconte comment ils sont tombés amoureux. C'est très important.

Emma s'abstint de tout commentaire et se contenta de contempler l'océan.

– Quoi ? demanda le garçon. Tu ne me crois pas ?

– Si, vraiment. Aussi étrange que ça puisse paraître, je te crois tout à fait.

Il lui adressa son sourire irrésistible.

– Alors, tu vas m'aider ?

– Bien sûr. Mais on va faire ça à ma façon. Compris ?

– Alors, récapitulons, dit Mary Margaret en jetant à Emma un regard sceptique. Vous voulez que je lise cette histoire enfantine à M. X ? Qui est dans le coma ? À l'hôpital ?

– Exactement.

– Et vous voulez que je le fasse uniquement parce que Henry croit qu'avec cette histoire M. X va se réveiller parce que c'est le Prince Charmant, que je suis Blanche-Neige, que nous sommes destinés l'un à l'autre et que seul l'amour de sa vie peut rompre la malédiction dont il est frappé ?

– Absolument, approuva Emma en hochant la tête avant de croquer à nouveau dans son céleri. C'est à peu près ça.

– C'est complètement dingue.

Emma inclina la tête.

– Un peu, reconnut-elle. Mais pas tant que ça.

Elles étaient toutes les deux installées sur le canapé de Mary Margaret. Elle était heureuse qu'Emma soit venue frapper à sa porte, même si elle avait cru tout d'abord que c'était au sujet de la proposition qu'elle lui avait faite. Mais Emma, qui allait toujours droit au but, semblait-il, lui avait aussitôt parlé de son plan à propos de l'inconnu, à l'hôpital. Un plan ridicule. L'institutrice observa cette étrange femme, pensant aux éventuelles répercussions qu'aurait ce plan et à ce que cela signifierait. Elle avait raison. Ce n'était peut-être pas si farfelu.

– Et ce que vous ne m'avez pas dit, poursuivit Mary Margaret, c'est qu'il ne se réveillera pas, et que ce sera une façon délicate de montrer à Henry qu'il se trompe sans doute à propos de cette malédiction.

Emma ébaucha un bref sourire et croqua de nouveau dans son céleri.

– Quelque chose dans ce goût-là, reconnut-elle.

Mary Margaret lui donna son accord. Pourquoi? Pour plusieurs raisons. Elle aimait bien cette Mlle Swan, son plan pour aider Henry, et la simplicité de cette solution. Elle appréciait même l'occasion de pouvoir faire la lecture à un patient, un bel homme, devant le docteur Whale. Oui, cette dernière raison était ridicule, mais, pour être honnête, elle avait déjà remarqué la présence de ce M. X à plusieurs reprises, était passée devant lui et avait éprouvé une étrange impression de familiarité dans les tréfonds de son esprit. Sur le chemin de l'hôpital, son livre sous le bras, elle se demandait si elle aimait bien M. X uniquement parce qu'il était toujours là, constant, et que l'on pouvait compter sur lui. Non, il ne lui avait jamais répondu et, non, il n'avait aucune idée de qui elle était, mais il était toujours resté le même. Il était comme elle. Seul. Et il était coincé là, à Storybrooke.

Elle trouva incroyable le fait que les choses changeaient si peu. Cela faisait longtemps qu'elle était là, mais, chaque année, les enfants semblaient les mêmes, ses impressions mitigées à propos de Storybrooke aussi, et sa solitude – une partie obscure au fond d'elle qui ne croyait tout simplement pas qu'elle était destinée à rester cloîtrée chez elle, à ne voir presque personne, à passer ses nuits seules, à boire du thé –, eh bien, sa solitude ne l'avait jamais quittée. Storybrooke était-elle une ville sûre ou une ville stagnante? Les deux. Les petites choses comme ça, comme ses visites à l'hôpital, lui permettaient d'occuper son temps.

Elle prit place au pied du lit, s'installa confortablement et ouvrit le livre.

Elle lut la première phrase pour elle puis se tourna vers lui.

– Je sais que ça peut vous paraître étrange, dit-elle, mais je fais ça pour une amie. Essayez d'être indulgent avec moi.

Elle jeta un coup d'œil par la baie vitrée et, à l'autre bout de la salle, aperçut le docteur Whale qui faisait sa tournée, plongé dans ses dossiers médicaux. Elle reporta son attention sur M. X et haussa les sourcils.

– Désolée si vous trouvez ça ennuyeux.

Elle lut. Elle lut l'histoire qu'Emma lui avait demandé de lire, finissant elle-même par être captivée par cette Blanche-Neige en cavale, sorte de bandit de grand chemin. Elle lut le récit de sa première rencontre avec le prince, puis celui de la suivante, et comprit les sentiments qu'ils commençaient à avoir l'un pour l'autre, ayant tous les deux plus de points communs qu'ils ne l'auraient imaginé. Mary Margaret n'avait pas lu l'intégralité du livre avant de l'offrir à Henry, mais, après un moment, elle marqua une pause, leva les yeux et réfléchit à voix haute :

– Ce n'est peut-être pas vraiment pour les enfants? Qu'en dites-vous?

Elle vit de nouveau le mot «bandit». Quelqu'un qui fuyait, qui avait transgressé les règles. Qui vivait courageusement, menait une existence ne correspondant pas aux normes sociétales. On ne pouvait vraiment pas dire d'elle-même que c'était un bandit, non. Elle était bienveillante, gentille, prudente et respectueuse des lois. Elle ne causait pas de problèmes.

71

Contrairement à Emma Swan. Elle voulait le devenir, mais elle ignorait comment.

Je ne suis peut-être pas un bandit, se dit-elle, *mais j'en ai le cœur.*

Elle était encore absorbée par cette histoire émouvante quand son regard se porta sur le dernier paragraphe, sa curiosité piquée au vif. Le Prince Charmant et Blanche-Neige s'unissaient, alors qu'ils s'affrontaient depuis le début. Elle poursuivit sa lecture :

– « Se regardant dans les yeux, ils n'avaient pas besoin de mots pour exprimer ce qu'ils ressentaient au plus profond de leur cœur. Car c'était là, à l'ombre du pont des Trolls, que leur amour avait vu le jour. Ils savaient, peu importe s'ils venaient à être séparés, qu'ils trouveraient touj… »

Elle s'interrompit, une boule dans la gorge.

C'était impossible.

Pourtant, elle l'avait senti.

Lentement, sachant ce qu'elle allait voir, elle leva les yeux du livre et porta son attention sur sa main gauche. Son cœur, qui battait déjà vite, commença à s'emballer.

M. X avait posé la main sur la sienne.

Il ne lui tenait pas simplement la main, il la serrait dans la sienne.

Elle se leva, se couvrant la bouche et récupérant ses doigts. Après avoir lancé un dernier regard à ses yeux clos, elle alla trouver le docteur Whale.

Blanche-Neige jeta un dernier regard sur ses effets, persuadée d'avoir oublié quelque chose d'important, mais trop tendue pour s'en inquiéter à cet instant. Son refuge dans le tronc d'arbre se trouvait à quelques kilomètres seulement de l'endroit où elle avait détroussé l'arrogant nigaud, si beau soit-il, et l'avait assommé à l'aide d'une pierre. Elle avait estimé plus prudent de quitter la région. Mais il y avait quelque chose chez cet homme…

Elle mit son amulette autour de son cou, dissimula son or autour de sa taille et s'éloigna de son arbre. Soudain, elle sentit le sol se dérober sous ses pieds.

Se soulever, plus exactement. Avant même qu'elle ait pu réagir, elle se retrouva suspendue à six mètres du sol, prise au piège par un filet que l'on avait dissimulé sous les feuilles.

– Hé ! Bonjour là-haut, retentit une voix qu'elle reconnut aussitôt.

Elle fronça les sourcils.

C'était lui, l'homme arrogant. Il était là, les poings sur les hanches, l'air passablement fier de lui.

– Je t'avais bien dit que je te retrouverais.

– Je t'en prie, soupira Blanche-Neige en cherchant sa dague.

Elle la dégaina et s'apprêta à découper le filet.

Le prince éclata de rire.

– Ça risque de faire une sacrée chute. Tu vas te rompre le cou. Je vais plutôt te faire descendre doucement, non ?

Ils se regardèrent fixement l'un et l'autre.

– À une condition, ajouta-t-il.

– C'est le seul moyen que tu as trouvé pour attraper des femmes ? Les capturer dans un filet ?

– C'est ma méthode préférée pour arrêter les voleurs, en fait. Quant aux femmes, j'ai plus d'un tour dans mon sac.

– Eh bien, quel Prince Charmant tu fais ! lâcha-t-elle.

Cela le fit sourire.

– J'ai un vrai nom.

– Je m'en moque. Tu es charmant. Fais-moi descendre de là, Charmant.

Son sourire se dissipa.

– Je n'y manquerai pas. Dès que tu m'auras rendu ce qui m'appartient.

– Je ne l'ai plus depuis longtemps.

– Alors, il faudra qu'on aille la récupérer. J'imagine qu'elle n'est pas très loin. Cette bourse contenait une bague à laquelle je tiens énormément. Elle m'a été donnée par ma mère, à vrai dire.

– Oh, bien sûr! se gaussa Blanche-Neige en levant les yeux au ciel. Pour cette mégère dans le carrosse! Ah! ça ne m'étonne pas que tu veuilles épouser une femme comme elle. Laisse-moi deviner… C'est une princesse. Le mariage est de la plus grande importance.

– Tu es incroyablement grossière pour quelqu'un pris au piège dans un filet. Tu en as conscience?

– Pourquoi accepterais-je de t'aider? demanda Blanche-Neige. Qu'aurais-je à y gagner? Que vas-tu faire si je refuse, Prince Charmant? Me torturer?

– Non, répondit-il.

Blanche comprit au ton de sa voix qu'il avait cessé de jouer.

– Mais quelqu'un d'autre s'en chargera sans doute.

Elle l'observa à travers les mailles du filet. Il soutint son regard sans ciller.

– Que veux-tu dire?

– Je sais qui tu es, Blanche-Neige. Et si tu ne me conduis pas à cette bague, je te livrerai aux hommes de la reine.

Il tira de son gilet une affichette avec son portrait et la brandit devant elle. La ressemblance était frappante. Elle doutait qu'il soit utile de protester.

– C'est comme tu veux. Soit tu m'aides, soit je te dénonce. Quelque chose me dit que la reine n'est pas aussi charmante que moi.

Dès que Blanche accepta de conduire le prince à l'endroit où elle avait vendu ses bijoux, il la fit descendre, lui assurant qu'il lui était inutile de s'enfuir, car il finirait de toute façon par la retrouver. Et même si elle mourait d'envie de l'assommer à nouveau avec une pierre, elle comprit qu'il était dans son intérêt de récupérer la bague.

Pendant les trois heures de marche qui suivirent, ils ne s'adressèrent que très peu la parole et, tout au long du trajet à travers la forêt, Blanche-Neige ne décoléra pas. Derrière elle, il semblait flâner nonchalamment. Quelque chose dans sa façon de marcher en plastronnant lui déplaisait au plus haut point. Aux environs de midi, il proposa de faire une halte, et elle s'adossa à un arbre, le regard perdu vers l'ouest.

– Qu'est-ce que c'est ? voulut-il savoir.

Elle se rendit compte qu'il s'amusait avec l'amulette qu'elle portait autour du cou.

– Ça ne te regarde pas, rétorqua-t-elle, lui ôtant la main de sa breloque.

– À présent, si, lui assura-t-il.

D'un geste vif, il saisit le bijou et le lui arracha.

– Attention ! s'écria-t-elle. C'est une arme. C'est de la poudre de fée. Elle transforme n'importe quel ennemi en une chose que je peux aisément vaincre.

Amusé, le prince haussa un sourcil et examina la petite ampoule de verre.

– Ah bon ? Et pourquoi ne t'en es-tu pas servie contre moi, alors ?

– Je la garde pour quelqu'un qui en vaut la peine, riposta-t-elle.

– Quelqu'un comme la reine ?

– Ça ne te regarde pas.

– Peut-être pas, mais dis-moi : que lui as-tu fait, précisément, pour ainsi t'exposer à son courroux ? C'est plutôt impressionnant.

– Elle se déteste, alors elle déteste tout le monde. Surtout moi, apparemment. Je ne lui ai rien fait.

Quand le prince la dévisagea, elle ne cilla pas, consciente du brasier dans son propre regard, refusant de faire quoi que ce soit pour le dissimuler.

Il haussa les épaules.

– Très bien. Ça m'apprendra à mettre mon nez dans les affaires des autres.

Il lui tendit l'amulette.

– Quoi ? s'étonna Blanche. Tu me la rends ?

– Oui, lui répondit-il en haussant de nouveau les épaules, peu inquiet de respecter les règles d'usage entre un prisonnier et son maître, bien sûr. On dirait que tu risques de bientôt en avoir besoin.

Henry et Emma étaient tous les deux au *diner*, attendant Mary Margaret pour qu'elle leur raconte s'il s'était passé quoi que ce soit lorsqu'elle avait lu l'histoire à M. X.

– Ne va pas t'imaginer des choses, lui conseilla Emma en savourant son chocolat chaud. Nous…

Il levèrent les yeux en même temps lorsque Mary Margaret, plus enthousiaste que jamais, surgit dans le *diner*.

– Il s'est réveillé ! déclara-t-elle en se glissant sur la banquette.

Emma n'eut même pas envie d'imaginer le sourire qui pouvait s'afficher sur le visage de Henry. Ce n'était pas prévu.

– Pardon ? demanda-t-elle.

– Il m'a saisi la main. Juste à la fin de l'histoire.

– Il se rappelle, expliqua Henry.

Le garçon hocha la tête pour lui-même, comme si tout cela était parfaitement logique, et se leva.

– Allons à l'hôpital, suggéra-t-il en se précipitant vers la porte. Allez !

Emma inclina la tête et se tourna vers Mary Margaret.

– À quoi jouez-vous ? lui demanda-t-elle.

– C'est la vérité, insista l'institutrice, qui lui fit penser à Henry, maintenant qu'elle se donnait la peine d'y réfléchir. On s'est… il y a eu une sorte de lien.

– Comme celui qui existe entre Blanche-Neige et le Prince Charmant?

– Non, non, réprouva Mary Margaret. Juste un lien.

– Eh bien, j'imagine qu'on ferait mieux d'aller voir ça par nous-mêmes.

Le shérif Graham les accueillit sur le pas de la porte en levant les mains. Emma comprit que quelque chose s'était produit.

– Que se passe-t-il? demanda-t-elle en s'immobilisant.

– Ça ne vous regarde pas, répondit-il en jetant un coup d'œil par-dessus son épaule. Je présume que vous êtes là en raison de ce qui est arrivé tout à l'heure? Entre M. X et Mlle Blanchard?

Il salua brièvement cette dernière, ce qui rappela à Emma que tous ces gens se connaissaient ici. Elle se demanda quel genre de relation ces deux-là pouvaient bien avoir.

– Quel est le problème? demanda Mary Margaret. Il va bien?

– On ne peut pas dire qu'il ne va pas bien, répondit le shérif en se tournant pour les conduire à l'intérieur. Il n'est plus là.

– Plus là? répéta Emma. Comment est-ce possible?

Ils s'approchèrent du docteur Whale, qui étudiait un dossier médical en secouant la tête.

– C'est impossible, grommela le docteur Whale. Scientifiquement impossible.

– Et pourtant, il n'est plus là, lui fit remarquer Emma. Quelqu'un est-il venu le chercher?

– On ne sait pas vraiment…

Le médecin se tut et jeta un coup d'œil derrière eux. Emma entendit des talons claquer. Elle se raidit et se tourna juste à temps pour voir Regina s'approcher.

– Que font-ils ici? exigea-t-elle de savoir. Sur quel genre d'opération êtes-vous, shérif? S'agit-il d'une scène de crime, oui ou non?

– Qu'est-ce que tu as fait? lui demanda Henry.

Elle prit un air légèrement plus doux en baissant les yeux sur lui. Elle s'accroupit et lui posa la main sur l'épaule.

– Rien, Henry. J'essaie de découvrir ce qui a bien pu lui arriver.

– En quoi une histoire de personne disparue peut-elle intéresser le maire ? s'étonna Emma.

Regina se redressa.

– Parce que je suis la personne à joindre en cas d'urgence.

– Vous le connaissez donc ? demanda Mary Margaret. Comment ?

– Je ne le connais pas, mais c'est moi qui l'ai trouvé. Il y a des années. Sur le bord de la route.

– Mais attendez, poursuivit l'institutrice, s'il est parti, où qu'il soit, est-ce qu'il... On ne peut pas retrouver toutes ses facultés aussi vite après être sorti du coma...

Elle se tourna vers le docteur Whale.

– N'est-ce pas ?

– Voilà des années qu'il est sous perfusion, ses jambes sont atrophiées et, s'il est conscient, il doit être complètement désorienté et pris de panique. Donc, non, il n'a pas retrouvé toutes ses facultés. Il faut le ramener à l'hôpital au plus vite. Je refuse d'imaginer ce qui pourrait lui arriver.

– Alors retrouvez-le, déclara Regina en prenant Henry par la main. Ce n'est pas un endroit pour toi, lui fit-elle remarquer. Allons-nous-en. Je ne veux pas que tu traînes avec cette femme.

Après lui avoir lancé un regard de protestation, le garçon se tourna vers Emma d'un air entendu avant que le maire l'emmène. Elle savait ce qu'il pensait. « Essaie de le retrouver », lui disait-il.

Après une autre heure de marche, Blanche ralentit son allure puis obligea le prince à s'arrêter en lui posant une main sur l'épaule.

– Bien, dit-elle en regardant attentivement en direction du pont. Nous y sommes. Soyons prudents.

– À cause des trolls ? demanda-t-il. Tu plaisantes ?

– Tu as déjà croisé un troll ?

Il se tourna vers elle.

– Alors, soyons prudents, répéta-t-elle avant de le guider vers le pont de pierre.

Elle détestait les trolls, mais ce n'étaient pas les pires partenaires commerciaux. Ils avaient toujours de l'or et semblaient chaque fois disposés à lui acheter les bijoux qu'elle avait volés. Son cœur battit un peu plus vite. Elle redressa les épaules, prit une inspiration et se dirigea vers le milieu du pont avec le prince.

Remarquant qu'elle le regardait, il lui sourit.

Elle se sentit quelque peu désarmée.

– Quoi ? demanda-t-elle.

– Et maintenant ? s'enquit-il sans tenir compte de sa question, s'approchant du parapet et regardant en bas du pont. On est censés faire des bruits de trolls ?

– Non, répondit-elle en fouillant dans sa bourse. On frappe à leur porte.

Elle enjamba les dalles moussues et déposa une demi-douzaine de pièces d'or sur le parapet.

– Recule, lui ordonna-t-elle.

Il obtempéra.

Ils perçurent tout d'abord des espèces de grattements. Elle les avait déjà vus escalader le pont : ils ressemblaient à des araignées, en plus hideux. Ils vivaient en contrebas, dans ce qu'elle imaginait être des conditions sordides. Elle frissonna rien que d'y penser.

Le prince, l'air bougon, déclara :

– Les voilà…

Leur chef fut le premier à surgir par-dessus le parapet, maigre, le pas traînant, recouvert de mousse et de terre. Il se hissa par-dessus le rebord et se dressa du haut de ses deux mètres quarante. Blanche posa sa main sur celle du prince, qui s'était saisi de la poignée de son épée, et secoua la tête. Il se tourna vers elle et lâcha son arme.

— Ce ne sont pas les créatures les plus belles que je connaisse… marmonna-t-il.

— De qui s'agit-il ? gronda le troll en désignant le prince.

Il tendit lentement le cou et se tourna vers elle.

— Et pourquoi es-tu revenue ? L'affaire est conclue.

— Je suis venue vous proposer un nouveau marché, déclara-t-elle d'un ton égal. Je souhaiterais racheter l'un des articles que je vous ai vendus. La bague.

Le chef des trolls fit la grimace, poussa un grognement et se tourna vers l'un de ses congénères, qui entreprit de fouiller dans un sac en toile de jute avant d'en tirer une bague. Il la brandit.

Le chef reporta son attention sur Blanche-Neige.

— Je refuse de faire des affaires avec toi en sa présence. Je répète ma question : de qui s'agit-il ?

Ses dernières paroles semblèrent jaillir de sa bouche comme d'un puits de colère et de souffrance. Blanche ne laissa transparaître aucune émotion, mais elle était terrifiée. Pétrifiée de peur.

— Ce n'est personne, parvint-elle à articuler. Concluons cette affaire. Que diriez-vous si je vous rendais tout votre or et que vous me rendiez juste cette bague ?

Il inclina la tête et réfléchit. Finalement, après avoir longuement dévisagé le prince d'un air sceptique, il se tourna vers l'un de ses comparses et hocha la tête. L'autre troll rangea le sac rempli de bijoux.

— Je vous remercie, dit le prince.

Non, ne le remercie pas ! pensa Blanche. Mais il ne tint aucun compte de son regard d'avertissement et poursuivit d'un ton ridiculement poli :

— C'est très aimable de votre part.

Le chef des trolls se tourna vers le prince en levant la main, demandant à l'autre troll d'attendre.

– Regardez-moi ces mains, se moqua-t-il en désignant les ongles propres du prince.

Il esquissa un sourire diabolique.

– Regardez-moi ce postérieur bien nourri. C'est un membre de la famille royale.

Il avait prononcé ces derniers mots d'une voix rauque, et Blanche comprit que le marché n'irait pas à son terme. Pas en continuant avec toutes ces politesses, en tout cas. Les cinq trolls dégainèrent leurs dagues.

– Et alors ? demanda le prince d'un ton méprisant.

Blanche baissa la tête.

– Ne l'avoue jamais, lui conseilla-t-elle.

– Abattez-le, ordonna le chef.

Les autres trolls l'encerclèrent, le prince poussa Blanche à l'écart en brandissant son épée.

Il n'eut toutefois pas la chance de s'en servir, se retrouvant submergé sous un amas de créatures agiles aux mouvements incroyablement fluides, deux fois plus rapides que leur allure pataude aurait pu le laisser supposer.

Sans pouvoir intervenir, Blanche les regarda éventrer le sac que tenait le prince et qui contenait tous les biens de la jeune voleuse. La poudre qu'il lui avait prise tomba à terre et, bientôt, l'un des monstres mit la main sur l'affichette dissimulée dans son gilet. Le chef des trolls la déplia, la regarda longuement et secoua la tête avant de se tourner de nouveau vers Blanche.

– Blanche-Neige, déclara-t-il. Depuis le début, on fait affaire avec Blanche-Neige.

Il éclata de rire.

– Ça en valait la peine ! Emparez-vous d'elle aussi, ajouta-t-il à l'intention de ses sbires.

Deux d'entre eux s'approchèrent d'elle d'un pas lourd. La jeune femme remarqua du coin de l'œil que le prince se libérait de ses assaillants. Elle se baissa au dernier moment et ils la manquèrent tous les deux. En tentant de rassembler ses effets épars, ainsi que les bijoux, elle vit le prince jeter l'un des trolls sur deux de ses congénères, ce qu'elle trouva pour le moins impressionnant, et comprit que la voie était libre.

– Viens! s'écria-t-elle avant partir en courant.

Elle entendit le bruit de ses pas derrière elle. Puis un bruit de chute.

Elle se retourna : une autre créature avait rattrapé le prince, lui saisissant la cheville. Ils s'étaient alors de nouveau tous jetés sur lui. Si elle partait, elle serait libre, et elle avait toutes ses affaires. Mais il mourrait.

Elle ne réfléchit pas longtemps.

Elle laissa tomber son sac et se retourna brusquement vers leurs assaillants en brisant la capsule de poudre. La voyant s'approcher, le chef des trolls esquissa un sourire répugnant.

– Le sang royal, dit-il, il n'y a rien de plus savoureux.

En réponse, Blanche lui jeta une poignée de poudre au visage. Il se transforma en escargot, puis tomba dans une fissure du pont.

Les autres trolls s'approchèrent d'elle et, l'un après l'autre, elle leur jeta un peu de poudre, les transformant en escargot chacun à leur tour. Quand elle en eut terminé, le prince était étendu sur le pont, la regardant d'un air émerveillé, de pauvres escargots se dirigeant tant bien que mal vers les bois.

– Tu m'as sauvé la vie, remarqua-t-il en se levant. Je t'en remercie.

– C'est ce qu'il y avait de plus honorable à faire, rétorqua-t-elle.

Il jeta un coup d'œil à son ampoule de poudre vide.

– Tu n'as plus d'arme, à présent.

– Je trouverai bien un autre moyen de l'éliminer… Je ne pouvais pas m'enfuir en laissant mourir le Prince Charmant.

– J'ai un nom, tu sais. Je m'appelle James.

– Eh bien, James, dit-elle, enchantée de faire ta connaissance.

Presque gênée par la façon dont il la regardait à présent, elle se sentit rougir. Elle se retourna.

– Viens, ajouta-t-elle. Partons d'ici avant que d'autres n'arrivent.

Il acquiesça. Ils s'éloignèrent ensemble, côte à côté. Blanche entendit un craquement plaisant quand le prince écrasa, d'un geste ferme et délibéré, l'un des escargots.

Emma, Graham et Mary Margaret fouillèrent les bois pendant des heures dans l'espoir de retrouver l'homme égaré, chacun d'eux éclairant avec sa lampe torche les troncs d'arbre et les épais buissons épineux. Graham était un excellent pisteur et il parvint à suivre la trace de M. X sur une certaine distance avant de la perdre. Mary Margaret, remarqua Emma, semblait étrangement émue par cette traque. Elle se demanda ce qui pouvait se passer dans son esprit. Probablement se sentait-elle responsable de tout cela. *Pourvu qu'elle ne croie pas qu'il s'agit de son prince charmant*, se dit-elle.

À partir de l'endroit où sa trace avait disparu, ils décrivirent une spirale, mais, après une demi-heure de recherches infructueuses, ils décidèrent d'abandonner. Emma était sur le point de suggérer d'attendre le lever du soleil pour les reprendre quand ils entendirent un bruissement en direction de l'hôpital.

– Qui va là ? demanda sèchement Graham.

Sans un mot, Henry surgit dans la clairière, son sourire caractéristique au coin des lèvres.

– Bon sang ! s'exclama Emma en se dirigeant vers lui. Ta mère va me tuer si elle apprend que tu es là.

– Vous l'avez retrouvé ? s'enquit le garçon en regardant tour à tour Emma et le shérif.

– Désolé, Henry, répondit ce dernier. Pas encore. Et Emma a raison, on va devoir te ramener chez toi.

– Je peux vous aider, leur fit-il remarquer. Je sais où il va.

– Où ça ? demanda Mary Margaret. Et comment le sais-tu ?

– Je le sais parce que je connais déjà l'histoire. Suivez-moi.

Il détala avant qu'Emma puisse l'attraper par le col de sa chemise et, après un étrange moment où ils se consultèrent tous du regard d'un air penaud, ils se lancèrent tous les trois à sa poursuite en criant son nom.

Il est rapide, pour une demi-portion, pensa Emma, se jetant de gauche et de droite pour esquiver des troncs d'arbres tout juste visibles. Elle courait trop vite pour pouvoir tenir sa lampe de manière efficace et n'entrevoyait que fugitivement le gros sac qui rebondissait sur le dos du garçon.

– Henry ! s'écria-t-elle. Viens ! Où vas-tu ?

Mais il ne ralentissait pas sa course.

Il les guida à travers la forêt, jusqu'à ce que Graham et elle surgissent, à bout de souffle, dans une clairière, sur la rive d'un cours d'eau dont elle ignorait jusqu'à l'existence. Henry s'immobilisa et se retourna, attendant qu'ils l'eurent tous rejoint. Mary Margaret, qui s'était fait distancer, arriva elle aussi enfin.

– C'est le pont, déclara Henry en désignant quelque chose dans l'obscurité.

Emma scruta les ténèbres dans la direction qu'il indiquait du doigt. La route venant de Storybrooke franchissait le cours d'eau à cet endroit, grâce à un pont blanc en partie rouillé.

Quand elle reporta son attention sur le garçon, prête à lui demander ce qu'il racontait, il s'était déjà tourné en direction de la lisière de la forêt.

– Il doit être quelque part par là.

– Oh mon Dieu ! s'exclama Mary Margaret en portant la main à sa bouche et en indiquant la rivière. Là-bas. Il est là-bas. Je le vois.

M. X était là, en effet. Le visage dans l'eau, immobile, sa blouse de patient gonflée comme un nuage autour de lui.

Graham fut le premier à s'élancer dans la rivière pour aller le récupérer. Il lui sortit aussitôt la tête de l'eau et le ramena sur la berge avant de tirer son talkie-walkie de sa ceinture et d'appeler une ambulance. Pendant ce temps, Mary Margaret s'agenouillait, posant une main sur son torse et se penchant lentement au-dessus de lui. Elle éprouvait beaucoup de peine pour lui sans parvenir à comprendre la raison.

– Réveille-toi ! lui intima-t-elle.

Elle se pencha un peu plus, tentant de refouler ses larmes, cette inexplicable attirance de plus en plus forte à chaque seconde qui passait. Son cœur cogna dans sa poitrine tant elle voulait qu'il revienne à lui. Elle ignorait comment faire. Vraiment, elle ne voyait qu'une solution.

Emma, mal à l'aise, presque certaine que l'homme était mort, observa la scène d'un air grave, tandis que Mary Margaret lui faisait du bouche-à-bouche. Elle ne savait pas quoi en penser. Mais alors pas du tout. Elle n'avait absolument pas le cœur à la faire redescendre sur terre. Graham, qui tenait le poignet de M. X pour lui prendre le pouls, en pensait certainement autant qu'elle. Avait-elle des visions, ou Mary Margaret embrassait-elle l'homme ?

Bientôt, Henry se tint à côté d'elle, observant lui aussi la scène. Elle eut envie de lui couvrir les yeux. Sans parler des siens.

– Il va s'en tirer, déclara-t-il d'un air entendu. Ne t'inquiète pas. Il faut qu'elle l'embrasse pour le réveiller. C'est parfaitement logique. Ce n'est pas sale.

Jusqu'à présent, le bouche-à-bouche s'était révélé infructueux.

– Espérons simplement qu'il revienne à lui, dit-elle en posant la main sur son épaule. Je me moque de savoir si c'est logique ou non.

Elle commença à entendre des sirènes dans le lointain. Graham, l'air abattu, était sur le point de demander à Mary

Margaret d'interrompre ses efforts. Il se tourna vers Emma, qui se contenta d'un haussement d'épaules.

– Il est mort, lui chuchota-t-elle.

Puis M. X prit une profonde inspiration.

Sentant l'excitation de Henry, Emma s'approcha d'eux, suivie du garçon.

– Elle l'a réveillé! s'exclama ce dernier.

Emma ignorait ce qui s'était produit. Dirigeant sa torche vers le visage de l'inconnu, elle fut stupéfaite de constater qu'il avait ouvert les yeux et soutenait le regard de Mary Margaret.

– Merci, parvint-il à articuler.

Il s'essuya le visage, encore humide de son séjour dans l'eau, et regarda autour de lui d'un air perplexe.

– Je m'appelle Mary Margaret, déclara-t-elle doucement, avec une chaleur qui étonna Emma. Savez-vous qui vous êtes?

Il la regarda fixement, tentant apparemment de se souvenir de son identité.

– Non, répondit-il enfin. Je… je ne me rappelle pas.

Quelques minutes plus tard, l'ambulance arriva, et le docteur Whale et les infirmiers chargèrent l'inconnu dans le véhicule. Emma se tourna vers Mary Margaret, qui semblait soucieuse. Une minute à peine plus tard, la voiture était déjà repartie.

Elle le prend mal, pensa Emma en observant sa nouvelle amie, qui tripotait son collier.

– On ferait bien d'aller à l'hôpital pour vérifier que tout va bien, annonça-t-elle à la cantonade.

Emma s'approcha.

– Ouais, approuva-t-elle en hochant la tête. On ferait bien d'y aller. Allez, venez…

Ils gravirent le talus en silence et rejoignirent le pont. Elle esquissa un sourire en apercevant le panneau fixé sur le pont. PONT DES ÉTOILES, était-il inscrit en simples lettres noires.

Mais quelqu'un avait jugé bon d'en effacer certaines et d'en modifier d'autres pour le rebaptiser PONT DES TROLLS.

Le Prince Charmant et Blanche-Neige parcoururent des kilomètres à travers la forêt avant de faire une halte pour reprendre leur souffle, gardant un rythme soutenu malgré la distance qu'ils avaient déjà couverte depuis le pont des Trolls. Blanche, qui courait plus vite que le prince, ralentit légèrement l'allure lorsqu'elle le comprit.

Au bout d'une heure, ils cessèrent de courir et se contentèrent de poursuivre leur route d'un bon pas. Ils n'étaient plus en danger. Ils n'avaient plus aucune raison de rester ensemble, estima-t-elle.

Et pourtant, ils continuaient à progresser sans dire un mot.

Ils continuèrent encore un peu.

Et encore un peu plus.

Finalement, après encore une heure de marche, ils gagnèrent la route et arrivèrent à une fourche. Le moment était venu de se séparer.

Le prince baissa les yeux sur ses bottes et déclara :

– Eh bien, c'était fort intéressant.

– C'est vrai, je suis d'accord. Tu as marché sur l'un d'eux dans notre fuite.

Elle lui lança un regard malicieux.

– Ce n'était certainement pas voulu…

– Oh que si ! s'exclama-t-il en relevant les yeux. C'était voulu. Ça m'a fait très plaisir de l'écraser.

Elle éclata de rire. Ils se firent de nouveau face.

– Je suppose qu'il est temps qu'on fasse notre échange, déclara le prince. On se rend dans des directions différentes.

– Tu as raison.

Elle le regarda dans les yeux encore un instant, puis fouilla dans son gilet et en tira le petit sachet de bijoux. À son tour, il sortit sa bourse de pièces d'or. Il la lui tendit et la lâcha dans sa main disponible et tourna la sienne, paume vers le haut. Blanche y vida le contenu du sachet. Ils baissèrent tous les deux les yeux tandis qu'il se cherchait la bague.

– Je sais, je sais, dit-il en la regardant dans les yeux, ce n'est pas ton genre de bijoux.

– Qui sait ? demanda-t-elle en la récupérant. Il n'y a qu'un moyen de le savoir, non ?

Elle la glissa à son doigt en souriant. Elle lui allait parfaitement. Elle leva la main et écarta les doigts.

– Tu as raison, poursuivit-elle. Ce n'est pas pour moi.

Il hocha la tête, fit glisser le reste des bijoux dans le sachet et lui prit la main. En lui ôtant la bague du doigt, il lui proposa :

– Si tu veux, tu peux prendre le reste. Je n'ai besoin que de cet anneau.

– Ce ne sera pas nécessaire, lui assura-t-elle. On a eu tous les deux ce qu'on voulait, aujourd'hui, il me semble.

– Oui, peut-être.

Un silence gêné s'installa. Blanche résista à l'envie de dire une bêtise, juste pour rompre le silence.

– Je te souhaite bonne chance, dit-il enfin. Si jamais tu as besoin de quelque chose…

– … tu me retrouveras ? l'interrompit-elle en ébauchant un sourire.

– Oui. Où que tu sois.

– Ça va peut-être te paraître complètement fou, mais je te crois.

Il hocha la tête et recula d'un pas.

– Il nous faudra peut-être attendre pour découvrir si tu as raison.

Il hocha de nouveau la tête et jeta un coup d'œil à la piste qu'il allait emprunter, avant de reporter son attention sur elle.

– Au revoir, Blanche-Neige. Ce fut un plaisir de faire affaire avec toi.

– Au revoir, Prince Charmant, le salua-t-elle avant de tourner les talons et de s'engager sur le sentier.

Elle résista à l'envie de se retourner, refusant qu'il puisse voir à quel point elle était écarlate.

Ils durent retourner à pied au petit hôpital de Storybrooke et, à leur arrivée, Emma remarqua un certain nombre de véhicules devant l'entrée. Elle regarda d'un air dédaigneux la Mercedes de Regina, puis l'ambulance garée sur l'emplacement réservé aux véhicules d'urgence, près de la porte.

À l'intérieur, un grand nombre d'infirmières, ainsi que le docteur Whale, se tenaient autour du lit de M. X pour l'examiner. Elle aperçut une autre femme à son chevet, quelqu'un qui n'avait pas l'air de faire partie du corps médical. C'était une grande blonde majestueuse. Elle semblait inquiète. Elle lui parlait lentement, comme si elle lui expliquait quelque chose, et il la regardait.

Quand ils arrivèrent près du lit, Regina les vit et vint à leur rencontre.

– Je ne sais pas ce que vous croyez faire dans cette ville, Sherlock Holmes, dit-elle à Emma, mais je commence à être fatiguée par tous les problèmes que vous y créez.

Regardant Mary Margaret du coin de l'œil, elle poursuivit :

– Il semblerait qu'il y ait nettement plus de… conflits à Storybrooke depuis votre arrivée, mademoiselle Swan. Et je n'ai pas l'impression qu'il s'agisse d'une coïncidence.

– Ce n'en est peut-être pas une. Vous avez sans doute raison.

Le maire la fusilla du regard, tentant de comprendre ce qu'elle voulait dire. Emma n'en savait rien elle-même, mais elle adorait la réaction qu'elle avait suscitée.

– Qui est… cette femme ? demanda doucement Mary Margaret, sans tenir compte de ce qui se passait autour d'elle, sans tenir compte de la colère de Regina.

Elle avait le regard rivé sur la blonde au chevet de M. X, qui lui caressait à présent les cheveux.

– Elle s'appelle Kathryn, lui apprit Regina. C'est la femme de notre inconnu. Et lui s'appelle David. David Nolan.

– Ce sont eux ? demanda Kathryn en se tournant dans leur direction, un sourire de soulagement au coin des lèvres. Est-ce vous qui l'avez retrouvé ? Je vous en remercie ! Merci infiniment !

S'éloignant de David et traversant la pièce, elle prit les mains de Mary Margaret dans les siennes et poursuivit :

– Je ne sais pas comment vous remercier.

– Je ne comprends pas, déclara l'enseignante. Comment avez-vous pu ignorer qu'il était là ? Avant ?

Son visage s'assombrissant, elle lâcha lentement les mains de Mary Margaret et se tourna vers le reste du groupe.

– On… on s'est séparés. Il y a quelques années. Dans de… terribles circonstances, une grosse dispute. Il est parti et m'a dit qu'il quittait la ville, qu'il allait à Boston, que notre mariage était terminé. Et pendant tout ce temps, je suis partie du principe qu'il était là-bas, qu'il avait… qu'il avait tourné la page…

Elle se tourna vers lui. Il était occupé avec le docteur Whale.

– … Alors que pendant tout ce temps il était là, acheva-t-elle.

– Vous n'avez jamais cherché à le retrouver ? demanda Emma, sceptique.

Cela ne lui disait rien qui vaille. Elle n'appréciait guère la version de cette femme, pas plus que l'air obséquieux de Regina.

– Bien sûr que si ! lança-t-elle en se retournant. Mais personne ne savait où il était. Vous pouvez chercher autant que vous voulez quelqu'un qui ne souhaite pas qu'on le retrouve.

Elle jeta un regard à Regina et lui adressa un sourire chaleureux.

– Mais madame le maire a assemblé les pièces du puzzle et m'a appelée ce soir. C'est incroyable. C'est… C'est comme si on reprenait tout à zéro. Comme si on nous offrait une seconde chance.

– C'est merveilleux, déclara Mary Margaret en lui souriant.

Emma doutait d'être la seule personne dans cette pièce à s'être rendu compte que l'institutrice ne pensait pas un mot de ce qu'elle disait.

Kathryn retourna auprès de David.

– Tu viens, Henry? demanda Regina. Il est temps de rentrer.

En passant devant Mary Margaret, le garçon leva les yeux vers elle. Il ne tenta même pas de baisser la voix pour lui dire :

– Il ne faut pas croire ce qu'elle raconte. C'est grâce à toi qu'il s'est réveillé. Comme dans l'histoire. Le grand amour. C'est votre destin d'être ensemble.

– Henry! le gronda Regina.

Mais le garçon quitta la pièce en courant. Sa mère, secouant la tête, lui emboîta le pas.

– Excusez-moi, l'interpella Emma, madame le maire! Je peux vous poser une dernière question avant que vous partiez?

Regina se retourna, soupira, puis acquiesça d'un hochement de tête. Elles s'éloignèrent toutes les deux. Henry était déjà dehors, sur le parking, quand sa mère s'immobilisa et que les deux femmes se tournèrent l'une vers l'autre.

– Ce n'est pas beau, l'amour? demanda Regina. Je suis tellement contente qu'une histoire si dramatique puisse connaître un dénouement si heureux. Ça n'arrive jamais.

– Rien dans cette histoire ne me paraît logique, déclara Emma, impassible. Cessez de jouer à vos petits jeux.

– Que croyez-vous, alors? demanda-t-elle, le regard brillant, l'air amusé. Que j'ai utilisé la magie noire sur cette femme? Que je l'ai forcée à mentir?

– Non, mais je suis persuadée que vous tramez quelque chose. J'ignore quoi, mais ça ne sent pas très bon.

– Vous-même, mademoiselle Swan, répliqua Regina en reprenant sa route, vous savez qu'il arrive parfois que des drames se produisent. Même dans de petites villes comme Storybrooke.

– Storybrooke est comme n'importe quelle autre ville : elle est peuplée de gens bien, avec quelques brebis galeuses ici et là.

– Je suis étonnée que vous ne vous réjouissiez pas de voir deux personnes de nouveau réunies. Il n'y a pire malédiction au monde que d'être seul. Je me trompe?

Elle sourit, jeta un coup d'œil par-dessus son épaule, en direction du parking.

– Je suis heureuse d'avoir Henry. Ce serait terrible de n'avoir personne.

Mary Margaret était assise seule à la table de sa cuisine, un verre d'eau dans une main, l'autre posée sur sa cuisse. Ses macaronis au fromage refroidissaient devant elle tandis qu'elle réfléchissait à tout ce qui s'était produit depuis que M. X, David de son vrai nom, se rappela-t-elle, avait tendu la main pour la poser sur la sienne.

Elle but son eau, soupira et se passa la main dans les cheveux.

Elle fit baigner quelques pâtes dans la sauce, reposa sa fourchette et fit tourner la bague autour de son majeur.

Un jour, dans un magazine, elle avait lu un article à propos des femmes qui tombaient sans cesse amoureuses d'hommes indisponibles. Dans le contexte de cet article, ils étaient surtout mariés, mais elle ne put s'empêcher d'y repenser, après cette journée pleine d'émotions. Que disait le magazine?

L'une des raisons pour lesquelles les femmes faisaient cela, c'était pour éviter de devoir s'engager véritablement. Était-ce également son cas? Non, elle n'en avait pas l'impression. Une autre raison : certaines femmes tentaient inconsciemment de recréer la relation de leurs parents. *Ça pourrait être ça?* se demanda-t-elle. *Serait-il possible que...*

Quand on frappa à la porte, elle savait qu'il ne pouvait s'agir de lui, qu'en ce moment même il se trouvait chez lui avec son épouse et tentait de reconstruire son passé. Elle les avait vus s'étreindre. Et, d'ailleurs, pourquoi espérerait-elle qu'un étranger se présente à sa porte? Personne n'aurait eu cette idée saugrenue.

En ouvrant la porte et en apercevant Emma, elle tenta de se persuader qu'elle n'avait jamais espéré que ce soit lui.

Les deux femmes se regardèrent. Mary Margaret se surprit à lui sourire. Juste un peu.

– Bonjour Emma, l'accueillit-elle.

– Salut!

– Qu'est-ce que... Tout va bien?

– Tout va bien. Le mystérieux inconnu est réveillé, et la Méchante Reine dort dans sa tour. C'est bon.

Mary Margaret rit doucement, ouvrant la porte un peu plus.

– Tu veux entrer? On pourrait dîner ensemble.

– En fait, je me demandais si ton offre tenait encore. À propos de la chambre.

– Oh! s'étonna Mary Margaret.

Elle avait réussi à oublier sa proposition, dans l'effervescence de la journée, mais était ravie que ce ne soit pas le cas d'Emma.

– Absolument! Entre...

La chasseuse de primes acquiesça et franchit le seuil de la porte. Elle regarda autour d'elle, soudain visiblement satisfaite. Mary Margaret se sentit mieux. Elle refusa de se poser trop de questions.

– C'est mignon, chez toi, déclara Emma en posant la main sur le comptoir. C'est bien mieux que la banquette arrière de ma voiture.

– C'est vrai, confirma-t-elle.

Elles éclatèrent de rire.

– Je suis très heureuse que tu aies accepté. Vraiment, Emma. Sois la bienvenue.

CHAPITRE 4

LE PRIX À PAYER

e lendemain matin, Emma alla chercher Henry chez lui pour le conduire à l'arrêt de bus, sans prendre la peine de se dissimuler aux yeux de Regina.

Il était heureux de la voir, en effervescence, aussi bien à propos de M. X que de l'opération Cobra, et elle l'écouta joyeusement. Regina n'allait plus s'en prendre à elle. Plus maintenant.

Quand le bus scolaire s'éloigna, après que Henry lui eut fait au revoir de la main, Emma s'immobilisa, l'unique voiture de police de la ville s'engageant dans une allée devant elle et lui bloquant le passage.

Graham descendit du véhicule et la salua d'un hochement de tête.

– Vous avez failli me renverser, lui fit-elle remarquer. Salut.

– Il fallait que j'attire votre attention.

– Vous allez encore m'arrêter ? Laissez-moi deviner… Vous allez m'inculper pour avoir traversé hors d'un passage piéton.

Il esquissa un sourire, baissa la tête, ce qu'elle interpréta comme une façon de reconnaître à quel point il l'avait traitée de manière injuste jusqu'à présent. Elle se rappela toutefois le regard que Regina et lui avaient échangé à l'hôpital. Il y avait quelque chose entre le shérif et le maire, peut-être une histoire d'amour. Elle n'en était pas certaine, mais elle le sentait. Et c'était logique. Les heures supplémentaires, le travail en commun, tous les deux célibataires… Elle ignorait encore comment tout cela prenait place dans l'équation de Storybrooke, mais cela avait sans doute son importance.

– Je voudrais vous proposer du travail, en fait. J'ai besoin d'un adjoint. Je sais que vous êtes douée. Je pense qu'on ferait du bon boulot, tous les deux.

– Quelque chose me dit que votre boss y trouverait à redire.

Elle était pour le moins surprise par cette offre. Et flattée. D'autant plus que cela ne la dérangerait pas du tout de travailler avec lui, maintenant qu'elle y pensait.

Elle refusa cependant. Il lui demanda d'y réfléchir. Elle lui répondit qu'elle n'y manquerait pas, et il remonta dans sa voiture, satisfait de sa réponse.

La surprise suivante se produisit au *diner*, vingt minutes plus tard, quand Regina se glissa sur la banquette qui lui faisait face, avec son sourire narquois, pour lui dire :

– Bonjour, mademoiselle Swan. La promenade avec mon fils a-t-elle été agréable ?

– Vous êtes déjà au courant, évidemment.

– Mais ce n'est pas vraiment la raison de ma présence ici. Je m'en moque. Je vous comprends, il est tellement mignon.

– De quoi voulez-vous qu'on parle, alors ? demanda-t-elle, impassible.

– De racines, mademoiselle Swan. D'un problème de racines.

– De racines ?

– Absolument. Vous n'en avez pas. Vous ne restez jamais longtemps au même endroit. Phoenix, Nashville, Tallahassee, Boston… Et vous voilà ici, à présent. Sans domicile fixe, logeant chez Mlle Blanchard. Dans combien de temps allez-vous de nouveau partir ? Vous voyez ce que je veux dire ? Je suis ravie que Henry soit heureux, mais je fais appel à votre bon sens : franchement, ne croyez-vous pas qu'au bout du compte toute cette histoire va lui faire plus de mal que de bien ?

Emma la dévisagea, sentant poindre en son interlocutrice une peur qu'elle aussi avait déjà éprouvée.

Regina s'en rendit compte et remua le couteau dans la plaie.

– Vous finirez par partir. On ne change pas si facilement. Pourquoi n'épargneriez-vous pas les sentiments de votre fils en crevant l'abcès dès que possible ?

Sur ce, elle se leva et s'éloigna. Emma, tellement troublée par cette remarque, se leva également, tentant de trouver quelque chose à lui répondre. Mais rien ne lui vint à l'esprit. Tout ce qu'elle parvint à faire, ce fut de renverser son chocolat chaud et d'en répandre partout sur son pull.

Ruby, qui avait été témoin de la scène, eut pitié d'elle et l'envoya dans la buanderie du *diner* pour se nettoyer.

– Mon amie s'y trouve, dit-elle en lui passant devant avec une commande. Elle est gentille. N'hésitez pas à lui parler, hein ? Elle traverse une période difficile.

Puis elle s'éloigna.

Bien sûr, pensa Emma. *Ravie de pouvoir être utile.* Elle haussa les épaules et se dirigea vers l'arrière du restaurant.

L'amie de Ruby se trouvait effectivement là, tentant vainement de laver des draps blancs, pleurant comme une Madeleine. Emma lui donna quelques conseils éclairés, malgré ses connaissances très limitées en blanchisserie :

– Essayez avec de la Javel.

Mais la fille, Ashley, lui collait aux basques comme un chiot perdu à la première personne qu'il voyait. Bientôt, elle raconta à Emma sa triste histoire. Ruby avait raison, elle traversait une période difficile. Elle avait dix-neuf ans, était enceinte jusqu'aux yeux, seule au monde, sans projets, sans aucun moyen de gagner de l'argent. *J'ai déjà entendu cette histoire quelque part,* se dit Emma en écoutant la jeune fille raconter ses problèmes.

– Je ne sais pas, dit Ashley. J'ai juste… j'ai juste envie de tout lâcher, par moments.

– Tu as dix-neuf ans. J'en avais dix-huit.

La jeune fille leva les yeux, comprenant ce que cette femme venait de lui dire.

– C'est déjà plus facile, mentit Emma. Mais écoute, le plus important, c'est que ce soit toi qui décides. Tu vas devoir faire un choix. Et si tu penses pouvoir y arriver, il va falloir que tu y arrives.

La jeune fille réfléchit tout en essuyant ses larmes.

Emma ajouta :

– Il faut prendre la vie comme elle vient. Et à bras-le-corps. Tu n'as sans doute pas l'impression que c'est très facile, mais c'est le cas.

Elle eut l'impression d'avoir touché une corde sensible. Le visage d'Ashley s'éclaircit quelque peu. Emma s'était un peu surprise avec son propre discours, mais c'était ainsi qu'elle avait pu s'en tirer jusqu'à présent. En étant audacieuse, forte. Il n'y avait pas d'autre moyen.

Elle ne tarderait pas à découvrir à quel point Ashley avait pris son conseil à cœur.

On était samedi, et Mary Margaret et Emma étaient toutes les deux à l'appartement. Cette dernière s'était fait livrer les quelques biens qu'elle avait à Boston. Elle faisait du tri dans ses vêtements pendant que son amie préparait des œufs brouillés. La vie commençait à lui sembler un peu plus normale.

– C'est tout ? C'est tout ce que tu as ? s'étonna l'enseignante en se saisissant du carton.

– Je ne suis pas très matérialiste. Je ne garde rien.

– Ça te permet de déménager plus facilement, hein ?

Avant qu'elle ait pu s'offusquer de la remarque innocente de Mary Margaret, la sonnette retentit.

L'institutrice alla ouvrir et poussa un petit cri en découvrant le visiteur.

M. Gold, un pansement sur la tête, se tenait sur le seuil de la porte.

– Bonjour, mademoiselle Blanchard, la salua-t-il poliment. Je cherche Mlle Swan.

Emma approcha derrière Mary Margaret. Elle se rappelait l'avoir vu chez Mère-Grand, lors de son premier jour en ville. Quel type sinistre.

– Oui ? se contenta-t-elle de dire.

– Ah, mademoiselle Swan. Bonjour. Vous vous souvenez peut-être de moi ? Je suis monsieur Gold. Un... homme d'affaires de la région.

– Je me souviens très bien de vous.

Il lui fit un bref signe de tête avant de poursuivre.

– J'ai entendu dire que vous étiez plutôt douée pour retrouver des gens. Et comme je suis à la recherche de quelqu'un, je me suis dit que j'allais passer vous proposer du travail.

Mary Margaret et elle l'observèrent un long moment. Ensuite, l'institutrice s'excusa et retourna dans sa cuisine. Emma, prudente mais intriguée, haussa les épaules et l'invita à entrer.

– Elle s'appelle Ashley Boyd, déclara-t-il. Et elle m'a dérobé quelque chose.

– Pourquoi ne faites-vous pas appel à la police ?

– Parce qu'il s'agit d'une affaire délicate. Je ne veux pas qu'elle ait des ennuis. Je souhaite simplement récupérer ce qu'elle m'a pris.

– Que vous a-t-elle volé ?

– Je ne crois pas que cette information soit primordiale, répondit-il. Retrouvez-la, et vous retrouverez ce qu'elle m'a pris.

Elle ne savait pas vraiment ce qu'il fallait en penser, mais cela ne lui ferait pas de mal de gagner un peu d'argent. Elle n'avait pas récolté un centime depuis qu'elle était là.

– Elle s'est introduite dans ma boutique la nuit dernière, marmonnant quelque chose à propos de reprendre sa vie en main, ce genre de bêtises.

Quand il porta la main à son pansement à la tête en haussant les épaules, Emma tenta de dissimuler sa surprise. *Nom d'un chien*, comprit-elle, *c'est la fille du* diner.

– D'accord, d'accord, se surprit-elle à lui dire. Je vais la retrouver.

M. Gold, visiblement ravi, se leva pour la remercier. À la porte, il manqua de heurter Henry qui entrait en bondissant, un grand sourire illuminant son visage.

– J'ai jusqu'à… s'exclama-t-il avant de s'interrompre quand M. Gold baissa les yeux sur lui.

– Bonjour, jeune homme. Mlle Swan et moi étions en train de discuter affaires. J'étais sur le point de partir.

Le garçon sembla terrifié. Et Emma en savait la raison : d'après le livre, Gold et Rumpelstiltskin ne faisaient qu'un.

– Bonjour, monsieur, le salua-t-il tranquillement avant d'entrer en baissant la tête.

Gold parti, Emma s'assit à côté de Henry et lui annonça qu'ils devaient cesser de se retrouver en secret, même si elle voulait continuer à le voir. Elle lui expliqua que cela pourrait se retourner contre eux. Le garçon lui garantit qu'il n'y avait pas de problème, qu'il avait jusqu'à cinq heures et que sa mère ne l'apprendrait jamais. Cela ne lui disait rien qui vaille. Avant qu'elle puisse insister pour qu'il s'en aille, Henry lui posait des questions sur les raisons de la visite de M. Gold.

– Il m'a demandé de retrouver quelqu'un. Une jeune fille. C'est juste un boulot.

– Quelle jeune fille ?

– Je doute que tu la connaisses, lui fit-elle remarquer, regrettant déjà d'en avoir trop dit.

Henry s'installa sur le canapé et ôta son sac à dos. Il fouilla dedans et en tira son livre avant d'en parcourir les pages.

– Elle est enceinte ?

Emma se tourna vers lui, les yeux écarquillés.

– Comment le sais-tu ?

Le plan d'Emma était simple. Elle n'en faisait jamais de compliqués, sauf quand c'était vraiment nécessaire, et, d'expérience, chaque fois qu'elle se lançait à la recherche de quelqu'un, le plus simple était de commencer par ses amis. Elle ne savait pas grand-chose sur Ashley, sauf qu'elle n'avait qu'une amie à Storybrooke, Ruby.

Henry et elle se rendirent directement au *diner*. Dès qu'elle vit que la serveuse avait un moment de libre, elle l'attira vers la porte de derrière et lui demanda si elle avait une idée de l'endroit où Ashley avait bien pu aller.

— Non, je ne vois pas, répondit Ruby en secouant la tête. Excusez-moi.

Emma poussa la porte et l'empêcha de se refermer.

— J'attends qu'on vienne déposer ma voiture, désolée, se justifia la serveuse.

— Vous croyez que son petit ami peut être impliqué?

— Il aurait fallu qu'il s'intéresse encore à elle. Ça fait au moins six mois qu'il ne lui a plus adressé la parole. C'est un bel enfoiré.

— Elle m'a dit qu'il n'avait… pas réagi comme il le fallait, poursuivit Emma. Quand il a découvert qu'elle était enceinte.

— Il l'a larguée, lui expliqua Ruby d'un ton dédaigneux en mâchant bruyamment son chewing-gum.

Emma eut l'impression qu'elle voulait ajouter quelque chose, mais, au même moment, une dépanneuse se présenta sur le parking de derrière, tractant une Chevrolet Camaro rouge vif. Le camion s'immobilisa et son chauffeur en sortit en saluant Ruby de la main. Celle-ci lui répondit avec un geste langoureux et, remarquant Emma, ajouta une révérence pour le moins déhanchée pour faire bonne mesure. Il commença à faire descendre le véhicule. *Belle voiture pour une serveuse*, remarqua Emma.

— Et où se trouve la famille d'Ashley?

— Elle n'en a pas vraiment. Une belle-mère pas sympa quelque part. Des belles-sœurs, aussi, il me semble. Je ne sais pas. Elle ne leur parle pas.

Henry tira sur la veste d'Emma avec un air de conspirateur et lui fit un signe de tête quand elle baissa les yeux sur lui. Elle secoua la tête et lui lança un regard qui signifiait : « Pas maintenant. »

– Vous savez, vous devriez aller poser la question à Sean, lui suggéra Ruby. Il est peut-être au courant de quelque chose. Il habite chez son père.

Elle saisit la main d'Emma et prit le stylo coincé sur son oreille.

– Je vais vous donner son adresse.

Ce fut un homme de forte stature d'une cinquantaine d'années qui ouvrit la porte quand Emma sonna à la maison d'un étage datant des années 1950, sur Randolph Street. Le père, supposa-t-elle. Elle demanda à voir Sean. L'homme se présenta, Mitchell Herman, et lui demanda la raison de sa visite. D'après la façon dont il lui avait donné son nom, serré la main et avait croisé les bras par la suite, Emma comprit qu'elle n'allait pas l'aimer. C'était le genre de chose qu'elle sentait. Les hommes riches, gros et autoritaires, ce n'était pas vraiment son genre.

Elle était contente d'avoir demandé à Henry de l'attendre dans la voiture pendant qu'elle expliquait à l'homme qu'Ashley était portée disparue et qu'on avait loué ses services pour la retrouver. Elle lui donna quelques détails supplémentaires, mais il s'emporta aussitôt :

– Bien sûr qu'elle a disparu, bien sûr qu'elle n'a pas tenu parole. Elle est incapable d'être une bonne mère, de faire ce qu'il faut. Et puis, elle n'a rien fait pour éviter de tomber enceinte, hein ?

Oh, se dit Emma, *toi, je ne t'aime pas.*

– Qui est-ce, papa ? entendit Emma avant d'apercevoir Sean derrière Mitchell.

Sortant d'une pièce, il approcha dans le couloir. Il était si jeune, pas même vingt ans. Comme Ashley. Elle eut du mal

102

à croire que son propre fils deviendrait lui aussi un jour un jeune homme dégingandé au regard vif. Elle n'arrivait pas à se dire qu'elle-même avait été comme Ashley…

– Il y a un problème? s'enquit-il.

– Oui, Sean, il y a un problème, répondit Emma d'un ton soudain sévère. Ashley a disparu. Si tu sais quoi que ce soit, il faut que tu me dises où elle est ou que tu ailles voir la police. Tout de suite. Je dis bien «quoi que ce soit».

Sean s'agita et tenta de pousser son père, qui le maintenait en retrait et lui bloquait le passage.

– Qu'entendez-vous par «disparu»? Où est-elle? Et le bébé? Non, continua son père en se tournant vers lui. Rentre, on en discutera tout à l'heure.

– J'ai compris, déclara Emma. C'est à cause de vous, hein? Qu'elle a rompu?

Il la regarda d'un air hébété.

– J'avais tout réglé. Elle était d'accord. C'était tout à fait convenable. Il lui suffisait d'aller jusqu'au bout.

– Qu'entendez-vous par «tout réglé»?

– J'avais passé un accord avec elle.

– Pour le bébé. Vous avez vendu le bébé. Et qui est l'acheteur?

Mitchell Herman semblait franchement perplexe, à présent, et Emma s'efforça de se remémorer la conversation, se demandant ce qu'elle avait manqué.

Puis elle comprit.

– Gold, lâcha-t-elle. Bien sûr!

– Oui, évidemment, Gold, approuva-t-il. N'est-ce pas lui qui vous a recrutée? Pour retrouver le bébé? Je croyais que vous travailliez pour lui.

Elle ferma les yeux. Elle aurait dû s'en douter tout à l'heure, au *diner*, quand elle discutait avec Ruby. Qui était également au courant. Elle savait tout et l'avait envoyée là pour gagner du temps pour Ashley. Ce que celle-ci avait dérobé à Gold, c'était… elle-même. *Bon sang!* se dit-elle en faisant demi-tour et en s'élançant vers sa Coccinelle.

Assise derrière le volant, elle mit aussitôt le contact.

– Il faut qu'on retrouve cette fille, Henry, lui annonça-t-elle en faisant marche arrière dans l'allée. Elle panique et elle a besoin de notre aide. Elle s'enfuit.

– Une seule route permet de quitter la ville, lui fit-il remarquer, mais…

– Ne me parle pas de malédiction maintenant. C'est on ne peut plus réel. Elle s'enfuit, mais elle est trop près du terme.

Dix minutes plus tard, ayant l'impression de jouer le rôle principal dans un mauvais film, Emma aperçut à la sortie d'un virage l'arrière de la Camaro rouge qui dépassait d'un fossé. *Elle a eu un accident*, en déduisit-elle en écrasant la pédale de frein. Elle descendit de sa voiture et s'élança vers celle d'Ashley. Il n'y avait personne derrière le volant, ce qui la soulagea. Elle releva les yeux et scruta la forêt. Elle entendit presque aussitôt un gémissement.

Henry et elle la découvrirent à quelques mètres de la lisière, assise par terre, se tenant le ventre à deux mains. Quand elle les aperçut, elle se tourna vers eux, le regard empli de terreur.

– Le bébé! s'écria-t-elle. Il arrive!

Emma et Henry attendaient tous les deux dans la salle d'attente des urgences qu'Ashley accouche, au bout du couloir. Le regard rivé sur ses chaussures, Emma ne remarqua même pas quand le garçon leva les yeux de son livre pour l'observer. Elle se tordait les mains, ne tenait pas en place, s'imaginant ce que devait vivre Ashley. S'imaginant et se remémorant. Elle avait peine à croire qu'ils aient été si près de la catastrophe. Une jeune fille dans son état, dans les bois…

– Tu es la seule, déclara soudain Henry.

Emma dressa la tête.

– Pardon?

104

– Tu es la seule à pouvoir quitter Storybrooke, précisa-t-il. Nous autres, nous sommes coincés ici. Tu peux t'en aller, si tu veux. Tu es au courant, hein ?

Elle ressentit le besoin de le serrer dans ses bras, de lui tenir la tête contre sa poitrine. Pour le protéger de choses qui n'avaient aucun sens. Elle se ressaisit en se cramponnant aux accoudoirs de son fauteuil.

– Tout le monde peut s'en aller, dit-elle. Il n'y a pas de malédiction. Tu tiens de nouveau des propos incohérents.

Elle vit arriver le médecin dans le couloir.

– En outre, ajouta-t-elle en se levant, je n'ai l'intention d'aller nulle part. Il y a trop de personnes qui se sentent perdues, par ici.

Au sourire du médecin, elle comprit tout ce qu'elle voulait savoir avant même qu'il puisse entrer dans les détails : il s'agissait d'une fille de trois kilos, et la mère et l'enfant se portaient bien.

– Je vous remercie, dit Emma, un peu plus détendue.

Elle lui serra la main.

Henry devait être rentré pour cinq heures si elle voulait éviter une nouvelle prise de bec avec Regina. Elle recommanda donc au garçon de rassembler ses affaires et traversa la salle en direction des toilettes. Du coin de l'œil, par la vitre, elle aperçut M. Gold, qui approchait de l'hôpital en faisant joyeusement balancer sa canne. Il pénétra dans l'établissement et jeta un coup d'œil autour de lui.

Elle se dirigea vers lui, le prit par le bras et le poussa vers les distributeurs automatiques.

– Vous auriez dû me prévenir, le sermonna-t-elle. À propos du bébé. Cette gamine n'est pas une marchandise, et toute cette histoire sent très mauvais.

– Ah ! s'exclama-t-il, l'air ravi. C'est une fille, donc ?

– Elle la garde. Ce n'est pas à vous de décider, c'est à elle.

– Mais elle a déjà fait son choix, mademoiselle Swan. Il y a plusieurs mois de ça. Nous avons signé un contrat.

– Alors rentrez chez vous et déchirez-le. Parce qu'il n'a aucune valeur. Plus maintenant.

Ils se dévisagèrent un long moment. Emma se détendit un peu quand il baissa la tête, une lueur d'admiration dans le regard.

– Très bien, mademoiselle Swan. Je la laisserai tranquille. Mais tout accord se monnaie. Il va vous falloir me donner quelque chose en échange.

– Que diriez-vous d'un sac de linge sale ? demanda-t-elle. J'en ai un plein, chez moi.

– Vous m'êtes redevable. Vous me devez un service, lui fit-il remarquer en levant un doigt. C'est simple. Vous aimez les choses quand elles sont simples, non ?

Cela ne lui disait rien qui vaille, mais elle accepterait.

– D'accord, dit-elle en lui tendant la main. Marché conclu.

Ensemble, Emma et Henry traversèrent la ville à bord de la Coccinelle. Ils passèrent devant le *diner*, où Emma aperçut Ruby tenter de séduire le chauffeur de la dépanneuse. Henry fut chez lui à 16 h 45, en avance, et elle fut chez Mary Margaret dix minutes plus tard, se demandant ce qu'elle allait faire le restant de la journée. Mais elle était certaine qu'elle n'irait nulle part. Elle appela le shérif Graham, lui demanda si son offre tenait toujours et l'accepta.

– « Protéger et servir », dit Emma en jetant un regard à l'horloge de la tour. Je suis plutôt douée pour ça.

– Il semblerait, en effet, lui confirma Graham. À lundi, Emma.

CHAPITRE 5

LE BERGER

eux semaines s'étaient écoulées et Emma se sentait désormais chez elle à Storybrooke. Elle avait toujours aimé les premiers moments passés dans une nouvelle ville : elle avait l'impression de prendre un nouveau départ, le temps que son passé la rattrape. Car cela ne durait jamais, on finissait toujours par la retrouver. Mais une telle de lune de miel était revitalisante, électrique. C'était son sentiment préféré.

Mais Storybrooke était différente. Il s'agissait d'un lieu où son passé était déjà présent, incarné par son fils, ce qui la rendait parfaitement consciente d'avoir entamé un nouveau chapitre de sa vie et, de fait, que plus rien ne serait jamais pareil. Cela l'effrayait un peu. Elle n'avait jamais eu l'occasion de s'occuper de quelqu'un d'autre. Mais, pour le moment, cela lui allait. Quelque chose en elle, qui lui avait toujours semblé dissonant, lui paraissait à présent avoir retrouvé sa place.

Graham lui montra les ficelles du métier, plaisantant – à moins qu'il n'ait tenté de la séduire ? – avec elle en lui faisant visiter tous les recoins de la ville, lui expliquant les querelles les plus anciennes entre tels et tels résidents.

Elle fut très préoccupée, au cours de cette première semaine, et n'obtint aucune réponse à ses questions. Elle ne savait toujours pas quoi penser des certitudes de Henry à propos de cette malédiction. Il en parlait sans arrêt, et elle continuait à jouer le jeu. Chaque fois qu'il commençait à l'évoquer, pour lui expliquer, par exemple, que si Marco et Archie étaient si proches, c'était parce que le premier était en fait Geppetto et qu'Archie – Jiminy Cricket! – avait été son ami, sa conscience et son compagnon pendant pas moins d'une soixantaine d'années, elle se contentait d'acquiescer en se demandant ce qu'elle était en train de faire.

Quant à Mary Margaret, c'était une tout autre histoire. Une histoire qui lui était un peu plus familière. L'institutrice était tombée amoureuse de David Nolan, un homme marié qu'elle ne connaissait même pas. Cela ne disait rien qui vaille à Emma. Et pour toute sorte de raisons. Mary Margaret en parlait trop et passait plus de temps que nécessaire à l'hôpital. Il l'avait encouragée à venir le voir et lui avait demandé de rester tard en plus d'une occasion. Il lui avait même avoué ressentir un lien particulier avec elle, comme s'il la connaissait mieux que sa femme. Ce soir-là, en rentrant, elle avait brusquement annoncé à Emma qu'elle avait démissionné de son poste de bénévole et «ne pouvait plus remettre les pieds là-bas», ce qui avait fait remarquer à Emma que son amie se connaissait encore suffisamment bien pour avoir pris la bonne décision. Mais Emma en savait assez sur l'amour pour être au courant de ses éventuels ravages. Sa nouvelle colocataire, qui lui avait pourtant semblé très équilibrée, était sur le point de craquer.

Elle évita de lui mettre trop de pression, espérant que cela se dissiperait. Par égard non seulement pour Mary Margaret, mais aussi pour Henry. Selon lui, comme il n'avait de cesse de le lui répéter, il était complètement logique que ces deux personnes soient attirées l'une vers l'autre. Ce n'était qu'une question de temps avant que l'ordre naturel des choses se rétablisse. Le Prince Charmant et Blanche-Neige ensemble, leur fille Emma désormais adulte, leur petit-fils Henry... une famille stable et unie.

Quand elle réfléchissait sous cet angle, à la famille parfaite que Henry s'était inventée, elle trouvait cela plus dangereux qu'innocent. Cela risquait de le faire souffrir davantage.

Elle emmena Henry à la fête donnée en l'honneur de la guérison de David et, sur le chemin, le garçon, qui avait entendu Mary Margaret chuchoter à Emma : « Je ne peux pas y aller, il ne faut pas que j'y aille », expliqua à sa mère comment le Prince Charmant s'était retrouvé fiancé à cette femme, Abigail. Même si Emma ne lui avait rien demandé.

– Il ne l'aimait pas vraiment, lui expliqua-t-il. C'est le problème. Il s'est retrouvé empêtré dans cette histoire avec le roi Midas, le père d'Abigail, et il a été obligé d'accepter de l'épouser, même s'il croyait au grand amour.

– Il a été « obligé d'accepter » ? répéta Emma. Pourquoi ?

– Parce que c'était un faux prince charmant.

Il hocha la tête pour lui-même, comme si tout cela se tenait.

– Qu'est-ce que c'est qu'un « faux prince charmant » ?

– Bon, d'accord, je vais t'expliquer. Ce n'est pas très compliqué. Bien avant que Blanche et le prince se rencontrent, il y avait un autre roi, George, qui ne pouvait pas avoir d'héritier et qui a fait appel à Rumpelstiltskin, du genre : « Salut, Rumpelstiltskin, il me faut un bébé, tu peux m'en trouver un ? ».

La façon dont son fils adaptait les histoires la fit sourire.

– Rumpelstiltskin faisait du trafic d'enfants ?

– Oui. Si l'on acceptait d'en payer le prix.

– C'est bon à savoir.

– Ainsi, Rumpelstiltskin a pris l'un des fils d'une famille de bergers, a conclu un marché avec le roi George et lui a remis le nourrisson. Qui, en grandissant, est devenu le Prince Charmant.

Emma fit tout son possible pour écouter Henry lui relater une histoire alambiquée à propos de jumeaux, de fausses identités et de dragons, mais elle ne put s'empêcher de laisser son esprit vagabonder jusqu'à Mary Margaret et au très réel David Nolan, qui avait manifestement du mal à se réadapter à sa vie d'homme marié avec Kathryn. Cette histoire était des plus étranges, et Emma soupçonnait encore Regina d'avoir inventé quelque chose, même si elle ignorait quoi ainsi que la raison qui l'aurait poussée à faire une telle chose.

Lorsqu'ils arrivèrent à la fête, David s'approcha d'eux.

À son sourire, Emma comprit qu'il n'était pas vraiment à l'aise au milieu de ses vieux «amis», dont il n'avait aucun souvenir, évidemment. Il connaissait mieux Emma que la majeure partie d'entre eux, puisqu'elle était allée le voir à l'hôpital et avait aidé à le retrouver.

Il les salua tous les deux et les débarrassa de leurs manteaux. Kathryn leur souhaita elle aussi la bienvenue, avant de regagner aussitôt la cuisine.

— On dirait que tu es perdu, lui fit remarquer Emma. Viens. Viens te cacher avec nous. On ne mord pas.

Il esquissa un sourire, visiblement soulagé. Ils se dirigèrent tous les trois vers un angle de la pièce.

— Merci, dit-il. C'est un peu oppressant, tout ça.

— J'imagine.

David semblant de plus en plus nerveux, Emma tenta de lui lancer un regard qui signifiait: «Vas-y, crache le morceau.»

— Excuse-moi, je sais que... que tu habites avec Mary Margaret. Je me demandais si tu savais à quelle heure elle allait arriver.

Ah! se dit-elle.

Elle croisa les bras et ébaucha un léger sourire.

— Eh bien... elle ne peut pas venir, se contenta-t-elle de lui répondre. Je suis désolée.

David continua à la dévisager, cherchant à comprendre ce que cela pouvait bien signifier. Elle n'éprouva pas le besoin d'entrer dans les détails.

— Elle est occupée? s'enquit-il.

— Pas du tout! s'exclama Henry en souriant. Elle est chez elle, elle pose des nichoirs à oiseaux. Tu devrais aller lui parler. De ton amour éternel.

110

– Henry! le réprimanda Emma en posant la main sur son épaule. Cette fête est donnée en son honneur. Il ne peut pas partir.

Elle se tourna vers David.

– D'ailleurs, elle ne se sent pas très bien. Ce n'est pas plus mal.

– Certainement, confirma piteusement David. Ce n'est probablement pas plus mal.

Mary Margaret se tenait en haut d'un escabeau quand elle entendit quelqu'un prononcer son nom.

Sursautant, elle manqua de basculer à la renverse, mais elle se rattrapa au tronc de l'arbre avant de se retourner.

– Oh, David! s'étonna-t-elle, soudain victime d'un sentiment de tristesse inexplicable en le regardant dans les yeux.

En le voyant, elle eut l'impression de faire face à un problème insoluble.

– Tu n'aurais pas dû venir.

– Il n'y avait personne là-bas que je voulais voir.

Elle descendit de son escabeau et traversa le jardin.

– Tu es marié, lui rappela-t-elle, arrivée à sa hauteur. On ne peut pas faire ça. C'est… ça n'a aucun sens.

Elle faillit éclater de rire en prenant conscience de ce qu'elle venait de dire, mais il ne semblait pas trouver cela très amusant. C'était pourtant la vérité. Ce qui la contrariait le plus, c'était qu'elle ne comprenait rien à cette situation. Pas plus qu'à ses propres sentiments.

– Ce n'est pas grave, rétorqua-t-il en lui prenant les mains.

Elle tenta de résister, mais il les tenait fermement.

– Écoute-moi. Je sais, j'ai compris. J'étais dans le coma, j'ai eu cette autre vie, avant, mais tu… il y a quelque chose, Mary Margaret. On le ressent tous les deux. J'ignore quel genre de personne j'étais, mais je sais qui je suis aujourd'hui. Un homme qui se fie à son cœur. Et mon cœur me dit que ma véritable existence, que ma vraie vie est ici. Pas là-bas.

111

Les larmes aux yeux, elle lui adressa un petit sourire inquiet.

Puis elle dégagea ses mains des siennes.

– Je crois que c'est plus simple que ça, David. Je crois que c'est simplement parce que c'est moi qui t'ai sauvé. C'est tout. Ce sentiment va se dissiper.

Sur ce, elle tourna les talons et rentra chez elle.

De retour chez elle, Emma trouva Mary Margaret en plein ménage dans la cuisine. Elle l'entraîna hors de la pièce pour tenter de la calmer, de discuter autour d'un verre. La jeune femme accepta et lui raconta son entrevue avec David, dans le jardin. Elle reconnut qu'elle avait failli se laisser tenter, parce qu'elle aussi éprouvait quelque chose pour lui.

– Il est marié, la mit en garde Emma. Sa vie est un véritable chantier. Ce n'est pas le bon moment, Mary Margaret. Tu ne peux pas avoir de liaison avec lui.

– Je le sais, lui répondit-elle tranquillement. Et je lui ai demandé de partir.

– Très bien. Ça peut te sembler être une mauvaise idée aujourd'hui, mais ce n'est pas le cas. Je crois que tu sais au fond de toi que quelque chose ne tourne pas rond, que ta conscience n'est pas d'accord. Fie-toi à elle. Aie confiance en toi.

Mary Margaret poussa un soupir, termina son verre et fit la grimace en le voyant vide.

– Tu les fais toujours très forts.

– Je suis là pour ça.

Mary Margaret eut une nuit agitée : elle rêva du pont des Trolls, où ils avaient retrouvé David, et le vit de nouveau le visage dans l'eau. Elle le regardait se redresser et se voyait poser ses lèvres sur les siennes. Quand elle se réveilla, il faisait jour et elle entendit les oiseaux gazouiller dehors. Encore épuisée, elle songea à se faire porter pâle. Mais elle descendit de son lit, s'habilla et se rendit au *diner* de Mère-Grand.

Elle le regretta bientôt. Sur le pas de la porte, elle tomba sur le docteur Whale.

C'était vraiment un homme antipathique. Elle l'avait toujours pensé. Assez beau, sûr de lui et suffisant. Et obséquieux. L'anti-gendre idéal.

Son regard à lui s'illumina et il la dévisagea avant qu'elle ait pu le contourner et se diriger vers une table. Quand il lui toucha le bras, elle recula.

— Mary Margaret, dit-il d'un air contrit, je souhaitais vous parler. J'espère que votre démission n'a rien à voir avec notre rendez-vous.

Il était si égocentrique qu'elle fut à deux doigts d'éclater de rire. Mais elle parvint à garder son sérieux.

— Il est très grossier de ma part de ne pas vous avoir rappelée, je le sais. Je vous présente mes excuses. Si jamais ça vous dit de remettre ça, vous avez mon numéro.

Sur ce, il quitta le *diner*, inconscient de l'impression très différente qu'elle avait eue de leur soirée.

Mais elle ne fut pas pour autant capable de prendre la chose à la plaisanterie. Seule à sa table avec son café, elle était d'une humeur exécrable, au point de se demander ce que la vie lui réservait vraiment dans cette ville. Comment avait-elle pu en arriver là? Elle avait l'impression que son histoire n'était pas tout à fait réelle, même si elle était toujours la première à assumer la responsabilité de ses actes et de ses choix…

— Bonjour, mademoiselle Blanchard.

L'intéressée leva les yeux et fut surprise de voir Regina devant sa table.

— Puis-je me joindre à vous un moment? Ça ne sera pas long, poursuivit le maire en prenant place face à elle. C'est à propos de mon amie. Kathryn.

Elle laissa l'institutrice réfléchir. Celle-ci tenta de ne rien laisser transparaître, mais savait à quoi s'attendre et s'y prépara en silence.

– J'ignorais que Mme Nolan était votre amie, rétorqua-t-elle.

– Je ne sais pas à quoi vous jouez, mais il n'est jamais bon d'avoir «briseuse de ménages» inscrit sur son CV, Mary Margaret. Surtout dans une petite ville. La situation peut vite devenir gênante. Très vite, même.

Les yeux écarquillés, l'enseignante ne trouva rien à lui répondre.

– Ne jouez pas à l'idiote avec moi, mademoiselle Blanchard. Il a quitté sa femme hier soir. Vous l'ignoriez, bien sûr.

– Complètement. Je n'étais pas au courant.

Et elle pensa : *Il l'a quittée ?*

– J'en étais sûre. Kathryn est anéantie. Vous savez aussi bien que moi qu'il est encore désorienté et n'a pas retrouvé toute sa mémoire. Que diriez-vous de rendre service à tout le monde en reprenant votre petite existence insipide et en laissant à un couple en reconstruction tout l'espace qu'il mérite ?

Sans attendre de réponse, elle se leva de la banquette, défroissa son tailleur et se dirigea vers la sortie de l'établissement, ses talons cliquetant à chacun de ses pas.

Deux jours s'écoulèrent.

Sans aucun signe de lui. Calmes et tranquilles. Rien ne se passa. Mary Margaret commençait à se dire que ses sentiments allaient s'estomper, et son existence, reprendre son cours normal.

Puis quelque chose se produisit.

En ce mercredi matin, vers midi, elle regarda par la fenêtre de sa salle de classe.

Elle eut du mal à croire ce qu'elle voyait. David se tenait dehors, lui faisant signe de sortir.

Ses élèves lisant tous en silence, elle poussa un soupir, se leva de son bureau et quitta la salle.

– Que fais-tu là ? chuchota-t-elle sans se donner la peine de dissimuler sa colère. Je travaille, David. Tu ne peux pas venir comme ça.

– Je ne peux m'empêcher de penser à toi. J'ai quitté Kathryn. Ce n'est pas elle que j'ai choisie. Je crois qu'on devrait être ensemble.

Il avait pris un ton direct et posé. Mary Margaret fut décontenancée par tant de franchise. Comment tout cela avait-il pu se produire en si peu de temps ?

– Tu es fou. Tu ferais bien de partir.

– Je suis fou ? s'indigna-t-il. Ne ressens-tu rien, toi ? Réponds au moins à cette question.

Elle se contenta de le dévisager.

– Écoute, poursuivit-il, je ne te demande pas de prendre une décision tout de suite. Rejoins-moi ce soir. Près du pont où tu m'as retrouvé. Si tu penses que ça peut marcher, sois-y à neuf heures. Je t'attendrai.

Il esquissa un bref sourire.

– Si tu viens, on reprendra tout à zéro.

– Va-t'en, dit-elle.

– À ce soir.

– Je ne peux pas.

– Réfléchis. C'est tout ce que je te demande.

Tout en sachant qu'elle commettait une erreur, elle y réfléchit. Elle y pensa toute la journée, pendant les cours, en quittant l'école et sur le trajet du commissariat. Elle demanda conseil à Emma, et celle-ci, à sa grande surprise, l'incita à aller retrouver David. C'était une chose de venir la retrouver chez elle, et une tout autre d'avoir quitté Kathryn. Cela faisait toute la différence, apparemment. Elle lui fit remarquer qu'il avait fait un choix. Peut-être était-il temps pour elle d'en faire un aussi.

– Tout cela me semble complètement irréel, reconnut Mary Margaret.

– Peut-être, mais l'amour n'est jamais très logique. Il ne paraît jamais très réel. Au début, du moins.

– Qu'est-ce que je fais, alors?

– Tu ne crois pas que le cœur est en mesure de percevoir la vérité? Un peu mieux que les yeux, du moins?

– Je suis étonnée de t'entendre dire ça, lui avoua l'institutrice.

– Qui a dit que je n'avais pas un petit côté romantique? Quelque part? Au fond de moi?

– Pas moi.

Surprise par le conseil de son amie, au fond de son cœur, Mary Margaret savait pourtant qu'elle voulait y aller, qu'elle voulait choisir David. Elle comprenait mal comment ils avaient pu en arriver là aussi vite, mais elle s'en moquait. Elle voulait y aller.

Madame le maire avait une réunion, ce soir-là. Henry profita de l'occasion pour s'esquiver discrètement et se rendre chez Emma et Mary Margaret.

Sur le pas de la porte, Emma le regarda en disant:

– Il faut que tu cesses de faire ça.

– Elle est sortie, se défendit-il. Elle ne rentrera pas avant dix heures!

Elle le laissa entrer de mauvaise grâce, se sachant incapable de lui résister quand quelque chose l'enthousiasmait à ce point. Il n'était que huit heures, après tout, et Mary Margaret, après être rentrée, s'être changée et confiée à elle, s'était empressée de ressortir, une heure auparavant.

– Bon, dit-elle en s'asseyant de l'autre côté de la table, en face de lui. Que veux-tu faire?

– Tu ne m'as pas laissé raconter la fin de l'histoire, lui fit-il remarquer. À propos du Prince Charmant.

– C'est vrai.

– Je sais que tu trouves ça idiot, mais c'est important, insista le garçon. J'ai vu sa tête quand il t'a demandé de ses nouvelles. Et c'est naturel !

– Et pourquoi donc ?

– À cause de la bague.

– Mais encore ?

– Quand le prince a accepté de rester en tant que Prince Charmant, il a dû aller faire ses adieux à sa mère. Elle savait qu'il était obligé d'épouser Abigail et qu'il croyait au grand amour. C'est donc elle qui lui a remis cette bague. En la lui donnant, elle lui a dit que l'amour suivrait toujours cet anneau.

– C'est mignon, reconnut Emma. Blanche-Neige et lui sont tombés amoureux en tentant de récupérer la bague.

– Exactement ! s'exclama Henry. Il s'est avéré que l'amour la suivait bien.

– Si on veut.

Elle avait toujours aimé les contes de fées pour cette raison, parce que leurs prophéties finissaient toujours par se réaliser, mais d'une manière inattendue.

– C'est une jolie histoire, Henry.

– Ce n'est pas une histoire !

– Si tu veux. C'est une jolie histoire à propos de quelque chose qui n'est pas une histoire.

– Je crois que la prochaine fois que tu verras Mary Margaret, il faudra que tu jettes un coup d'œil à ce qu'elle porte autour du cou. Avant de te croire si maligne.

– Pourquoi ?

– Parce que c'est elle qui l'a. La bague.

Emma se rendit compte qu'elle savait à quoi il faisait allusion. Elle avait vu cet anneau suspendu à une chaîne autour de son cou. Elle ne lui avait jamais demandé ce que c'était, supposant qu'il devait s'agir d'un bijou de famille.

– Donc, juste pour que les choses soient claires. Pour que je comprenne bien. Ton institutrice, qui est Blanche-Neige, et aussi ma mère, est tombée amoureuse d'un amnésique, le Prince Charmant, et porte actuellement autour du cou une bague qui a été, pendant un temps, en possession d'une bande de trolls cupides, après qu'elle l'eut dérobée au Prince Charmant, qui était lui-même sur le point de la remettre à la fille du roi Midas, Abigail.

– Qui est en fait Kathryn, ajouta Henry.

– Compris. C'est tout à fait clair.

Il hocha la tête.

– Oui. Tout à fait clair.

Mary Margaret se dirigea vers le pont en sachant pertinemment qu'elle allait souffrir. Même si elle avait cru David quand il lui avait avoué ses sentiments, il fallait reconnaître qu'il n'avait pas encore recouvré toute sa tête. Il était… il ne savait même pas qui il était. Ni au sens propre, ni au sens figuré. Pourquoi s'était-elle laissé entraîner dans cette histoire ?

Parce qu'au fond de toi tu y crois, répondit une voix quelque part dans son esprit.

Arrivée en avance au pont, elle descendit au bord de l'eau pour l'écouter clapoter, en attendant. La lune était grosse et brillante. Elle porta la main à son collier et fit tourner l'anneau entre deux doigts, se demandant à quoi son existence pourrait ressembler, avec lui. Toute la ville lui en voudrait-elle de l'avoir volé à son épouse ? Et quelle importance ? L'amour valait bien quelques désagréments.

– Mary Margaret.

Elle se retourna et sourit en le voyant.

– Tu es venue… dit-il en approchant d'elle.

Il s'immobilisa et la retint par les bras quand elle voulut l'enlacer.

– Bien sûr que je suis venue, dit-elle d'un air inquiet. Mais tu parais… déçu.

– Pas vraiment, répondit-il, toujours hors d'haleine. C'est que… je me rappelle.

Elle le regarda dans les yeux, réfléchissant à ce que cela pouvait bien signifier, puis recula d'un pas.

– De ton ancienne vie, tu veux dire, dit-elle d'un air impassible.

– De tout. Je… je me suis égaré en chemin, et je suis passé par la boutique de M. Gold. J'y ai vu ce… ce moulin à vent à vendre. Et tout m'est revenu à propos de Kathryn : notre emménagement ensemble. Je… c'est là-dedans, Mary Margaret, dit-il en touchant sa tempe. Il y a beaucoup de choses, là-dedans. Mais je me rappelle peu à peu.

– Et tu te souviens de ton amour pour Kathryn.

Il la regarda fixement.

Elle demeura silencieuse. Elle ne comptait pas l'aider à s'en tirer.

– Je ne sais pas, reconnut-il. Je n'en ai aucune idée. Mais je me souviens d'elle, à présent. Et je me sens obligé d'honorer ces souvenirs. C'est ce qu'il y a de plus sage à faire.

– Ce qu'il y avait de plus sage, David, lui fit-elle remarquer d'une voix tremblante, c'était d'éviter de m'entraîner dans cette histoire.

– J'en suis conscient. Je suis vraiment navré.

– Je comprends, le rassura-t-elle. Tu as fait ton choix.

Elle avait les yeux secs. Elle était plus furieuse que blessée. Furieuse contre elle-même de ne pas s'en être doutée avant. Tout cela n'était que le résultat de sa solitude, et le sentiment qu'elle avait toujours eu de mériter mieux. Si puissant, parfois, qu'elle avait l'impression d'avoir déjà mieux, quelque part, et de n'être que la victime tourmentée d'une existence illusoire dans laquelle elle n'avait pas grand-chose.

– Je n'en sais rien, répondit-il. J'imagine que nous n'étions pas faits l'un pour l'autre, après tout.

Elle eut l'impression de recevoir une flèche en plein cœur. En l'entendant faire état de ses sentiments de façon si abrupte, si lâche, si cavalière…

Elle se retourna.

– Tu ferais bien de partir, lui recommanda-t-elle, dos à lui.

– Mary Margaret...

Elle s'éloigna sans lui répondre.

Elle ne fondit en larmes qu'une fois seule.

Cette journée-là avait été plutôt riche en rebondissements. Emma n'en connaissait pas les détails, ignorait ce qui s'était passé entre David et Mary Margaret. Elle ne savait pas que celle-ci s'était rendue directement au bar, qu'elle avait plus bu qu'au cours de ces six derniers mois, et que le docteur Whale en ce moment même lui parlait à l'oreille. En patrouillant dans la ville, cependant, elle décela de nouvelles perturbations, une nouvelle tension dans l'air. Storybrooke ne semblait plus être une petite bourgade endormie. Des complots, des intrigues! Elle aimait plutôt bien cette nouvelle version de la ville. Si elle avait posé la question à Henry, il lui aurait probablement répondu que c'était sa présence qui avait mis un terme au *statu quo*. Mais Henry était fou. Du moins croyait-il à des choses folles. Elle était toujours...

– Qu'est-ce que... commença Emma à voix haute.

Elle immobilisa son véhicule.

C'en était le parfait exemple.

Elle se trouvait à l'angle de Mifflin Street et de la rue principale et aurait juré ses grands dieux qu'elle venait de voir quelqu'un bondir de la fenêtre du premier étage de la demeure de Regina.

Elle coupa le contact, s'empara de sa matraque et se faufila discrètement jusqu'à un interstice dans la haie, par lequel elle était persuadée que l'intrus tenterait de s'échapper. Percevant des bruits de pas, elle retint son souffle et brandit son arme avant de l'abattre sur la silhouette indistincte.

Elle fit mouche et l'intrus s'écroula.

Il poussa un gémissement de douleur avant de se plaindre d'une voix familière:

– Ouille.

– Graham? s'étonna-t-elle en posant une main sur son dos. Qu'est-ce que tu fais là?

Comprenant qu'il n'y avait qu'une réponse possible à sa question, elle l'aida à se redresser et l'épousseta.

– Ah! J'ai compris. Eh bien, je suis désolée. Ça va? s'enquit-elle.

– Le maire avait besoin de moi pour…

– Pour coucher avec elle?

Ils se dévisagèrent, puis Graham tenta une explication.

Emma, quelque peu écœurée, ne voulut rien entendre.

Soudain, son attitude envers les intrigues changea du tout au tout.

CHAPITRE 6

LE MUR

u sais que c'étaient les miennes, hein? demanda Mary Margaret tout en mangeant ses céréales.

Emma jeta un coup d'œil au vase brisé et au tas de fleurs ruisselantes, à l'autre bout de la cuisine. Elle s'était quelque peu emportée en les voyant. Juste un peu.

Elle ne supportait pas l'idée que Graham puisse continuer à chercher à coucher avec elle maintenant qu'elle était au courant pour Regina et lui. En apercevant les fleurs, elle était partie du principe qu'elles venaient de lui et les avait jetées à travers la pièce. Il lui arrivait parfois de se montrer un peu violente.

Lui aussi. La veille au soir, elle s'était rendue chez Mère-Grand pour un dernier verre et était tombée sur le shérif, complètement ivre et agressif. La situation était pour le moins étrange, entre eux, depuis qu'elle l'avait surpris devant chez Regina, quelques jours auparavant. Mais, d'une certaine manière, elle s'y était attendue. Il supportait mal que quelqu'un puisse être au courant de ses petits secrets, ce qui était le cas de tous les hommes qu'elle avait traqués. Un soudain mépris.

C'était ce qu'elle s'était dit, du moins, quand Graham, fin saoul, avait lancé une fléchette dans sa direction, la manquant de peu. La situation lui avait semblé encore plus étrange quand elle avait quitté le *diner* et qu'il l'avait suivie.

Et embrassée.

Il l'avait prise au dépourvu, alors qu'ils parlaient de Regina. Il divaguait à propos du fait qu'il n'éprouvait rien pour cette dernière, ni pour qui que ce soit d'autre à l'exception d'Emma.

— Tu te fiches de moi, Graham? lui avait-elle rétorqué, sa propre réaction lui ayant donné des frissons, qu'elle avait tenté de dissimuler du mieux possible.

Elle n'aimait pas le voir dans cet état. Désespéré.

C'est alors qu'il s'était penché pour l'embrasser.

— Qu'est-ce que tu fabriques? lui avait-elle demandé en reculant.

Il avait le regard absent.

— Tu as vu ça? s'était-il inquiété en regardant autour de lui.

— Si j'ai vu que tu m'as embrassée sans mon consentement? Oui. J'étais là.

— Non. Tu as vu ce loup?

— Ne t'avise plus de recommencer, le prévint-elle en reculant. Tu es ivre, et ça ressemblait trop à une agression à mon goût. Rentre chez toi et va te reposer.

— Je suis désolé, s'excusa-t-il. Je voulais juste pouvoir ressentir quelque chose. Je ne peux…

— Très bien. Tu voulais ressentir quelque chose. D'accord. Je ne sais pas de quoi il s'agit, mais tu ne le ressentiras pas avec moi.

Cela s'était produit la veille au soir. Depuis, elle n'avait cessé de repenser à ce baiser.

— Les tiennes? s'étonna Emma, se tournant vers Mary Margaret. Je croyais qu'elles venaient de Graham.

— Euh… non. C'est le docteur Whale qui me les a offertes.

— Oh! dit-elle en se dirigeant vers le placard pour y chercher une balayette.

Pendant qu'Emma nettoyait, Mary Margaret lui raconta sa liaison d'un soir avec le docteur Whale. La jeune femme fut ravie que son amie s'adonne à ce genre de plaisirs. Contrairement à son expérience avec Graham, ils étaient inoffensifs. Il fallait que Mary Margaret prenne plus de risques dans sa vie et, aussi, qu'elle oublie David. C'était une bonne chose. Emma lui fit part de son avis.

– Peut-être, en convint Mary Margaret. Tu as sans doute raison. Mais tu sais ce qui est bon, aussi ?

– Je t'écoute.

– Admettre que l'on éprouve des sentiments pour quelqu'un. Par exemple, reconnaître que tu as des sentiments pour Graham.

Elle fit la grimace.

– De quoi parles-tu ?

– C'est évident, Emma, lui fit-elle remarquer avec un sourire malicieux. Tout le monde le voit. Même quand tu ne casses pas de vases.

– Ce type commence à m'énerver sérieusement, c'est tout, se défendit-elle, sachant que ce n'était pas tout à fait la vérité. Je n'ai pas le droit d'être un peu irritable sans que tout le monde se mette à faire des commérages ?

– Allons, Emma.

– Quoi ?

– Le mur. Ce mur derrière lequel tu te caches.

Elle haussa les épaules en secouant la tête.

– Tu as l'impression qu'il te protège, et c'est probablement le cas, mais à un certain prix.

Emma fut étonnée de se sentir gagnée par un profond sentiment de tristesse. Un mur. Un bouclier. Elle refusait de courir le risque de dire quoi que ce soit, de peur que sa voix tremble. Elle préféra donc attendre, admirant secrètement l'intuition de son amie, et lui en voulant tout aussi secrètement.

– Ça t'empêche d'ouvrir ton cœur, lui expliqua Mary Margaret. Il est trop bien protégé.

**

Blanche-Neige avait eu tout le temps de réfléchir à la mort de son père. Quand bien même, il ne lui avait pas fallu bien longtemps pour en tirer quelques conclusions.

Premièrement, il n'était pas mort de cause naturelle. C'était un mensonge évident.

Deuxièmement, son assassin était très probablement l'homme qu'il avait libéré de la lampe. L'homme qui, comme par hasard, avait disparu du château le jour même où son père avait trouvé la mort.

Troisièmement, d'une manière ou d'une autre, c'était la femme de son père, Regina, qui avait commandité le meurtre.

Avait-elle la preuve de ce qu'elle avançait? C'était en partie son instinct qui le lui avait soufflé, et en partie les motivations évidentes de Regina.

Un mois s'était écoulé depuis sa disparition, et elle l'avait pleuré en privé, prenant sur elle, évitant la reine, et s'efforçant de mettre de l'ordre dans ses idées. À sa demande, on l'avait envoyée à la campagne, et elle avait passé les deux semaines précédentes à faire de longues promenades dans les bois, tentant de trouver un sens à un monde dont son père était absent. Que lui conseillerait-il de faire, s'il était là? De venger sa mort, certes, mais de la bonne façon. D'agir astucieusement, avec prudence et sérieux. Et non de manière inconsidérée.

Pour l'instant, une question plus urgente se posait à elle : si Regina était responsable de la mort de son père, allait-elle être sa prochaine cible? Cela lui semblait logique.

Ainsi, elle ne fut guère étonnée, le jour où elle annonça au capitaine de la garde royale qu'elle allait faire sa promenade matinale, que celui-ci lui dépêchât un nouveau chevalier pour l'accompagner. Quelqu'un qu'elle n'avait jamais vu. C'était probablement lui. L'assassin qu'avait engagé Regina.

Elle lui fit un signe de tête, qu'il lui rendit.

— Mademoiselle, la salua-t-il.

— Je vais me promener d'un bon pas, le prévint-elle. Tâchez de me suivre.

Quand il eut acquiescé, ils s'éloignèrent du château.

Ils marchèrent un long moment en silence. Elle avait remarqué que l'homme ne semblait guère à l'aise dans son armure de guerre. Elle s'efforcerait de profiter de ce point faible.

La forêt était calme.

À bonne distance du château, elle prit la parole.

— Quand j'étais petite, commença-t-elle, le palais d'été était mon endroit préféré. J'avais l'impression que les montagnes qui l'entourent formaient une sorte de berceau. Je m'y suis toujours sentie en sécurité. J'ai vraiment hâte d'y retourner.

Elle s'interrompit mais continua à marcher.

— Mais je me demande à présent si ce sentiment de sécurité ne tenait pas plus à mon père qu'au lieu en lui-même.

Il l'observa par la fente de son heaume. Elle s'immobilisa, se tourna vers lui et l'étudia à son tour.

— Vous pouvez l'enlever, lui dit-elle.

L'homme obtempéra. Elle le dévisagea. Il était beau, émacié et avait un air sévère. Une barbe mal taillée ornait sa mâchoire. Il demeura silencieux.

— C'est bien mieux ainsi, non ?

Il hocha la tête, le heaume sous son bras.

— Vous n'êtes pas un chevalier royal, n'est-ce pas ?

— Qu'est-ce qui vous fait dire ça ?

— Parce que chaque fois que je fais allusion à mon père, les chevaliers me présentent leurs condoléances. Mais vous êtes quelqu'un d'autre, n'est-ce pas ? Vous êtes celui qu'elle a choisi. Pour m'éliminer. Pour m'écarter de son chemin.

Elle prit une profonde inspiration, se préparant à l'iné-vitable.

126

– Vous avez un bon instinct, reconnut-il en laissant tomber son heaume.

Il posa la main sur son épée.

– Et vous avez une armure bien trop lourde, poursuivit-elle.

Avant qu'il ait pu réagir, elle s'accroupit et se rua sur lui, les deux bras en avant. Elle le percuta de plein fouet, assez violemment pour le faire reculer en titubant. Peu habitué à avoir son centre de gravité si haut, il s'écroula. Elle aurait cent bons mètres d'avance quand il se relèverait et se lancerait à sa poursuite.

– Tu sais que je suis quelqu'un de bien, n'est-ce pas, Mary Margaret?

À la fin des cours, Graham s'était rendu à l'école. L'enseignante et lui se tenaient devant sa classe, les derniers élèves chuchotant dans les couloirs. Elle le regardait, une lueur d'affection dans les yeux. Apparemment, il était devenu une épave depuis cet «incident» avec Emma, la veille au soir. Mary Margaret aurait été incapable de dire ce qui se passait entre ces deux-là, mais elle souhaitait les aider. Même si elle ne savait pas comment s'y prendre.

– Bien sûr, Graham. Bien sûr. Et toi… ça va? Tu es en nage, et blanc comme un linge. Tu n'as pas dormi?

Elle posa une main sur sa joue.

– Tu es brûlant. Qu'est-ce que tu as fait, cette nuit?

– J'avais simplement l'impression que toi et moi, on se connaissait, déclara-t-il. Dans une sorte de… dans une autre vie. Je ne sais pas. Ça a l'air dingue.

Il secoua la tête et jeta un coup d'œil dans le couloir.

– Désolé d'être venu. Je ne sais pas ce que j'essaie de faire.

– Qu'est-ce qui te fait dire ça?

– Hier soir, quand je l'ai embrassée, j'ai eu cette espèce de vision. De… de quelque chose. D'un autre monde. Tu étais là et on se connaissait. Je ne sais pas comment. J'étais… j'étais en train de t'attaquer. Avec un couteau, il me semble. Je ne comprends pas. Je n'ai aucune raison de faire ça.

– Je croirais entendre Henry, lâcha-t-elle.

– Henry ?

– Il est persuadé que nous sommes tous des personnages de son livre. Et que nous ne nous en souvenons pas.

– De quel genre de livre ? voulut-il savoir.

– Des contes de fées, répondit-elle en haussant les épaules. *Blanche-Neige et les sept nains*, ce genre de chose.

Elle leva les yeux au ciel.

– Oui, je vois ce que tu veux dire. C'est dingue.

Emma Swan était assise dans le fauteuil du shérif, les pieds sur son bureau, quand Regina entra en trombe dans le commissariat. Sans bouger, la jeune femme lui jeta un regard.

– Ravie de vous voir, Regina.

– Moi aussi, répondit celle-ci d'un air dédaigneux. Vous faites votre devoir civique, alors ?

– Je suis en pause, madame, répondit Emma en la regardant d'un air renfrogné. Que voulez-vous ?

– Je voudrais que les choses soient claires. À propos de Graham. Ne l'approchez pas.

Emma encaissa le choc, se demandant ce dont Regina était au courant. Avait-elle eu vent de leur baiser ? Peut-être. À moins que Graham lui ait tout raconté.

– C'est mon chef, finit-elle par lui répondre. Je suis donc obligée de l'approcher. Si vous faites allusion à ce qui s'est passé hier soir, ajouta-t-elle, ce n'était pas de mon fait. Je ne sais donc pas quoi vous dire, à part que je ne suis pas intéressée. Je vous le laisse.

– Depuis que vous êtes arrivée dans cette ville, mademoiselle Swan, vous n'avez cessé de semer le trouble. À votre place, je ferais attention à ce qu'on ne me colle pas une étiquette de traînée.

Entièrement d'accord, se dit Emma.

– Rendez-moi un petit service, Regina, dit-elle d'un air impassible. Fichez le camp de mon bureau. Et ne me parlez plus jamais sur ce ton.

Regina sembla satisfaite d'avoir touché un point sensible. Elle esquissa un sourire et quitta le commissariat sans un mot.

Emma la regarda partir, ferma la porte et remplit de la paperasse pendant quelques minutes pour se calmer. Elle commençait à avoir l'habitude que Regina se jette sur elle pour l'accabler de tous les maux, cela faisait manifestement partie de son travail ; mais cette fois c'était différent. Elle s'en était prise à sa vie sentimentale et non à son fils. Emma avait remarqué que madame le maire se mettait de plus en plus souvent en colère, ces jours-ci.

Mais il n'y avait pas que cela. Elle aussi avait senti quelque chose. Peut-être Mary Margaret avait-elle raison. Peut-être avait-elle érigé un mur autour d'elle. Un mur si discret qu'elle n'avait même pas remarqué sa présence. Sans parler d'avoir l'idée de regarder par-dessus. Éprouvait-elle quelque chose pour Graham ?

Elle fut tirée de sa rêverie quelques minutes plus tard par les appels de son fils.

– Emma ! Emma ! s'écria-t-il, pénétrant en courant dans le commissariat, son sac battant contre son dos.

– Hou là, hou là ! dit-elle en se levant. On se calme. Que se passe-t-il ?

Pantelant, Henry ôta son sac à dos et le laissa tomber par terre.

– C'est Graham, dit-il. Je crois qu'il commence à se rappeler !

– À se rappeler quoi ? Assieds-toi. Reprends ton souffle.

Elle alla lui chercher un verre d'eau, et il finit par s'asseoir à son bureau et se ressaisir. Graham était allé le trouver, lui raconta-t-il. Pour lui parler de son livre et lui poser des questions sur les contes de fées.

– Et que lui as-tu répondu ?

Le garçon baissa les yeux.

– Henry ?

– Je lui ai dit ce que je croyais être vrai. Que c'était le Chasseur. Et que les flashs qu'il avait eus en t'embrassant étaient des souvenirs de cette époque.

– Il t'a dit qu'il m'avait embrassée ?

Il haussa les épaules.

– Ouais. Mais j'étais déjà au courant, de toute façon.

Ah, les petites villes ! se dit Emma. Voilà qui expliquait comment Regina l'avait appris.

L'idée que Graham, qui n'était manifestement pas lui-même en ce moment, se mette à avoir des visions ne lui plaisait guère, pas plus que le fait qu'il aille en parler à un gamin et qu'il le croie quand ce dernier lui expliquait les liens qui pouvaient exister entre le rêve et la réalité. Graham était sur le point de craquer, comprit-elle. Il fallait qu'elle le retrouve.

– Où l'as-tu envoyé ? demanda-t-elle.

– Nulle part, se défendit le garçon. Je lui ai raconté comment la reine était parvenue à lui forcer la main et lui avait ordonné d'éliminer Blanche-Neige.

Emma fronça les sourcils. Dans le petit monde de Henry, la reine était Regina, et Blanche-Neige, Mary Margaret.

– Et pourquoi a-t-elle fait ça ?

– Parce qu'elle a tué le père de Blanche-Neige et qu'elle savait qu'elle devait se débarrasser aussi de sa fille. Mais elle ne pouvait pas s'en charger elle-même parce qu'elle refusait de courir le risque qu'on puisse la démasquer. Elle a donc parcouru la campagne et fini par mettre la main sur le Chasseur.

– D'accord.

– C'est de là que vient le truc avec le loup, poursuivit-il. Il aimait bien ces animaux, et l'un d'eux était son ami. L'ayant découvert, Regina lui a promis de les protéger s'il l'aidait à tuer Blanche-Neige.

– Et que s'est-il passé?

– Il s'est habillé en garde et a failli tuer Blanche-Neige, mais elle est parvenue à s'enfuir. En la pourchassant, il s'est rendu compte qu'il n'avait aucune envie de la supprimer.

– Comme c'est généreux de sa part! dit Emma en s'enfonçant dans son fauteuil.

Elle jeta un coup d'œil au sac à dos de Henry.

– Tu connais vraiment ces histoires par cœur, hein? Tu n'as même plus besoin du livre.

– Je les connais toutes.

Il lui avait répondu d'une façon qui ne lui disait rien qui vaille.

– Et qu'avez-vous décidé? lui demanda-t-elle. Où est-il allé, ensuite?

– Je n'en sais rien, répondit-il. Il était vraiment bouleversé quand je lui ai appris que la reine lui avait volé son cœur et l'avait transformé en esclave sexuel quand elle avait découvert qu'il…

– Pardon?

– Quoi?

Elle se contenta de glousser en secouant la tête. Parfois, la réalité imitait un peu trop bien la fiction.

– Tu n'as donc aucune idée d'où il peut être? s'enquit-elle.

– Tout ce qu'il m'a dit, répondit-il, c'est qu'il devait retrouver ce loup. Avant qu'il soit trop tard.

Un loup.

Bien sûr.

Emma en avait vu un. Un jour.

Elle se révéla plus rapide qu'il l'aurait cru. Les hommes la mésestimaient toujours. Elle savait très bien qu'il finirait par la rattraper, mais elle avait suffisamment d'avance pour faire ce qu'il fallait. Après quelques minutes de course dans les bois, Blanche-Neige trouva un arbre derrière lequel se cacher, s'accroupit et se lança dans la rédaction d'une lettre destinée à Regina. Tant qu'elle pourrait dire ce qu'elle voulait, elle accepterait la mort. Tant qu'elle pourrait transmettre son message.

Il mit quelques minutes à la trouver. Elle avait déjà achevé sa missive.

Elle leva tout juste les yeux quand elle l'aperçut du coin de l'œil.

Haletant, il la vit, comprit ce qu'elle faisait et secoua la tête.

— Vous risquez votre vie, mais vous préférez vous arrêter pour rédiger une lettre? Je ne comprendrai jamais les gens. Qu'ils soient de sang royal ou non.

Il brandit son poignard.

— Vous auriez de toute façon fini par me rattraper, lui fit-elle remarquer en posant sa plume et en pliant la feuille.

L'homme la laissa faire.

— J'ai utilisé au mieux le temps qu'il me restait.

Elle leva les yeux et lui tendit la lettre.

— Merci de la remettre à la reine quand vous m'aurez tuée.

— Qu'avez-vous écrit?

— Vous pouvez la lire, si vous voulez. Ce n'est pas un piège, ajouta-t-elle en remarquant son air sceptique. Lisez-la et tuez-moi. Je suis prête.

Précautionneusement, il tendit la main et s'empara du message. Elle le regarda lire, puis ranger lentement le poignard.

Elle constata avec stupéfaction qu'il avait les larmes aux yeux. Elle en vit une rouler sur sa joue.

L'homme rangea la lettre dans sa tunique. Puis, sans un mot, il s'approcha, brandit de nouveau son poignard et l'abattit.

Blanche-Neige, s'étant recroquevillée, mains sur la poitrine, mit cinq bonnes secondes avant de relever la tête.

— Prenez ça, dit-il en lui tendant le roseau qu'il venait

de couper. Vous pourrez vous en servir comme d'un sifflet. Soufflez dedans quand vous aurez besoin d'aide.

– Vous me laissez…

– Oui. Partez! lui ordonna-t-il en se redressant. J'essaierai de vous faire gagner autant de temps que possible.

– Mais pourquoi?

– Courez, insista-t-il. Ne posez plus de questions. Courez, jeune fille.

Emma repéra Graham tandis qu'il s'enfuyait de la maison de Regina. Elle le dépassa, alla se garer devant sa voiture et l'attendit. Il arriva bientôt au pas de course.

– Hé, shérif! l'apostropha-t-elle. Tu as l'air tendu. Tu m'accordes une seconde?

En levant les yeux, il l'aperçut devant sa voiture, les bras croisés.

– Pas maintenant, Emma, lui répondit-il en poursuivant sa route. Je suis occupé. Tu devrais être au poste.

– J'essaie de t'aider.

– Je n'ai pas besoin de ton aide.

– Eh! du calme… dit-elle en allant à sa rencontre.

Elle posa la main sur son bras, lui certifia qu'il avait besoin d'un peu de repos et qu'il n'était jamais très bon de se fier à un gamin de dix ans. Frustré, Graham lui répondit que Henry était le seul qui semblait avoir un peu de bon sens. Il tenta de lui parler du loup, de lui dire que c'était relativement logique qu'il ne puisse rien ressentir et qu'il n'ait rien ressenti depuis très longtemps.

– Je n'ai pas de cœur, lui avoua-t-il. Je ne vois pas comment je pourrais te le dire autrement.

– Mais si, rétorqua Emma en secouant la tête.

Comment avait-il pu partir en vrille à ce point après un

incident si anodin? Tout aurait pu s'arranger. Elle ne comprenait pas ce qui lui était arrivé.

— Allons, Graham, dit-elle en s'approchant.

Elle lui prit la main et la posa sur son torse.

— Touche.

Il ferma les yeux et prit une profonde inspiration.

— C'est à cause de la malédiction, dit-il. Ce n'est pas la réalité.

— Non, ce n'est pas la malédiction. C'est toi. C'est ton cœur. Tout va bien.

— Vraiment? demanda-t-il en jetant un regard par-dessus l'épaule d'Emma.

Elle fronça les sourcils, se retourna et sursauta.

Le loup. Le loup était là, sur le trottoir, à trois mètres d'eux.

— J'ai déjà vu ce loup, reconnut-elle.

— On est deux, alors. Viens.

Ils suivirent l'animal dans les bois et trottinèrent derrière lui pendant un bon quart d'heure. Graham répéta à Emma l'histoire que lui avait racontée Henry. Que, dans l'autre monde, la reine lui avait pris son cœur. Et il lui avoua qu'il lui était venu à l'esprit que le loup pourrait les guider jusqu'à lui.

— À un moment donné, ce loup était mon compagnon, insista-t-il. J'ai l'impression qu'il essaie de me montrer où se trouve mon cœur.

— Tu l'as déjà, Graham, lui répéta Emma.

Il secoua la tête.

— Non. Et je dois le récupérer. Absolument.

— Dois-je de nouveau te faire remarquer à quel point ce que tu dis peut sembler dément?

— Pas nécessairement, lui répondit-il d'un air distrait. Regarde.

Ils avaient atteint l'entrée du cimetière, et le loup se dirigea vers un imposant caveau avant de s'immobiliser, poussant la porte du museau avant de se tourner vers eux. Emma dut reconnaître que l'animal ressemblait étrangement à celui qu'elle avait croisé la première fois qu'elle avait tenté de quitter Storybrooke.

– Là-dedans, dit Graham. Mon cœur est là-dedans.

Il se précipita dans le caveau, suivi de près par la jeune femme.

L'intérieur était relativement propre, et Graham commença à tâter les parois et le sol de la minuscule pièce de pierre, avec la ferme intention, visiblement, de découvrir un panneau secret ou quelque chose de ce genre. Emma se contenta de l'observer, ne sachant pas vraiment quoi faire d'autre. Parviendrait-elle à trouver le moyen de le ramener à la réalité ? Ou était-ce plus grave, un état qui nécessiterait de le conduire à l'hôpital ?

Ses fouilles rapides restèrent vaines.

Il chercha de nouveau. Puis son regard se posa sur le cercueil.

– Non. Je ne te laisserai pas profaner une sépulture, Graham. Arrête, veux-tu ? Réfléchis. Sans parler de la loi, tu ne vas pas bien. Tu…

– Que faites-vous là, tous les deux ?

Emma et Graham se retournèrent en même temps.

Des fleurs à la main, Regina se tenait devant le caveau, à quelques mètres d'eux, l'air indignée.

– Notre travail, répondit Emma en ressortant de l'édifice. Et vous, que faites-vous là ?

– Je viens mettre des fleurs sur la tombe de mon père. Comme chaque semaine.

Balivernes, se dit-elle en observant Regina avec un certain scepticisme. La tombe de son père ? Voilà qui était pour le moins suspect. Et c'était peu de le dire.

– On cherche quelque chose, ajouta le shérif.

– Vous n'avez pas l'air bien du tout, mon cher, déclara

Regina, ses traits s'adoucissant en l'apercevant. Laissez-moi vous raccompagner chez vous.

– Non.

Tendu, le maire les regarda tour à tour. Elle hocha la tête.

– Je vois. Vous et elle…

– Ça n'a rien à voir avec ça, répondit-il d'un ton ferme. C'est à propos de vous. Je ne vous aime pas et je ne veux pas rester avec vous. Je ne veux plus, Regina. Ça ne me semble pas correct.

Il secoua la tête et baissa les yeux, l'air frustré. Il essaya de nouveau.

– Je n'éprouve rien avec vous. Je veux avoir l'occasion d'éprouver quelque chose.

Regina encaissa, une lueur de rage dans le regard. Emma vit Graham se préparer à recevoir un torrent d'injures, mais le maire concentra son attention sur Emma.

– C'est votre faute, prétendit-elle. Vous ne pouvez pas vous empêcher de me prendre ceux que j'aime, hein ?

– Ce sont eux qui viennent à moi, Regina. Vous devriez peut-être vous demander pourquoi tout le monde ne cesse de vous fuir.

Cela lui fit du bien de le lui avoir dit.

– Regina, ce n'est pas… commença le shérif.

Mais l'intéressée ne lui accorda aucune attention et s'approcha d'Emma. Elle laissa tomber son bouquet et, à la surprise générale, lui décocha un coup de poing en pleine mâchoire.

Emma sentit sa tête être projetée en arrière, une douleur aiguë se manifestant tout autour de sa bouche, mais elle resta debout et parvint à conserver l'équilibre en prenant appui sur le cercueil. Elle vit Graham se jeter sur Regina pour l'empêcher de lui porter un autre coup.

La jeune femme dévisagea son assaillante un long moment en se frottant la joue.

Puis, sans un mot, elle s'éloigna. Elle perçut les dernières bribes de leur conversation tandis qu'elle regagnait la ville. Elle n'avait pas l'intention de riposter tout de suite.

– Graham… tenta Regina.

Elle avait pris une voix plus douce.

– Ne m'adressez plus la parole. Je ne veux plus vous entendre. C'est terminé. À tout jamais.

Emma esquissa un sourire.

Un peu plus tard, Graham appliquait un peu d'eau oxygénée sur la joue d'Emma. Elle protesta mais le laissa faire. Elle aimait bien se trouver auprès de lui et appréciait tout autant le fait qu'il prenait soin d'elle. Ce qu'il avait dit au cimetière lui avait beaucoup plu. Pour elle, c'était le début d'une nouvelle histoire. Une histoire d'amour, peut-être. Même si elle ne l'aurait jamais appelée de cette façon.

– Je n'y comprends rien, avoua-t-il. Le loup, tout ça… je suis persuadé que c'était encore un coup de Regina. On commence à devenir fou quand on sait qu'on n'est pas avec la bonne personne.

– Ne m'en parle pas.

– Je ne comprends pas comment j'ai pu aller si loin avec elle.

– Je sais pourquoi on fait ce genre de chose, dit-elle en se remémorant toutes les fois où cela lui était arrivé. On se sent en sécurité. C'est terrible d'être tout seul. Aïe!

Il avait appliqué de l'eau oxygénée sur sa coupure. Il lui adressa un sourire d'excuse et lui toucha la main.

– Et voilà, dit-il.

– Viens là, lui dit-elle en se penchant pour l'embrasser.

Elle se sentit bien.

Ce fut agréable. Et bref. *Une petite brèche dans le mur*, pensa-t-elle.

Un peu plus tard, il s'écarta en lui adressant un sourire étrange.

– Quoi? s'inquiéta-t-elle. Qu'est-ce qui ne va pas?

– Je me rappelle.

– Tu te rappelles quoi ?

– Tout, dit-il. Qui je suis. Qui est Mary Margaret. Qui est Regina. Qui ils sont vraiment.

– De quoi parles-tu ?

– La première fois qu'on s'est embrassés, j'ai eu une sorte de flash. Quelque chose de très fugace. C'est ce qui a tout déclenché. Et, à présent, je me souviens de tout.

De plus en plus enthousiaste, il lui prit la main.

– Regina est vraiment la Méchante Reine, Emma. Elle…

Graham s'écroula soudain et, très inquiète, Emma tenta de le retenir.

– Ça va ? s'enquit-elle.

Il poussa un gémissement et ses yeux se révulsèrent.

– Eh, eh, eh ! le stimula-t-elle en le redressant. Allons, Graham. Tu as juste des vertiges, hein ?

Mais c'était bien plus que ça, comprit-elle rapidement. Et, sous le poids de son corps, elle se laissa entraîner à terre. Elle s'empara de son téléphone et appela les urgences, pour le moins perplexe. Il la regarda d'un air triste, ce qui l'effraya plus encore.

– Graham ! s'écria-t-elle en le secouant. Graham !

– C'est elle, parvint-il à marmonner.

– Qui ? C'est qui ? Regina ?

Il poussa un autre gémissement et prit quelques inspirations laborieuses.

– Je t'aime, déclara-t-il.

– Ne fais pas comme si tu allais mourir, Graham, lui reprocha-t-elle d'un ton paniqué. Je t'en prie, ne fais pas ça.

Il leva la main et lui toucha le visage. Elle sanglotait. Il fit appel à toute la force qui lui restait pour lui essuyer ses larmes.

Il était mort. Comme ça, sans la moindre raison. Une crise cardiaque ? À l'arrivée des secours, Emma avait déjà la certitude qu'il avait quitté ce monde. Elle était restée par terre à ses côtés, en sanglots, jusqu'à ce que les infirmiers l'éloignent de son corps avec calme et délicatesse. Hébétée, elle les regarda le poser sur la civière et l'emporter. Inutile d'aller à l'hôpital. C'était évident pour toutes les personnes présentes dans la pièce. Contrairement à M. X, lui n'allait pas se réveiller. Les miracles, ça n'existait pas.

Elle passa une heure à marcher seule dans les rues de Storybrooke, se remémorant les derniers moments passés avec lui, tentant de comprendre comment Regina avait pu s'en prendre à lui. En l'empoisonnant? Quoi d'autre? Les circonstances de sa mort n'avaient rien de logique, mais elle savait que Regina avait un mobile. La vie était faite de coïncidences, même en ce qui concernait les meurtres, mais Emma en avait la certitude : quelque chose clochait.

Sinon, bien sûr il y avait, «l'autre» explication…

DEUXIÈME PARTIE

LES CŒURS
PERDUS

CHAPITRE 7

LE TÉNÉBREUX

ela faisait deux semaines que Graham était mort dans les bras d'Emma, et c'était la tête ailleurs qu'elle exerçait temporairement la fonction de shérif. Après un mois tumultueux, le calme était revenu à Storybrooke, ce qui lui laissa le temps de pleurer la disparition de son ami.

Le rapport officiel était limpide : il était mort de cause naturelle, sujet à des palpitations cardiaques qui le hantaient depuis son enfance.

Le docteur Whale lui montra son dossier, mais, au fond d'elle-même, elle était persuadée que sa mort était suspecte. Cela ne signifiait pas pour autant qu'elle allait se mettre à croire à l'existence d'une malédiction. C'était précisément ce que faisaient les gens quand ils se sentaient vulnérables. Elle en avait été témoin des milliers de fois. La réalité, c'est qu'il était mort, un point c'est tout.

Un mercredi matin, en arrivant au bureau, Emma trouva un message de service lui signalait que M. Gold avait appelé pour lui demander d'aller lui rendre visite dans son magasin d'antiquités au moment de son choix. N'ayant rien d'autre à faire dans l'immédiat, elle s'empara de son café et regagna sa voiture de patrouille.

Elle trouva Gold dans l'arrière-boutique, occupé à appliquer une sorte de liquide sur un chiffon. Elle présuma que de là provenait l'odeur épouvantable qui régnait dans la pièce, à mi-chemin entre le purin et la sueur. Gold ne se donna même pas la peine de lever les yeux quand elle s'annonça, et continua à appliquer son produit.

– C'est de la lanoline, marmonna-t-il, ce qui sent si mauvais.

– Charmant.

– C'est grâce à ça que la laine de mouton reste étanche, lui fit-il remarquer. C'est très étonnant, vraiment. C'est hautement inflammable, naturellement.

– J'ai eu votre message, dit-elle. Que puis-je faire pour vous ?

– Je souhaitais vous adresser mes condoléances à propos du shérif Graham, maintenant que l'effervescence est retombée, déclara-t-il daignant enfin lever les yeux.

Elle n'aurait pas dit qu'il avait l'air compatissant, mais voyait bien qu'il faisait son possible pour se montrer sympathique.

– Ce n'est pas une bonne nouvelle pour la ville. Et je sais que vous étiez proches, tous les deux.

Il entreprit de ranger son bureau.

– Vous ferez une excellente remplaçante, lui affirma-t-il.

– Je n'ai pas l'intention de le remplacer.

– Deux semaines d'intérim, ça fait de vous le nouveau shérif, mademoiselle Swan. C'est ce que dit la loi.

– Sans blague !

Elle ne savait pas vraiment qu'en penser. *Shérif Swan…*

– Je souhaitais aussi vous dire que j'avais quelques-unes de ses affaires ici, et je me demandais si vous les vouliez.

Il saisit un carton sur un comptoir non loin et le déposa sur une table. Emma y reconnut un certain nombre d'articles : le blouson de cuir de Graham, ses lunettes de soleil et son téléphone.

– Je ne veux rien de tout ça, répondit-elle d'un air impassible, le regard rivé sur le carton.

– Vraiment ? Même ça ? dit-il en tirant deux talkies-walkies du carton. J'ai l'impression que ça appartient à la police. Vous n'en avez pas l'utilité ? Je suis sûr que votre garçon s'amuserait bien avec, en tout cas.

Elle poussa un soupir et accepta les deux émetteurs-récepteurs.

– D'accord. Je vous remercie.

– Les enfants grandissent vite, poursuivit-il. Vous allez certainement vouloir avoir autant de souvenirs que possible avec lui.

Elle le dévisagea. Il avait de nouveau cet air… à la fois compatissant et fourbe.

– Ne m'en parlez pas.

Emma alla retrouver Henry dans son «château», en bord de mer. Une demi-heure à peine avant d'aller en cours, il était d'humeur morose. Il ne semblait pas si content que ça des talkies-walkies en les rangeant dans son sac à dos. Elle lui suggéra qu'ils pourraient s'en servir pour poursuivre la mission Cobra, mais il se contenta de se tourner vers l'océan. Ce qui, il y a moins d'un mois de cela, lui aurait redonné le sourire ne lui faisait à présent ni chaud ni froid.

– Qu'est-ce qui ne va pas? se décida-t-elle à lui demander après un long silence.

– J'ai l'impression qu'on ferait mieux de mettre un terme à l'opération Cobra. C'était très amusant, mais, maintenant, le shérif Graham est mort.

– Ça n'a rien à voir avec toi ou avec la malédiction. Il était malade du cœur. Il le savait depuis longtemps.

Henry se tourna vers elle avec le plus grand sérieux.

– Ce n'est pas ce qui s'est produit, déclara-t-il. La reine l'a tué parce que vous étiez en train de tomber amoureux l'un de l'autre et que c'était son esclave. Et ça l'a rendue furieuse.

– Je sais que c'est ce que tu crois, mais, parfois, il arrive de mauvaises choses sans raison.

– Ça non plus, ce n'est pas vrai, dit-il en commençant à s'agiter. Elle l'a tué parce qu'il était bon, et le bien perd toujours, ici. Et tu es gentille, ce qui signifie que tu vas perdre.

– Le bien ne perd pas toujours, rectifia-t-elle. C'est simplement plus difficile pour lui de l'emporter. Parce qu'il doit respecter un plus grand nombre de règles.

Le garçon sembla vaguement intéressé par son point de vue, même s'il avait toujours l'air aussi distrait et aussi peu cohérent.

– Le bien est obligé de jouer de façon honnête, finit-il par lâcher.

– Il faut que tu te sortes de la tête l'idée que ta mère a tué quelqu'un, lui recommanda Emma. Ce n'est pas le cas. Ce n'est pas très juste envers elle.

Il esquissa un sourire.

– Quoi ? demanda-t-elle.

– Tu as raison. Mieux vaut éviter de la mettre encore plus en colère. Hein ?

Elle inclina la tête.

– Ce n'est pas ce que j'ai voulu dire.

– Je sais. Mais quand même.

Elle déposa Henry à l'école avant de retourner au commissariat, prête à affronter une nouvelle journée interminable… où elle n'aurait rien à faire.

En arrivant, son regard se posa sur le bureau de Graham, comme tous les jours. Son insigne était là, au même endroit depuis deux semaines. Elle s'imagina en train de le porter. Sa vie en serait bouleversée, elle serait obligée de se poser. Elle se dirigea vers le bureau et s'en empara.

– Vous n'en aurez pas besoin.

Elle se retourna.

Regina, les bras croisés, se tenait dans l'encadrement de la porte.

– Le poste me revient automatiquement demain, lui fit remarquer Emma. Je n'aurais pas compris la charte ?

– Il vous revient automatiquement si le maire ne trouve personne d'autre, rectifia Regina en pénétrant dans le poste de police, jetant un coup d'œil dédaigneux à son bureau en désordre. Je vais nommer quelqu'un cet après-midi.

– Qui donc?

– Sidney Glass, du *Miroir*, déclara-t-elle d'un ton désinvolte. Il connaît très bien la ville. Ça fait un moment qu'il est là.

– Un journaliste? Il n'est pas qualifié pour ce poste.

– Oh! je suis persuadée qu'il fera très bien l'affaire, rétorqua-t-elle en souriant. Et ce sera un plaisir de travailler avec quelqu'un qui ne fait pas tout pour saper mon autorité.

– Si Graham m'a choisie, c'est qu'il avait de bonnes raisons, se défendit Emma. Je sais que ça vous déplaît, mais c'est pourtant le cas.

– Oui, une raison simple: il voulait coucher avec vous.

– C'est faux.

– Vraiment?

Emma ne trouvant rien à lui répondre, Regina poursuivit:

– De toute façon, il est temps pour nous de tourner la page. Vous savez aussi bien que moi qu'il n'est pas possible que vous soyez employée par la ville. Il va vous falloir trouver un autre travail.

– Qu'essayez-vous de me dire? demanda Emma.

– Ce que je veux dire, répliqua Regina en lui arrachant l'insigne de Graham des mains, c'est que vous êtes renvoyée.

En cette fin de matinée, Regina organisa une conférence de presse pour annoncer que Sidney Glass était le nouveau shérif de la ville.

Ce dernier, bien sûr, souriait radieusement devant les objectifs, ravi de sa promotion, toujours prêt à exécuter les ordres de son maire bien-aimé. Emma ne supportait pas cet homme.

Dès que Regina avait quitté le commissariat, Emma s'était plongée pendant des heures dans la charte municipale. Elle n'avait assisté à la conférence de presse de Regina qu'une minute ou deux avant de se décider à passer à l'acte.

Quand elle entra dans le bureau, même Regina sembla surprise.

– Je n'en suis pas si sûre, déclara Emma. Elle ne peut pas le nommer. Il faut procéder à une élection. Et je me porte candidate.

– Le maire a le droit de…

– Non, l'interrompit calmement Emma en brandissant un exemplaire de la charte dont elle avait surligné le passage concerné. Elle peut proposer un candidat, mais il faut qu'il y ait une élection.

– Très bien, mademoiselle Swan, accepta Regina sans se donner la peine de consulter la charte. Ce ne sera qu'une formalité. Le candidat que j'ai nommé, M. Sydney Glass, sera bientôt le nouveau shérif.

L'intéressé, quant à lui, sembla sidéré par cet événement mais garda le sourire pour les photographes.

– Qu'en dites-vous ? demanda Regina.

– C'est parfait, répondit Emma.

Les objectifs se tournèrent tous vers elle.

Quelques heures après avoir saboté les plans de Regina, Emma était partie en patrouille, à pied, quand elle passa devant le *diner* et aperçut Henry par la vitrine. Il était seul à une table. Elle sourit en le voyant là, lisant ce qu'elle présumait être son livre d'histoires. Mais, en pénétrant dans l'établissement, elle se rendit compte qu'il lisait le journal.

– Tu te mets au courant de l'actualité ?

Quand il leva les yeux, elle lui trouva un air inquiet.

– Qu'y a-t-il ?

– Tu ne l'as pas lu, n'est-ce pas ?

Elle prit place sur la banquette et tira le journal vers elle. Il s'agissait de son vieux portrait, celui que Graham avait immortalisé, mais le titre était inédit : « L'ex-taularde Emma Swan a donné naissance à un enfant derrière les barreaux ».

Elle se crispa, se redressa sur son siège et s'empara du quotidien.

– Comment peuvent-ils faire ça si vite? marmonna-t-elle en parcourant l'article.

Rédigé par Sidney Glass, il révélait tous les détails de son inculpation pour «vol de biens d'autrui» – ce qui était impossible… ou aurait dû être impossible, du moins.

– C'est vrai? demanda Henry d'une voix posée. Je suis né en prison?

Elle lui lança un regard par-dessus le journal, qu'elle reposa ensuite sur la table.

– C'est vrai. Mais c'est compliqué. Je n'ai pas voulu t'en parler parce que je pensais que ça n'avait aucune importance.

Elle soupira, ramassa le quotidien et le roula.

– Jetons ce torchon. Viens, allons à ton château.

– C'est encore la même chose, lui assura-t-il. Le mal l'emporte parce qu'il n'est pas obligé de respecter les règles. Ça ne sert à rien de le jeter. Il a déjà empêché ton élection.

– Rien n'est joué, le rassura-t-elle. Il nous suffira de nous adapter.

Elle lui prit la main par-dessus la table. Se souvenant de sa conversation à la boutique, elle poursuivit:

– D'ailleurs, j'ai un nouvel allié: M. Gold.

– Lui? s'étonna le garçon, le regard brillant. Il est pire qu'elle!

– Je n'en suis pas si sûre. D'ailleurs, il a quelques bonnes idées.

Mais Henry demeurait inconsolable. Plus elle tentait de lui remonter le moral, plus il se recroquevillait dans sa carapace. Il finit par croiser les bras et secouer la tête.

– Le bien ne gagne jamais, répéta-t-il. Jamais.

Il prit une inspiration et leva les yeux vers elle.

– C'est comme avec Rumpelstiltskin et son fils.

Emma plissa les yeux.

– Rumpelstiltskin? Il n'a pas de fils.

Henry prit un air blasé.

– Son fils, c'est ce qu'il a de plus important dans la vie.

– Vraiment ? demanda Emma, se souvenant de ce qu'Archie lui avait dit plusieurs semaines auparavant, qu'il s'agissait de sa façon de communiquer. Je l'ignorais.

– Rumpelstiltskin était un sacré poltron avant d'avoir accès à la magie. La risée de son village. Sauf que son fils, Baelfire, l'aimait vraiment et s'en moquait.

Henry raconta à Emma comment Rumpelstiltskin avait gagné ses pouvoirs, son arrogance l'ayant conduit à se faire berner par un magicien du nom de Zoso, victime d'une malédiction qui le faisait souffrir depuis des dizaines d'années. Par la ruse, Zoso avait poussé Rumpelstiltskin à accepter cette malédiction sur lui. Cela lui avait donné accès à une puissante magie, mais interférait avec sa capacité à éprouver des sentiments, à faire preuve d'humanité. Et, au bout du compte, son fils, Baelfire, avait commencé à le craindre au lieu de l'aimer.

– C'est horrible ! s'indigna Emma, se demandant ce que le garçon pouvait bien tenter d'exprimer au travers de cette histoire singulière.

. Elle se demanda s'il y avait un rapport avec son nouveau poste de shérif.

– Tu as raison, approuva-t-il. Et le pire, c'est que c'est encore une histoire où les gentils perdent. C'est Zoso le méchant, et il gagne.

– Il me semble que c'est plutôt Rumpelstiltskin, le méchant, non ?

– Ouais. Je sais. Mais il ne l'était pas, avant.

Emma demeura furieuse tout l'après-midi et décida, après avoir quitté son bureau, d'aller dire deux mots à Regina.

Elle avait vu le journal dans toute la ville et était à peu près certaine que tous les habitants l'avaient lu. Elle n'était en colère ni contre l'élection ni contre cette campagne de dénigrement, enfin, pas vraiment. Ce qui la rendait furieuse, c'était que Henry était au courant d'une chose qu'elle n'avait pas souhaité lui révéler. Et personne, ni Regina, ni Sidney Glass, ni qui que ce soit d'autre, n'avait le droit d'étaler ses secrets au grand jour.

Elle se rendit à l'hôtel de ville. La lumière était allumée dans le bureau de Regina, à l'étage, et Emma y fit irruption sans frapper.

Surprise, Regina sursauta et leva les yeux de sa paperasse.

– Ces fichiers datent de quand j'étais mineure, protesta Emma. Vous n'aviez pas le droit. Je sais que vous voulez que Sidney l'emporte, mais vous n'aviez pas le droit.

– Il est tellement plus facile de remporter des élections quand on n'a jamais fait de prison, mademoiselle Swan. Il me semble que les gens ont le droit de savoir pour quel genre de shérif ils votent, non ? C'est pour Henry. Il doit connaître la vérité, lui aussi. N'est-ce pas ?

Emma ne répondit pas. Regina, déjà lassée par cette conversation, reporta son attention sur sa paperasse.

– D'ailleurs, vous pourrez en discuter pendant le débat et rectifier d'éventuelles inexactitudes. Qu'en dites-vous ?

– Quel débat ?

Madame le maire se leva et rangea quelques dossiers dans sa serviette.

– Le débat de demain.

Elle lui adressa un léger sourire, défroissa son tailleur et lui passa devant pour quitter son bureau.

Emma lui emboîta le pas.

– Ravie de l'apprendre.

– Sidney et vous pourrez vous chamailler aussi longtemps que vous le souhaiterez. La vérité finira par éclater au grand jour, comme toujours. La ville aura peut-être la chance d'entendre avec qui vous êtes de connivence pour cette campagne. Voilà qui serait intéressant.

Elles sortirent du bureau et commencèrent à descendre les marches. Arrivée au rez-de-chaussée, Regina s'immobilisa avant de poursuivre :

– Vous ne croyez pas qu'ils devraient être au courant, à propos de Gold ?

Elle tendit la main vers la poignée de la porte de l'hôtel de ville.

– Je ne suis de connivence avec personne, rétorqua Emma. Je combats simplement le feu par...

Avant qu'Emma ait pu achever sa phrase, Regina poussa un cri.

Un mur de flammes l'avait accueillie quand elle avait ouvert la porte, l'obligeant à reculer et à bousculer Emma avant de tomber. Elle s'écroula lourdement sur les marches qu'elles venaient de descendre, et Emma, agrippée à la rampe pour garder l'équilibre et brandissant son autre main pour protéger son visage de la chaleur, baissa les yeux et remarqua que Regina était cramponnée à sa cheville. *On va toutes les deux brûler ici*, pensa-t-elle. Mais elle repoussa cette idée et s'agenouilla auprès du maire.

– Venez ! l'encouragea-t-elle.

– Je ne peux pas marcher, avoua Regina en jetant un coup d'œil aux flammes derrière Emma. Tout le bâtiment est en feu.

Elle la regarda droit dans les yeux.

– Vous devez... Il faut me faire sortir d'ici.

Emma, qui n'était pas du genre à tergiverser, se redressa et, dans le hall, mit la main sur un extincteur puis commença à projeter de la mousse autour d'elle et dans l'embrasure de la porte de l'escalier, délimitant un passage qui les conduirait en lieu sûr.

Elle retourna ensuite chercher Regina, et aurait juré, avant de la prendre dans ses bras, qu'elle semblait surprise de la voir revenir. *Qu'est-ce qu'elle croit ? Que j'aurais pu l'abandonner ?* se demanda-t-elle en soulevant sa rivale. Elle traversa le hall en la portant précautionneusement, prenant soin de ne pas s'écarter du chemin qu'elle avait tracé.

Elle ouvrit la porte d'un coup de pied et aperçut des voitures de police, des camions de pompiers et des journalistes agglutinés dans l'allée circulaire, ouvrant tous de grands yeux à la vue de la scène : le shérif, couvert de suie et de sueur, s'extrayant d'un immeuble en flammes en portant le maire.

Les flashs crépitèrent.

– Reposez-moi ! lui ordonna Regina. Reposez-moi.

Des ambulanciers accoururent, Emma déposant doucement Regina par terre en haletant.

– Vous vous plaignez de la manière dont je vous ai sauvé la vie ?

– Je doute sérieusement que vous m'ayez sauvé la vie, s'emporta Regina en repoussant le masque à oxygène qu'on lui tendait. Où est Sidney ? s'écria-t-elle avant de se tourner vers Emma. Je ne crois pas avoir couru le moindre danger.

Emma secoua la tête, se leva puis recula. Les autorités s'occupèrent de leur maire.

Impossible d'avoir le dernier mot avec cette femme.

Dès que les pompiers eurent conduit Regina à l'hôpital et circonscrit l'incendie, Emma discuta un moment avec eux. Quelque chose clochait, dans cette histoire. S'agissait-il d'une coïncidence ? Alors qu'elles se trouvaient toutes les deux à l'intérieur ? Et, après avoir passé quelques minutes à fouiller dans les décombres, elle comprit pourquoi. Quand elle découvrit le chiffon, elle se rendit directement au magasin de Gold.

– C'est vous qui l'avez allumé, l'accusa-t-elle en posant le morceau d'étoffe sur son bureau. Ça sent la lanoline.

Il leva les yeux, un sourire prudent au coin des lèvres.

– Je suis resté là toute la soirée, se défendit-il. Je n'ai rien fait de tel.

Il jeta un coup d'œil au chiffon.

– Je reconnais qu'il y a une odeur chimique, mais elles se ressemblent toutes. Ces produits sont souvent très inflammables.

– Je refuse de gagner dans ces conditions, expliqua-t-elle. C'est ce que ça signifie, être allié avec vous ? Devoir enfreindre les règles ? Je ne suis pas comme ça.

– Vous ferez un excellent shérif pour cette ville, vous n'êtes pas une affidée. Ça fait toute la différence.

Emma ne trouvant rien à redire à cela, Gold poursuivit :

– Êtes-vous prête pour le débat de demain ?

– Je n'y ai pas encore réfléchi.

– Sidney Glass est insaisissable, je suis certain qu'il sera prêt. Je vous conseille de vous y préparer.

La photo d'Emma sortant de l'édifice en feu avec Regina dans les bras figura en une du *Miroir* le lendemain matin et la nouvelle tint la ville en haleine. Toute cette positivité et cette confiance ne la dérangeaient pas, mais le rôle de Gold dans cette histoire la rongea toute la journée, même quand ses amis, Ruby, Mère-Grand, Mary Margaret, Henry, Archie et d'autres, se lancèrent dans une campagne de dernière minute. Emma retrouva Mary Margaret environ une demi-heure avant le débat, et elles se dirigèrent toutes les deux vers la bibliothèque.

– Tu vas gagner, lui assura-t-elle. Je le sens. Et avec cette photo…

Ce fut le commentaire positif de trop : Emma éclata en sanglots. Elle lui avoua ses soupçons sur la culpabilité de Gold. Mary Margaret l'écouta, puis resta silencieuse un long moment. En arrivant devant la bibliothèque, elles rejoignirent la foule qui commençait à s'agglutiner. On aurait pu croire que tout Storybrooke était venu assister au débat.

– Quel genre de message suis-je en train de transmettre à Henry ? s'inquiéta Emma alors qu'elles gravissaient toutes les deux l'escalier. En gagnant d'une façon pareille…

– Comment veux-tu qu'il l'apprenne ?

– Mais je ne veux plus lui mentir.

– Si tu dis la vérité, c'est la défaite assurée.

– Il me semble que c'est un risque que je dois prendre.

Mary Margaret acquiesça.

– Eh bien, vas-y, alors.

Lorsque ce fut au tour d'Emma de prendre la parole, elle n'était toujours pas certaine de savoir ce qu'elle allait dire. Sidney s'était contenté de donner des réponses passe-partout et n'avait pris aucun risque en répondant aux questions d'Archie. Le public avait semblé réagir positivement. À l'applaudimètre, Emma comprit en gravissant les marches menant à l'estrade qu'elle pourrait profiter de son nouveau statut d'«héroïne» jusqu'à la victoire.

Mais il ne lui fallut pas longtemps, face à son auditoire, l'ensemble de la ville, avant d'entendre résonner dans son esprit les dernières paroles de Mary Margaret: «Eh bien, vas-y, alors.» Parfois, les choses n'étaient pas si complexes qu'elles le paraissaient. On les compliquait dans le seul but de s'en cacher.

– Désolée, désolée! se reprit-elle au milieu d'une réponse où elle donnait son avis sur le décret concernant les nuisances sonores.

Elle baissa les yeux sur le premier rang et aperçut Henry, le regard brillant, qui lui souriait.

– Il faut que je fasse marche arrière. J'ai quelque chose à dire à propos de l'incendie d'hier.

Le silence se fit dans l'assemblée. Elle se demanda si elle ne commettait pas une grosse erreur. Mais elle devait parler.

– C'est M. Gold qui en est responsable, révéla-t-elle, les cris de surprise se multipliant dans la salle. Et s'il est à l'origine de cet incendie, poursuivit-elle, c'est parce qu'il a tenté de m'aider à remporter cette élection. De faire de moi une héroïne.

Elle prit une inspiration et attendit que les chuchotements cessent.

– Je sais, je sais. J'en suis désolée.

Elle se tourna vers Regina, assise à côté de Henry, les bras croisés, un mélange de surprise et de suffisance se devinant sur ses traits.

— Regina, poursuivit Emma, je n'étais pas au courant. Mais je refuse de fermer les yeux et de tirer avantage de cette situation. Vous auriez pu être blessée. Le plus important, c'est de dire la vérité sur ce qui s'est produit.

Au fond de la pièce, elle vit M. Gold se lever, impassible, et se diriger vers la sortie.

— Ça va sans doute me faire perdre cette élection, continua Emma, mais je refuse de l'emporter grâce à un mensonge.

Après le débat, tous ceux qui avaient soutenu Emma dans sa brève campagne se retrouvèrent autour d'elle chez Mère-Grand pour prendre un verre, tentant de garder le moral et lui répétant qu'elle avait fait ce qu'il fallait. Certains le lui dirent avec plus d'enthousiasme que d'autres, mais elle savait, même si elle était complètement abattue, que c'était le cas. Elle avait beaucoup de défauts, mais n'était pas une menteuse.

Cela ne semblait pas déranger Henry. Après avoir terminé sa part de tarte, il s'essuya la bouche, fouilla dans son sac à dos et en tira les vieux talkies-walkies de Graham. Il lui en tendit un.

— C'est pour quoi faire ? demanda Emma.

— J'y ai beaucoup réfléchi et je suis persuadé qu'il faut relancer l'opération Cobra. Tu as tenu tête à M. Gold, tu es une héroïne.

— Tu crois ?

Quelle que soit l'issue du scrutin, elle fut ravie de l'entendre prononcer ces paroles.

— Je t'ai dit qu'il était devenu méchant dès qu'il a obtenu ses pouvoirs. Ensuite, la seule personne qui l'aimait a commencé à avoir peur de lui. Et s'il t'était arrivé la même chose ?

— Que veux-tu dire ?

— Et si tu avais obtenu le pouvoir en étant méchante, comme lui ? Ça aurait voulu dire qu'il aurait fallu se méfier de tout ce que tu ferais. Tu aurais peut-être gagné, mais on aurait tous commencé à te craindre.

— Alors, comme ça, tu as revu ton jugement sur le bien et le mal…

— Un peu, reconnut-il en souriant. Je suppose que j'ignorais que tu pouvais l'emporter à la régulière. Il n'y a pas beaucoup d'histoires où ça se produit.

— Oh! tu vas me faire pleurer…

— Je préférerais être bon comme toi et perdre, plutôt que de l'emporter en étant méchant.

C'était la première fois depuis des jours qu'Emma se sentait de bonne humeur.

Cette impression se dissipa peu après, quand elle aperçut Regina dans l'embrasure de la porte, suivie de près par Sidney. *Voilà qu'ils viennent pavoiser*, se dit-elle. *Exactement ce qu'il me faut.*

— La fête pour la victoire, ce n'est pas ici, déclara-t-elle.

Sidney s'abstint de tout commentaire. Il ne semblait pas particulièrement joyeux.

Emma se tourna vers Regina.

— Félicitations, dit cette dernière, le visage impassible.

— Qu'est-ce que tu racontes? demanda Henry.

— Le résultat est serré, mais les gens semblent avoir préféré un candidat capable de tenir tête à M. Gold. Figurez-vous ça! railla-t-elle en secouant la tête.

— Vous plaisantez…

— Elle est tout à fait sérieuse, intervint Sidney en s'asseyant à côté d'eux.

— Vous n'avez pas choisi le meilleur ami possible en la personne de M. Gold, mademoiselle Swan. Mais c'est un ennemi sans pareil. Je vous souhaite bien du plaisir.

Emma ne put s'empêcher d'esquisser un léger sourire.

Elle était shérif.

Shérif de Storybrooke, dans le Maine.

Tard dans la soirée, M. Gold rendit visite à Emma, au commissariat. Il l'y attendait, en fait. Elle était venue directement à pied de chez Mère-Grand, un peu éméchée, dans l'intention de remplir un peu de paperasse avant d'entamer sa première journée officielle. À son arrivée, elle le remarqua aussitôt : le blouson de cuir de Graham, accroché au portemanteau à côté de son bureau.

– Je me suis dit que vous le voudriez peut-être, après tout, résonna une voix.

Elle sursauta. Portant la main à son arme, elle fut sur le point de la dégainer.

Gold se tenait dans l'angle de la pièce, appuyé sur sa canne.

– Comment êtes-vous entré ?

– Ce n'était pas fermé, répondit-il en approchant. Quoi qu'il en soit, je voulais vous féliciter pour votre victoire. Bien joué, mademoiselle Swan. Votre prestation, ce soir, a été admirable.

– Si vous m'en voulez de m'en être prise à vous, je n'ai aucune intention de m'en excuser. Je n'ai rien demandé.

– Non, vous avez raison. Et vous n'avez pas demandé non plus l'occasion de pouvoir me tenir tête. Mais vous l'avez eue. Et vous vous en êtes très bien tirée.

Elle fronça les sourcils.

– Que voulez-vous dire ?

– Je veux dire qu'il vous fallait quelque chose de gros, pour gagner. Et c'est ce que je vous ai donné.

Paralysée par la lueur dans le regard de l'homme, Emma réfléchit à ce qu'il venait de lui dire. Elle voyait très bien ce qu'il sous-entendait : il n'avait pas prévu que l'incendie. Il avait aussi envisagé qu'elle pouvait révéler la vérité. Et elle avait fait précisément ce qu'il espérait.

– Pourquoi… Je ne comprends pas, reconnut-elle. Pourquoi vouliez-vous à ce point que ce soit moi le shérif ?

– Oh, je n'en sais rien, répondit-il en traversant la pièce, prenant la direction de la porte. On ne sait jamais. Vous m'êtes redevable, vous vous rappelez ? Peut-être voulais-je simplement que vous soyez en position de me rendre un service intéressant. Quand le moment viendra pour vous de régler votre dette.

– Régler ma dette, répéta-t-elle en réfléchissant à l'étendue de la sournoiserie de Gold.

Ne lui fais plus jamais confiance, se dit-elle. *Plus jamais.*

– On trouvera bien un moyen de s'entendre, affirma-t-il en ouvrant la porte. Ne vous inquiétez pas.

Il lui fit de nouveau un signe de tête.

– Félicitations, mademoiselle Swan.

Elle se dirigea vers son bureau, sentant ses genoux se dérober sous elle. Elle jeta un coup d'œil à la photo de Henry.

Elle ne savait plus quoi penser.

CHAPITRE 8

LE VOL DE LA COLOMBE

près que le prince et elle furent partis chacun de son côté, Blanche-Neige s'enfonça plus avant dans la forêt, continuant à se contenter de ce que la nature lui offrait tandis qu'elle se cachait des hommes de la reine, apprenant à vivre à la dure, devenant peu à peu une femme plus forte et autonome. Un bandit. Quelqu'un de seul, mais qui ne connaissait pas la peur.

De temps à autre, sa vieille amie Rouge venait la retrouver dans la petite cabane de chasseur dans les bois, dans laquelle Blanche-Neige avait trouvé refuge pour lui livrer des provisions. Et, même si elle avait du mal à l'admettre, pour lui apporter des nouvelles du mariage du Prince Charmant.

Elle l'aimait. D'une manière ou d'une autre, sur ce pont des Trolls, elle était tombée amoureuse de lui, et il lui avait fallu des mois pour en prendre conscience. Elle ne pensait désormais plus qu'à cela. Ou alors, elle se plaignait du fait qu'elle n'aurait plus jamais l'occasion de le revoir ou de passer du temps avec lui.

– Quelles nouvelles m'apportes-tu ? demanda-t-elle à Rouge un après-midi, quand les deux femmes se rencontrèrent dans un pré, à des kilomètres et des kilomètres du royaume, non loin de la cabane secrète.

– Le mariage aura lieu dans deux jours, lui apprit celle-ci d'un air compatissant. Il va épouser la fille de Midas. Il a donné son accord.

Blanche sentit son espoir s'amenuiser encore un peu. Le prince était avec quelqu'un d'autre, la vérité était pourtant simple. Elle était coincée dans un rêve, dans une histoire stupide qui ne ressemblait en rien à la réalité. Une vraie gamine. Elle détestait les gens crédules, d'ordinaire, et voilà qu'elle se conduisait comme l'un d'eux.

– Si seulement je pouvais me l'ôter de la tête, regretta-t-elle. J'ai l'impression d'être folle.

– J'ai entendu parler d'un homme, lui révéla Rouge, capable de faire disparaître les souvenirs douloureux. Grâce à la magie.

Blanche-Neige sembla surprise. La magie pouvait-elle vraiment accomplir une telle chose ?

– Comment s'appelle-t-il ? voulut-elle savoir.

– Rumpelstiltskin, lui répondit son amie. Ça te dit quelque chose ?

– Non. Jamais entendu parler. Quel drôle de nom.

C'était samedi matin, et la ville était en effervescence. Storybrooke allait essuyer une tempête, et Mary Margaret voulait être prête. Elle préférait également éviter le *diner*, car elle y était allée trop souvent, ces derniers temps. Et David aussi.

Elle avait mis au point une sorte de plan secret pour pouvoir le rencontrer «fortuitement» au *diner* tous les matins. Au début, Mary Margaret avait pris plaisir à le voir, puisque c'était l'unique occasion pour elle de le croiser, mais elle savait que c'était malsain, dangereux et idiot. C'était aussi l'avis d'Emma. Elle avait surpris son amie la veille, compris son stratagème et lui avait certifié que c'était une mauvaise idée.

– Tu te fais du mal, lui avait-elle assuré. Tu joues avec le feu.

– Tu as raison, lui avait répondu celle-ci. Tu as raison.

Ainsi, peu de temps après s'être réveillée, plutôt que de se rendre au *diner*, elle préféra aller au supermarché pour acheter des piles, des bouteilles d'eau et quelques articles tout aussi indispensables. Elle avait toujours détesté les tempêtes. Il lui était impossible de se rappeler pourquoi. Cela avait un rapport avec la façon dont les nuages tourbillonnaient dans le ciel et dont tout semblait différent. S'était-elle déjà retrouvée coincée au milieu de l'une d'elles? Avait-elle été blessée? Pas qu'elle s'en souvienne. Tout ce qu'elle savait, c'était qu'elle détestait le caractère chaotique des tempêtes.

Elle songeait encore aux nuages quand, au détour d'une allée, elle heurta Kathryn de plein fouet.

Elles s'étaient percutées avec une telle violence qu'elles firent tomber tout ce qu'elles portaient.

— Je suis désolée, vraiment désolée, s'excusa Mary Margaret en s'agenouillant pour ramasser ses propres articles et aider Kathryn avec les siens.

Elle trouvait suffisamment gênant de voir cette femme, sans même lui parler ou la bousculer.

À en juger par la nervosité qui se lisait dans le regard de Kathryn, celle-ci devait éprouver un sentiment à peu près similaire.

— Ce n'est rien, lui assura Kathryn. Ce n'est pas grave.

Mary Margaret récupéra ses piles, et sa rivale lui tendit ses bouteilles d'eau. Elle ramassa un autre article, une petite boîte blanche, qu'elle lui tendit en s'excusant encore. Puis elle se rendit compte de ce qu'elle avait dans la main.

Un test de grossesse.

— Je vous remercie, dit Kathryn en prenant la boîte et en lui adressant un nouveau sourire crispé.

Sur le chemin du retour, Mary Margaret sentit les larmes lui monter aux yeux. Pourquoi? Elle connaissait à peine David et avait du mal à comprendre pour quelle raison elle était tombée amoureuse de lui. *Qu'il s'agisse d'amour ou de*

162

quoi que ce soit d'autre, se dit-elle. Il aurait été plus raisonnable, à la découverte que Kathryn était enceinte, d'éprouver une pointe de jalousie et de passer aussitôt à autre chose, tout en étant ravie pour David et elle. Mais, à la vue de cette boîte, May Margaret avait été anéantie. Elle avait eu l'impression qu'on lui avait arraché le cœur. Tout cela était absurde. Et même si…

Elle se figea.

Dans l'herbe, juste à côté du trottoir, il y avait une colombe.

Elle semblait blessée, ou malade. Difficile à déterminer. Elle paraissait s'être pris les pattes dans un filet. Elle se tenait debout et était consciente, mais elle tremblait, terrifiée, battant des ailes comme pour s'envoler… sans y parvenir.

Mary Margaret s'agenouilla et posa son sac à ses pieds.

– Que se passe-t-il, ma petite ? demanda-t-elle. Dans quoi t'es-tu fourrée ?

La colombe se contenta de roucouler.

Mary Margaret la prit dans ses mains. Il lui fallait la porter au refuge animalier. Qu'importe si David y travaillait.

Elle s'y rendit, déterminée à aider la colombe à aller rejoindre les siens. David et elle se croisèrent brièvement, mais elle pensait encore au test de grossesse quand elle demanda à voir le responsable du refuge, un vétérinaire du nom de Thatcher.

Sous le regard de David et de Mary Margaret, le docteur Thatcher libéra l'oiseau de ses entraves, examina ses ailes et détermina qu'il n'avait aucune fracture.

– J'ai de mauvaises nouvelles, malheureusement, annonça-t-il à Mary Margaret. C'est une colombe de l'Atlantique nord. Une espèce migratrice vraiment unique parmi les colombes américaines. Elles établissent des liens forts avec un partenaire unique, ce qui signifie…

– Ce qui signifie qu'elle doit retrouver les siens si elle ne veut pas rester seule. À tout jamais.

— Exactement, confirma le vétérinaire. Je ne dis pas qu'elle serait malheureuse si elle devait rester ici seule, mais, avec cette tempête qui arrive, il ne lui reste pas beaucoup de temps pour rejoindre les siens.

— Il faut donc que je retrouve son groupe avant de la relâcher, comprit la jeune femme.

— Ça pourrait fonctionner, approuva le docteur Thatcher en sortant une petite cage d'un placard.

Il la déposa sur la table, à côté de l'oiseau.

— Ça peut valoir le coup d'essayer. C'est probablement ce qu'il y a de mieux à faire, de toute façon.

Il esquissa un sourire en se frottant les mains.

— Bonne chance, poursuivit-il. Si vous ne trouvez pas son groupe, n'hésitez pas à la rapporter.

Sur ce, il quitta la pièce.

— Écoute, dit David, avec cette tempête qui arrive, je ne suis pas sûr que…

— Ne t'occupe pas de moi! l'interrompit-elle. Je n'ai pas besoin de ton aide.

Il la dévisagea, quelque peu blessé.

— Qu'est-ce que j'ai fait? s'inquiéta-t-il. Je ne comprends pas ce que…

— Tu n'as rien fait, David, lui répondit-elle en s'emparant de la cage. Rien du tout.

Elle se dirigea vers la sortie avec la cage.

Par une nuit brumeuse, près de la Madrigal River, Blanche-Neige retrouva Rumpelstiltskin pour passer un marché. Après que Rouge lui eut parlé de ce mystérieux magicien soupçonné d'avoir massacré toute sa famille en échange de ses pouvoirs, elle n'avait pu se défaire de l'idée qu'un sort la débarrasserait définitivement de l'amour qu'elle éprouvait pour un homme qui n'était pas disponible. Elle l'avait fait savoir à Rumpelstiltskin grâce aux oiseaux de la forêt, et il avait accepté de lui accorder une entrevue.

À peine venait-elle d'attacher son embarcation qu'elle l'aperçut en se retournant, assis en face d'elle, dans sa propre barque. Elle sursauta et retint son souffle.

— Vous êtes vraiment la plus belle, n'est-ce pas? dit-il, un sourire à la fois moqueur et terrifiant sur les lèvres.

Blanche-Neige se demanda ce qui pouvait contraindre un homme à commettre des actes si terribles en échange de pouvoirs magiques. Éliminer les membres de sa propre famille? Il n'y avait rien de pire.

Elle se pencha vers lui, la tête inclinée. Il l'effrayait, mais la fascinait.

— Vous cherchez quelque chose? demanda-t-il.

— J'ai besoin d'un remède, avoua-t-elle. Contre l'amour.

Rumpelstiltskin éclata de rire.

— L'amour! s'exclama-t-il. Quel sentiment magnifique. Si merveilleux et pourtant si douloureux. Je me trompe?

— J'aimerais ne plus être amoureuse, reconnut-elle. Pouvez-vous me lancer un sort?

— Non. L'amour est trop puissant pour pouvoir être éradiqué, malheureusement. Ce que je peux faire, en revanche, c'est créer un sort qui vous fasse oublier votre bien-aimé. Ce n'est assurément pas la même chose, je sais. Mais ça pourrait faire l'affaire.

Blanche prit le temps de la réflexion. Quelle était la différence? Oublier l'être aimé ou ne plus être amoureuse? À ses yeux, c'était du pareil au même.

— Oui, répondit-elle. C'est ce que je veux.

— Très bien, dit le magicien en sortant une petite fiole et en la plongeant dans la rivière.

Quand il en ressortit la fiole pleine, il passa une main squelettique sur le récipient et le liquide prit une teinte blanchâtre. Il esquissa un sourire.

— C'est tout? s'enquit-elle.

Il tendit la main et lui arracha quelques cheveux. Elle eut un mouvement de recul et poussa un petit cri. La barque heurta le quai.

— Pas tout à fait, répondit-il, amusé par sa surprise. Tous les amours sont différentes. Il me faut rendre cette potion plus… personnelle.

Sur ce, il laissa tomber un cheveu dans la fiole qu'il referma ensuite à l'aide d'un bouchon de liège.

— Voilà, dit-il en la lui tendant. Si vous la buvez, vous oublierez l'amour de votre vie et tout ce que vous avez partagé ensemble.

Ce qu'on a partagé ? pensa-t-elle, se demandant s'il ne serait pas plus douloureux de devoir oublier ces souvenirs, même si cela lui permettrait de ne plus souffrir de l'absence du Prince Charmant.

— Ce n'est pas le moment de douter de vous, ma petite chérie. L'amour nous rend malades. Il hante nos rêves et détruit nos vies. Il est à l'origine des guerres et met fin à nos existences. L'amour a plus tué que n'importe quelle maladie. Le remède ? C'est un don du ciel.

— Et quel en sera le prix à payer ?

— Le prix ? répéta-t-il, comme s'il n'y avait pas encore réfléchi.

Blanche était sceptique, mais Rumpelstiltskin ébaucha un nouveau sourire en brandissant les quelques cheveux qu'il lui avait arrachés.

— Ce sera suffisant, lui assura-t-il.

— Qu'allez-vous faire de mes cheveux ?

— Vous n'en avez plus besoin, puisque je les ai.

N'ayant aucune raison de vouloir les récupérer, elle décida que cela lui était égal. Le prix à payer lui sembla fort peu élevé.

Elle tendit la main et s'empara de la fiole.

Une journée entière s'était écoulée, pendant laquelle Blanche-Neige avait repris la direction de sa forêt. Toute la nuit, elle avait remonté le courant dans sa barque, puis marché pendant la matinée, ne faisant qu'une halte pour manger, évitant de trop penser à la fiole dans la poche de sa tunique. Il y avait une différence entre le fait de rêver d'une potion et celui de l'avoir. Souhaitait-elle réellement oublier le prince ? Même s'il se mariait ? Cela ne faisait-il pas partie d'elle de l'avoir aimé et de savoir qu'elle l'avait aimé ? Serait-elle encore elle-même si elle ne s'en souvenait plus ? Ou deviendrait-elle quelqu'un de complètement différent ?

Le débat fit rage dans son esprit toute la matinée et une partie de l'après-midi. À un moment donné, elle décida de ne pas boire cette potion, mais, ressentant une pointe d'amertume en imaginant le mariage, elle changea radicalement d'avis et fut déterminée à la boire le plus tôt possible. Elle ne cessa de pencher d'un côté et de l'autre, incapable de prendre une décision définitive, jusqu'à ce qu'elle atteigne une vallée qu'elle connaissait, qu'elle lève les yeux et prenne conscience d'être de retour chez elle. Du moins, à sa cabane, où elle s'était réfugiée depuis quelques semaines. En apercevant la modeste bâtisse, elle se laissa de nouveau gagner par un violent sentiment de tristesse, sachant qu'elle allait passer la nuit seule, ainsi que la suivante, et celles d'après. Elle changea de nouveau d'avis. Elle refusait d'affronter une telle existence avec, en plus, le poids des regrets. Elle tira la fiole de sa poche, en ôta le bouchon, la porta à ses lèvres…

Dans le ciel, juste au-dessus de sa tête, elle vit une colombe solitaire descendre vers elle en décrivant une spirale.

Comme pétrifiée, elle la regarda se poser à ses pieds.

Il y avait un parchemin fixé à sa patte, dans un minuscule étui cylindrique. Elle le déroula aussitôt et le lut, et, tandis que les mots dansaient dans son esprit, elle sentit son cœur se gonfler de joie et d'espoir.

Le message disait :

« Ma très chère Blanche,

N'ayant aucune nouvelle de toi depuis notre dernière rencontre, je suppose que tu as trouvé le bonheur tant espéré. Que tu es allée de l'avant. Mais il faut que tu saches que pas un jour ne s'écoule sans que je pense à toi. Hélas, je serai incapable de tourner la page tant que je n'aurai pas acquis la certitude que tu ne partages pas mon amour. Mon mariage sera célébré dans deux jours. Viens me rejoindre avant qu'il soit trop tard. Viens me montrer que tu ressens la même chose à mon égard, que nous puissions passer ensemble le restant de nos jours. Si tu ne viens pas, j'aurai ma réponse. Mais s'il subsiste le moindre doute dans ton esprit, fais-le taire. Je t'aime, Blanche-Neige.

Pour l'éternité

Ton prince charmant. »

Elle leva les yeux, le regard étincelant, et reboucha aussitôt la fiole. Après avoir rangé le mot dans sa poche, elle se retourna et rebroussa chemin.

Combien de temps lui restait-il ? Elle l'ignorait. Tout ce qu'elle savait, c'était qu'elle devait arriver au château avant qu'il soit trop tard.

Mary Margaret était au milieu des bois, se moquant éperdument de la tempête qui approchait. Une seule chose la préoccupait, un oiseau.

Elle était déterminée à ramener la colombe à la place qui était la sienne. L'idée qu'une créature vivante – qu'il s'agisse d'une colombe, d'une personne, d'une biche, d'un loup, d'un chien, d'un merlebleu, cela n'avait guère d'importance – puisse se retrouver en mauvaise posture… eh bien, elle avait du mal à le supporter. Elle voulait faire tout son possible.

David l'avait appelée, un quart d'heure plus tôt, et elle avait refusé de décrocher, sachant qu'il s'agirait plus ou moins d'une mise en garde.

La pluie se mit peu à peu à tomber. L'institutrice n'était pas très loin de la route et elle avait découvert un pré, d'où elle aurait une vue dégagée du ciel. De là, elle verrait approcher les colombes. Elle comptait sur un miracle, elle en était consciente, mais que pouvait-elle faire d'autre? Elle espérait qu'elles seraient prévenues par la pluie, donc prendraient la direction du sud pour éviter le gros temps. Si c'était le cas, elles passeraient par là.

Elle patienta une vingtaine de minutes, pendant lesquelles la pluie se fit plus dense. Elle entendit bientôt le tonnerre, dans le lointain, et comprit qu'il n'était plus très sûr de rester là. Trempée et déçue, elle ramassa la cage et retourna vers la route. *C'est dingue*, se dit-elle. *C'est désespéré, bizarre et dingue. Qu'es-tu en train de faire?*

Elle n'eut toutefois pas le temps de trouver réponse à sa question. Au même moment, la foudre s'abattit non loin et un puissant coup de tonnerre la fit sursauter. Tournant la tête, elle trébucha et glissa dans la boue. Sentant le sol céder sous ses pieds, elle tendit la main vers un arbrisseau, qu'elle parvint tout juste à empoigner. Prise de panique, à plat ventre dans la terre, elle jeta un regard par-dessus son épaule. Elle avait longé sans le savoir le bord d'un ravin, et à présent ses pieds pendaient dans le vide. La pluie avait redoublé et elle n'était pas en mesure d'estimer la profondeur du ravin. Elle était en mauvaise posture. Vraiment.

Jusqu'à ce que quelqu'un lui tende la main.

– Mary Margaret! s'écria David en se penchant vers elle. Dieu merci, je t'ai retrouvée! Prends ma main!

Elle obtempéra et il la fit remonter. Ensemble, avec la colombe, ils s'élancèrent vers une cabane toute proche, que David avait repérée dans les bois. Elle était verrouillée mais déserte. David ouvrit donc la porte d'un coup de pied et ils se précipitèrent à l'intérieur, ravis de pouvoir échapper à la pluie torrentielle. Ils étaient tous les deux trempés et tremblants.

– Il faut que tu te sèches, lui fit remarquer David. Attends.

Il se lança à la recherche de couvertures, de serviettes et de vêtements secs.

– À qui appartient cette cabane ? s'enquit-elle. Tu crois que son propriétaire sera d'accord ?

– Le shérif est ta colocataire. Je pense que ça lui sera égal.

Il mit la main sur une couverture et la lui apporta, lui enveloppant les épaules. Ils étaient près l'un de l'autre. Très près.

Puis Mary Margaret prit ses distances.

– Non, dit-elle. Je t'en prie.

– Je ne vois pas où est le problème.

– Le problème, c'est que j'ai encore des sentiments pour toi, David. Beaucoup.

Il leva les yeux vers elle.

– Pour quelle raison crois-tu que je vais chez Mère-Grand tous les matins à la même heure, pile au moment où tu y es ? Uniquement pour te voir. Ce n'est pas une coïncidence, je… je veux juste te voir. Et je ne veux plus. Et je veux de nouveau. Je… je ne sais pas quoi faire.

Tout au long de son discours, David ne put s'empêcher de dissimuler un léger sourire. Il semblait perplexe.

– Quoi ? demanda-t-elle.

– Tu viens à sept heures et quart tous les matins pour me voir ?

– Oui, reconnut-elle. C'est embarrassant, cesse de te moquer.

Il secoua la tête.

– Je ne me moque pas.

– Qu'y a-t-il, alors ?

– Je viens tous les matins à sept heures et quart pour te voir, Mary Margaret. On fait exactement la même chose.

Ils s'approchèrent l'un de l'autre et s'étreignirent. Sans un mot, ils avancèrent leurs lèvres, jusqu'à ce qu'elles entrent en contact. David avait déjà fermé les yeux quand Mary Margaret eut soudain un mouvement de recul. Il rouvrit les yeux, l'air confus.

– Comment peux-tu faire ça, David ? chuchota-t-elle.

Et elle pensa : *Comment je peux faire ça ? Ça ne me ressemble pas.*

– Que veux-tu dire ?

– Je suis au courant, David.

– Au courant de quoi ?

– Je sais que Kathryn est enceinte.

Il fut loin d'avoir la réaction qu'elle attendait. Qu'avait-elle cru ? À un démenti ? À une sorte de rationalisation, ce que David commençait à faire très bien, avait-elle remarqué… Non, il sembla juste sincèrement étonné.

– Que dis-tu ?

Il n'est pas au courant, comprit-elle. *Il ignore qu'elle est enceinte.*

Emma tenta de traquer l'«inconnu» toute la journée. Quelqu'un, un homme, était arrivé à moto quelques jours auparavant et il rendait la population nerveuse. Personne ne savait de qui il s'agissait et, pour l'heure, il ne logeait nulle part. Il semblait apparaître de temps à autre sur telle ou telle route et, par-dessus le marché, transportait une boîte fort mystérieuse fixée à l'arrière de son engin. Elle n'aimait guère sa façon de rôder, et encore moins le fait de l'avoir vu s'entretenir avec Henry le matin même.

Pour le moment, elle n'avait rien de nouveau à son sujet : c'était un motard barbu d'environ trente-cinq ans. Il agissait avec une certaine impudence, mais elle n'avait jamais réussi à l'aborder. Elle l'avait vu en ville à trois reprises et, chaque fois qu'elle s'était approchée de lui ou l'avait appelé, quelque chose s'était produit. Soit on l'avait sollicitée, soit il avait sauté sur sa moto avant de disparaître.

Finalement, à défaut de pouvoir mettre la main sur cet inconnu, ce fut lui-même qui la trouva. Elle était attablée au *diner*, s'efforçant de réfléchir à la présence de cet étranger, quand il s'installa en face d'elle.

— Vous! s'exclama-t-elle en levant les yeux, s'apprêtant à boire une gorgée de café.

— Vous m'avez suivi toute la journée, déclara-t-il. J'en déduis que vous souhaitez me parler.

— Qu'avez-vous dit à Henry, ce matin?

— Vous voulez dire, au petit garçon qui est venu vers moi pour me soumettre à un véritable interrogatoire? C'est lui, Henry?

Emma garda le silence.

— Il pose toujours autant de questions? Il m'a semblé plutôt… précoce.

— Que faisiez-vous devant chez lui?

— Ma moto est tombée en panne.

— C'est pour ça que vous avez décidé d'aller vous promener un peu partout avec votre mystérieuse boîte?

Il donna une petite tape sur la caisse.

— Qui a dit qu'elle était mystérieuse?

— D'accord. Alors que contient-elle?

— C'est frustrant de ne pas le savoir, hein?

— Dites-le-moi, insista-t-elle.

— Pourquoi? Est-il illégal de porter une boîte dans cette ville?

— Non, reconnut-elle. Bien sûr que non.

Il lui adressa un sourire, qu'elle s'abstint de lui retourner.

— Vous voulez vraiment savoir ce qu'il y a dedans, hein?

— Ouais.

— Eh bien, vous allez devoir attendre. Et longtemps. Vous allez me voir me promener avec pendant un petit moment. Avec votre imagination, vous allez vous inventer tout un tas de choses. S'agit-il d'une tête tranchée? D'une machine infernale? D'une pile de documents secrets? Que peut-il bien y avoir dans cette boîte?

– Ne jouez pas au malin, le reprit-elle. Vous êtes louche. Je pourrais vous obliger à me le montrer.

– Sinon, on pourrait choisir la solution de facilité. Vous pourriez me laisser vous offrir un verre, un jour, et je vous le dirais tout de suite.

Elle le regarda dans les yeux, tentant d'estimer à quel point il était sérieux. Elle décida de rentrer dans son jeu et répondit :

– D'accord, un verre.

– Un verre ?

– Ouais, un verre.

– Très bien.

Il tendit la main et ouvrit le couvercle de la boîte pour lui en montrer le contenu : une machine à écrire.

– Vraiment ? demanda-t-elle.

– Je suis écrivain. Cet endroit m'inspire énormément. C'est la raison de ma présence ici.

Blanche-Neige se précipita vers le château et en atteignit les portes la nuit précédant la cérémonie du mariage, quelques heures seulement avant l'arrivée prévue d'Abigail. Elle s'y introduisit furtivement, déguisée en fleuriste, et se dirigea vers ce qu'elle pensait être les appartements du prince, se cachant des gardes quand elle en croisait. Elle n'était plus très loin, vraiment plus très loin, quand elle trébucha dans un couloir plongé dans l'obscurité et qu'un jeune garde passa la tête à l'angle d'un autre passage. Il se crispa et fondit sur elle à une vitesse surprenante. Il la maîtrisa sans difficulté et ne tint aucun compte de ce qu'elle lui raconta, la portant jusqu'aux cachots, persuadé qu'il s'agissait d'une simple voleuse.

Dès qu'elle fut enfermée dans sa cellule, elle chercha un moyen d'en sortir. Pourrait-elle en crocheter la serrure ? En escalader le mur ? Elle n'en avait aucune idée, mais elle devait sortir de là. Et faire annuler ce mariage.

— Du calme, sœurette, résonna une voix. Vous êtes coincée ici jusqu'à ce qu'ils en aient décidé autrement.

Elle se tourna vers la cellule voisine, où un homme à la voix grave était installé dans un coin, les jambes croisées.

Il était à la fois chauve et barbu. Il lui sourit et la salua d'un geste amical.

— Moi aussi, je suis un criminel de la région, dit-il. Ravi de faire votre connaissance.

— Je ne vais pas attendre qu'on me fasse sortir de là, déclara-t-elle. Je vais trouver toute seule le moyen de m'en aller.

— D'accord, très bien. Comme vous voudrez. Vous allez trouver toute seule le moyen de vous échapper.

Pendant un moment, il la regarda faire les cent pas dans sa cellule, avant de lui demander :

— Comment vous appelez-vous ?

— Blanche-Neige.

Quelle importance qu'un criminel le sache ?

— La célèbre Blanche-Neige ? s'enquit-il, soudain fort intéressé. Comme celle qui est recherchée par la reine ?

— En personne.

— Eh bien moi, je suis Grincheux, se présenta-t-il en se relevant.

— Désolé de l'apprendre.

— Non, non, dit-il en agitant les mains. C'est mon nom.

— Vous vous appelez Grincheux ? demanda-t-elle en haussant un sourcil. Qu'est-ce que c'est que ce nom ?

Il haussa les épaules.

— C'est un nom de nain, expliqua-t-il. Et Blanche-Neige, qu'est-ce que c'est que ce nom ?

— Je n'en sais rien, reconnut-elle. Je ne me suis jamais posé la question.

Elle sourit, et ils discutèrent tous les deux pendant qu'elle tentait de trouver un moyen de s'enfuir. Une heure s'écoula.

Ils abordèrent de nombreux sujets, alors qu'elle s'inquiétait de plus en plus de devoir rester là pendant des semaines, ce qui lui ferait manquer le mariage, son unique occasion. Grincheux lui expliqua comment il avait fini dans cette cellule, puis ce fut au tour de Blanche de raconter, vaguement, puis avec précaution. Ils discutèrent d'amour, d'amour perdu et de regrets.

Le regard du nain s'illumina quand il fit allusion à une femme qu'il avait jadis aimée et regrettait d'avoir laissée filer.

– Mais l'amour ne fait-il pas trop souffrir pour en valoir vraiment la peine? demanda-t-elle.

– Il fait souffrir, c'est vrai, mais il en vaut largement la peine. C'est une bonne souffrance.

– Une telle chose est-elle possible?

– Oui, je te le garantis.

Elle lui répondit qu'elle ignorait si elle était d'accord, et lui parla de la potion que Rumpelstiltskin lui avait remise.

– J'ai la possibilité d'oublier mon amour, si je le souhaite.

Il sembla impressionné par l'idée, mais, un peu plus tard, secoua la tête.

– Non. Ce n'est pas bien.

– Pourquoi renoncer à se libérer?

– Parce que ce ne serait pas réel, expliqua-t-il. Parce que ça resterait toujours enfoui au plus profond de nous, nous rongeant de l'intérieur. Il est impossible de prétendre que ce qui s'est produit n'a jamais eu lieu. Quels que soient les souvenirs qu'on en a. Je préfère souffrir et rester honnête.

– Mouais… dit Blanche-Neige, peu convaincue, avant de reprendre ses recherches, peut-être avec un peu plus d'énergie, cette fois.

Finalement, Grincheux lui expliqua qu'elle ferait bien de se ménager.

– Si tu veux vraiment sortir d'ici, détends-toi. Donne-toi dix minutes.

– En quoi ça pourrait m'aider? demanda-t-elle.

– Tu verras. J'ai de bons amis.

Elle était épuisée, non seulement parce qu'elle avait cherché un moyen de s'enfuir mais aussi à cause de ses derniers jours de voyage. Le marché avec Rumpelstiltskin, le trajet jusqu'au château… Elle s'autorisa à s'asseoir et à fermer les yeux. Elle sombra aussitôt dans un profond sommeil.

– Eh, sœurette !

En se réveillant, elle aperçut Grincheux et un autre nain dans sa cellule. Tous deux lui souriaient.

– Elle est jolie, déclara le second nain.

Elle se leva en se frottant les yeux.

– Que se passe-t-il ? demanda-t-elle. Qui est-ce ? Comment avez-vous fait pour ouvrir les portes ?

– Voici mon ami Furtif, annonça Grincheux en désignant l'autre nain de son pouce. Il est venu me libérer et, à présent, on t'aide à t'échapper. Allez, viens…

Elle regarda derrière eux, par-dessus leurs têtes, et aperçut un garde étendu sur le sol, manifestement inconscient.

– Mais pourquoi feriez-vous ça pour moi ? les interrogea-t-elle, s'empressant de quitter la cellule derrière eux.

Elle enjamba habilement le garde, se demandant comment ils étaient parvenus à l'assommer.

– Parce que je compatis à ton immense chagrin, sœurette, répondit Grincheux sans regarder derrière lui. On est tous passés par là. Bon sang, ce que je hais l'amour ! Mais j'adore ça !

– Moins de bruit, tous les deux, chuchota Furtif.

Il les conduisit jusqu'à une grille dans le sol et leur indiqua une échelle.

– Venez, suivez-moi dans les catacombes. Allez !

Elle s'empressa de suivre les deux nains, se méfiant des gardes qui pourraient les surprendre. Mais, bientôt, ils se retrouvèrent sous le château, dans un méandre de galeries souterraines, Furtif ouvrant la marche, les guidant à l'aide d'une torche.

Ils coururent jusqu'à ce que Blanche-Neige soit à bout de souffle. Elle n'avait aucune idée d'où ils allaient, mais elle leur faisait confiance. Après tout, Grincheux était venu la chercher. Ils auraient très bien pu la laisser dormir là-bas. À tout jamais.

Ils atteignirent une intersection et Furtif s'immobilisa.

– Tu veux retrouver le prince ? demanda-t-il.

Elle acquiesça.

– Va par là, lui recommanda-t-il en désignant un long tunnel. Tu verras une échelle, tout au bout. Prends-la et tu arriveras à la bonne tour.

Il donna une tape sur l'épaule de son ami.

– Nous, on va par là. On quitte le château. Viens !

Grincheux lui adressa un sourire.

– Au revoir, sœurette. Et bonne chance !

Sur ce, les deux nains s'éloignèrent, l'abandonnant à son sort, dans l'obscurité.

– Au revoir, répondit-elle.

Elle ne perdit pas plus de temps.

Au moment même où Mary Margaret avait annoncé à David que Kathryn était enceinte, la pluie cessa. Son sauveteur semblait bouleversé. Il n'était pas très fier de lui, mais ce n'était pas un monstre, fut-elle obligée de reconnaître. Il semblait complètement perdu.

Elle ramassa la cage.

– Viens, lui dit-elle. Ramenons cet oiseau vers les siens.

Ils s'éloignèrent en silence, en direction du pré où elle se trouvait avant sa chute. Elle jeta un coup d'œil méfiant au précipice et à la boue qui avait failli lui être fatals. Il l'avait retrouvée. Il l'avait retrouvée et sauvée. Il y avait ce…

– Mary Margaret, dit-il. Il faut que…

– Chut. Tu entends ça ?

Ils levèrent tous les deux les yeux en même temps.

– Les colombes ! s'écria-t-elle. Elles ont dû attendre la fin de la tempête ! Elles sont là !

Tout excitée, elle s'agenouilla dans l'herbe détrempée et ouvrit la cage. Elle en tira l'oiseau, lui caressa de nouveau la tête et le brandit vers le ciel.

Ce fut suffisant. La colombe jaillit de ses mains et gagna rapidement de l'altitude, battant violemment des ailes, avec une certaine joie, lui sembla-t-il, avant de rejoindre les siens.

Le sourire de Mary Margaret illuminait son visage. Elle eut l'impression qu'elle ne s'était pas sentie si heureuse depuis des mois.

David, qui observait lui aussi la scène, s'approcha d'elle et tenta de lui passer un bras autour de la taille.

– Non, David. Non ! S'il te plaît…

Elle s'éloigna et serra ses bras contre sa poitrine.

– On ne peut pas. Ce n'est pas bien.

– Comment peux-tu refuser après ce qui vient de se passer ? Je ne comprends pas.

– Parce que tu l'as choisie, elle, David. Pourquoi ne l'as-tu pas quittée si tu m'aimais tant ?

– Je n'en sais rien, reconnut-il. Parce que j'ai aussi un passé avec elle. Parce que les deux voies me semblaient justes.

– Tu ne pourras pas les prendre toutes les deux.

– J'ai l'impression que l'une d'elles est réelle, et l'autre pas, quelle que soit celle que je prends.

– Quoi qu'il advienne, l'une de nous sera malheureuse. Il est impossible de ne blesser personne, David. Tu vas devoir l'accepter.

Il baissa la tête, réfléchit, puis se tourna vers le ciel.

– Je n'arrête pas de penser à toi, déclara-t-il, l'air impassible.

– Moi non plus, je n'arrête pas de penser à toi, lui avoua-t-elle. Mais il faut qu'on s'oublie l'un et l'autre. Il le faut. Il n'y a pas d'autre moyen.

Blanche-Neige se déplaça aussi rapidement que possible dans les catacombes, avançant à tâtons, sans torche. En quelques minutes à peine, elle atteignit le bout du tunnel et l'échelle. Exactement comme le lui avait dit Furtif. Elle se hissa vers la lumière qu'une autre grille laissait passer avant même de s'être donné la peine de vérifier la solidité des barreaux de l'échelle rouillée. D'après ce qu'elle en savait, la cérémonie du mariage se déroulait en ce moment même. Elle n'avait pas de temps à perdre avec ce genre de détail.

Au sommet de l'échelle, elle poussa sur le côté une lourde grille et se hissa dans une cour intérieure. Revenue à la tour dans laquelle elle était montée, elle s'élança à découvert, avec la ferme intention de franchir la même porte. Mais, avant d'en avoir la possibilité, elle entendit des cris, de l'autre côté de la cour. Elle se tourna juste à temps pour voir quelque chose qui lui fendit le cœur : à trois cents mètres de là, Grincheux et Furtif s'étaient fait acculer par les gardes du château. Alors qu'elle observait la scène avec horreur, Furtif se précipita vers la sortie du château.

Il ne l'atteignit jamais.

Une flèche tirée depuis le sommet d'une tour de garde l'atteignit en pleine poitrine. Grincheux poussa un hurlement si puissant que Blanche en eut des frissons, même à une telle distance de la scène.

Elle n'hésita pas à se précipiter sur les lieux, où Grincheux était encore en danger, agenouillé auprès de la dépouille de son ami. Elle s'empara d'une torche fixée à un mur et se mit à courir, bondissant par-dessus un tas de tonneaux renversés, jusqu'au groupe d'hommes qui avait acculé son nouvel ami. Au moment même où elle entendit le capitaine de la garde ordonner à ses hommes de le tuer, elle atteignit les premiers tas de foin, à côté des écuries. Les yeux écarquillés, elle attira leur attention et brandit la torche au-dessus de la paille.

— Laissez-le partir! exigea-t-elle quand ils se furent tournés vers elle.

Le silence se fit.

— J'ai dit: «Laissez-le partir!», répéta-t-elle. Sinon je réduis ce château en cendres!

Elle avait dû se montrer suffisamment vindicative, car le capitaine de la garde, d'un geste du poignet, ordonna à Grincheux de quitter le château et de ne plus jamais y remettre les pieds. Les yeux rouges de larmes et de rage, il lança un dernier regard à son ami avant de se tourner vers Blanche-Neige et de lui adresser un simple signe de tête.

— Merci.

Puis il s'enfuit.

— Quel beau geste de votre part! déclara le capitaine en se dirigeant vers elle. Mais ça ressemble beaucoup à une menace en l'air, n'est-ce pas?

Elle fronça les sourcils en le voyant lever un bras, incertaine de comprendre ce qu'il voulait dire.

Elle en eut le cœur net en percevant le sifflement d'une nouvelle flèche en provenance de la tour. Elle se prépara à mourir, mais sentit la torche lui échapper. La flèche la lui avait arrachée des mains, la faisant tomber à bonne distance du tas de foin grâce à la puissance du tir, ôtant par la même occasion à la jeune femme tout espoir de survie.

— Il semblerait que le roi George aimerait vous dire deux mots, ma petite, déclara le capitaine. Voudriez-vous vous donner la peine de me suivre?

— Vous lui direz que vous ne l'aimez pas, lui intima le roi. Et que vous ne l'avez jamais aimé. Ce sont mes conditions. Elles sont très simples. Sommes-nous d'accord?

Blanche se tenait devant lui, vidée de toute énergie et de tout courage. Ils l'avaient traînée jusqu'à ses appartements privés, où il attendait, apprêté pour le mariage. Il était hautain, distant. Indifférent. Elle le détestait. Elle haïssait tout ce qu'il représentait. Et elle comprenait qu'il avait déjà gagné.

— Et si je refuse ? s'enquit-elle.

— Alors je le tuerai, affirma-t-il en haussant les épaules. Ça ne changera pas grand-chose pour moi.

— Votre propre fils ? demanda-t-elle d'un ton incrédule. Par simple méchanceté ? Et dans un but uniquement politique ?

— Ce n'est pas mon fils, déclara-t-il de façon énigmatique, sans se donner la peine de la regarder dans les yeux. Et, d'ailleurs, oui. À cette échelle, la politique surpasse l'amour. Je suis étonné que vous ayez du mal à le comprendre, compte tenu de votre ascendance.

Elle était prise au piège. Elle ne trouvait aucun subterfuge, aucun tour à lui jouer. Elle ne pourrait pas communiquer avec le prince grâce à un code secret ou un signal discret, car cela signifierait qu'en venant la rejoindre il signerait son arrêt de mort. Non seulement elle devait le repousser, mais elle devrait le convaincre de ne plus l'approcher. Elle devait le blesser. Ce qu'elle fit. Le roi lui « permit » de s'introduire furtivement dans les appartements du prince, où il se préparait pour la cérémonie. Elle s'y rendit à reculons. Elle se glissa dans sa chambre sans un bruit et l'observa une minute ou deux, cachée derrière un rideau, le cœur brisé. Le jeune homme se déplaçait lentement. Il regardait par la fenêtre en soupirant. Il attendait. Il l'attendait.

— Prince James, s'entendit-elle l'appeler.

Il se retourna brusquement et elle sortit de sa cachette.

— Tu es venue ! s'écria-t-il en s'approchant d'elle.

Il tenta de l'enlacer et elle se laissa faire, tout en restant raide dans ses bras. Il recula pour la regarder, l'air confus.

— Tu as reçu ma lettre, alors ?

— Oui.

— Ainsi, tu es venue me dire que tu m'aimes, toi aussi ? Pourquoi serais-tu venue, sinon ? Quel est le problème ?

— Non, James, dit-elle, refusant de l'appeler «Prince Charmant», ce qui la fit souffrir. Je suis venue faire le contraire. Je suis venue t'annoncer que je ne suis pas amoureuse de toi et que je ne t'ai jamais aimé. Tu... te trompes.

Elle avait l'impression de revoir la flèche frapper Furtif en pleine poitrine, sauf que, cette fois, c'était elle le tireur. Reculant d'un pas, il la regarda dans les yeux, effondré.

— Je n'éprouve rien pour toi, insista-t-elle. Épouse Abigail. Sois heureux avec elle. Oublie-moi. Je ne t'aime pas.

Elle avait tout dit sur un ton monocorde.

— Je ne te crois pas, lui rétorqua-t-il, incapable de contenir plus longtemps la colère et la douleur qui l'avaient envahi. Tu... Si c'était vraiment ce que tu pensais, tu ne serais pas venue.

— C'est pourtant la vérité, persévéra-t-elle en se dirigeant vers la porte. Crois-moi, c'est la vérité. Je refuse que tu te gâches la vie en pensant le contraire.

Elle fit demi-tour et quitta la pièce.

Elle attendit de se trouver à une distance raisonnable pour fondre en larmes.

Sur le chemin qui la ramenait à la forêt, Blanche-Neige prit tout son temps, de nouveau victime de ses hésitations à propos de la potion. Elle souffrait encore plus, cette fois. Elle ne pourrait pas le supporter bien longtemps, même si c'était plus «réel» de vivre avec cette douleur. Chaque fois qu'elle s'imaginait que la cérémonie du mariage n'allait pas tarder, que tout serait bientôt terminé, qu'elle ne le reverrait plus jamais... eh bien, elle fondait en larmes. Cela lui arriva souvent sur le trajet du retour.

Une journée entière s'était écoulée depuis qu'elle avait quitté le château quand elle perçut une voix grave, dans les arbres, non loin du chemin.

— Salut, sœurette.

Plongée dans ses pensées, elle sursauta. Elle vit un certain nombre de silhouettes surgir de la forêt et lentement la cerner.

Après un instant de panique, elle le reconnut. Grincheux. Ils s'étreignirent. Elle fut soulagée de voir quelqu'un qu'elle connaissait.

– Alors, tu l'as retrouvé ? lui demanda-t-il. Tu as mis les choses au clair ?

– Je l'ai retrouvé, mais je ne lui ai pas dit ce que j'aurais dû dire.

– Ça va aller, hein ? demanda-t-il en lui adressant un sourire chaleureux et en lui passant un bras autour de la taille. Tout va bien.

Remarquant qu'elle était de nouveau sur le point de sangloter, il poursuivit :

– Allons, allons… Viens voir mes amis. Laisse-moi te les présenter, ça te changera les idées. Si on ne trouve pas un sujet amusant d'ici peu, on va tous pleurer.

– Je suis vraiment désolée. Pour Furtif. Je suis tellement accaparée par mes propres…

– Ce n'est rien, tenta-t-il de la rassurer. On se souviendra de lui et on respectera sa mémoire. On a tout le temps pour ça. Pour l'instant, faisons les présentations.

Elle leur adressa un sourire, qu'ils lui retournèrent chacun à son tour, puis Grincheux les lui présenta un à un.

Il la conduisait à la vaste masure des sept nains, un lieu chaleureux et amical. Les jours s'écoulèrent et elle tenta de s'adapter à sa nouvelle existence, mais, chaque nuit, elle pensait au prince et l'imaginait dans sa vie d'homme marié. Son état s'aggravait de jour en jour.

Puis, un matin, Grincheux se précipita dans sa chambre, transporté de joie par la nouvelle qu'il venait d'apprendre. Le mariage avait été annulé ! Le prince avait quitté le château, s'étant sans aucun doute lancé à sa poursuite, et avait abandonné Abigail devant l'autel. George avait mis sa tête à prix.

Le royaume était en effervescence! Le Prince Charmant, l'amour de sa vie, était à sa recherche!

– Il est parti! s'écria Grincheux, le sourire aux lèvres.

Elle était encore au lit, venant tout juste de se réveiller. Il s'approcha d'elle.

– Le prince a quitté Abigail et s'est lancé à ta recherche! Allez! Vous allez pouvoir vous retrouver!

Elle fronça les sourcils.

– Ce n'est pas ce que tu voulais? demanda-t-il, quelque peu perplexe.

C'est alors qu'il se tourna vers sa petite table de chevet.

La fiole.

Elle était vide.

– Qui? demanda Blanche. Quel prince?

Il était arrivé trop tard.

Elle avait bu la potion et effacé tous ses souvenirs.

Il lui adressa un sourire attristé.

– Oh! sœurette… Tu ne le supportais plus, hein?

– Je ne comprends pas, dit-elle.

– Ce n'est rien, la rassura-t-il en lui prenant la main. Ce n'est rien.

Deux jours s'étaient écoulés, et Mary Margaret et David étaient parvenus à s'éviter. Aucun d'eux ne s'était rendu au *diner*. Mais ce n'était qu'une question de temps avant que leurs chemins se croisent de nouveau.

Cela se produisit un mardi.

Et pas à 7 h 15, mais à 7 h 45.

À 7 h 46, pour être précis.

Ils tombèrent l'un sur l'autre chez Mère-Grand. Tout d'abord, David feignit de ne pas l'avoir vue; mais, en faisant demi-tour, il ne put s'empêcher de s'en vouloir, et ils se retrouvèrent tous les deux sur le trottoir, chacun avec son café, tous les deux conscients de ce qui venait de se produire. Tous deux avaient tenté de modifier leur emploi du temps en fonction de l'autre, et ils avaient opéré les mêmes changements.

Ils firent quelques pas ensemble et finirent par en rire.

– J'essaie de t'éviter, déclara-t-il en secouant la tête. Comment peut-on faire pour ne plus se voir ?

– Apparemment, c'est impossible, répondit Mary Margaret.

– C'est problématique.

– Tu as entièrement raison.

Ils se regardèrent dans les yeux, perdant soudain le sourire.

– Elle n'est pas enceinte, lui annonça David.

Elle réfléchit à la nouvelle et s'apprêta à prendre la parole. Mais elle y renonça. Elle laissa tomber son café. Aucun d'eux ne baissa les yeux.

David laissa lui aussi tomber son café, et ils se penchèrent l'un vers l'autre.

Après une si longue attente, leur baiser ne ressembla à aucun autre.

CHAPITRE 9

LA BELLE ET LA BÊTE

'hiver s'était installé dans la petite ville avec une ardeur redoublée, provoquant dans son sillage une série d'accidents et d'urgences. Emma ne voyait plus que rarement Mary Margaret, et ne parvenait qu'à passer une heure ici et là avec Henry. Elle travaillait toute la journée, participant à la vie de la communauté. Elle en était ravie, vraiment, mais la situation avait bien changé depuis les premiers jours de l'automne, où la seule raison qui la poussait à rester à Storybrooke était de protéger Henry. Elle était envahie par un nouveau sentiment, à la fois confortable et rassurant. L'hiver l'avait tranquillisée, lui donnant une impression de sécurité. Avec le temps, il lui semblait avoir trouvé sa place.

Sur le trajet du commissariat, après avoir annoncé à Mary Margaret, Ruby et Ashley qu'elle ne se joindrait pas à leur soirée de Saint-Valentin entre filles, elle reçut un appel du central.

– Que se passe-t-il ? s'enquit-elle.

Il semblait que l'on venait de voir quelqu'un s'introduire frauduleusement chez M. Gold.

– Je m'en occupe, répondit-elle avant de raccrocher.

Elle jeta son café dans une poubelle partit en courant en direction de l'est. Il lui fallut cinq bonnes minutes pour atteindre la demeure de Gold, un grand manoir élancé à la limite de la ville, là où vivaient les citadins les plus aisés. Un voisin avait appelé parce que la porte d'entrée était grande ouverte et, à son arrivée, elle put constater que c'était encore le cas.

Elle dégaina son arme et pénétra dans la bâtisse.

La demeure de Gold débordait d'antiquités et de mobilier d'époque : des armoires, des bureaux, des canapés et des coussins de velours donnaient à ce lieu un petit air de boudoir parisien. Elle fouilla la maison de fond en comble, visitant chacune des pièces son arme au poing, s'annonçant à chaque porte.

En redescendant l'escalier, elle entendit des bruits de pas et son cœur battit plus fort. Quelqu'un était entré par la porte principale et se dirigeait à présent vers le petit salon de devant. En silence, elle traversa la cuisine, se ressaisit et surgit dans la pièce, prête à faire feu.

– Plus un geste ! s'entendit-elle crier avant même d'avoir franchi la porte.

La silhouette qui se tenait devant elle se retourna, brandissant une arme dans sa direction. Elle serra son doigt sur la détente, prête à tirer, mais elle arrêta son mouvement.

– Mademoiselle Swan, déclara l'intrus.

M. Gold.

Emma baissa son arme en soufflant. Il baissa lui aussi son pistolet.

– Je n'arrive pas à croire que c'est vous qui vous êtes introduite chez moi, dit-il.

– Vous avez un permis, pour ça ? demanda-t-elle en regardant fixement son arme.

– Bien sûr. Et vous ?

– C'est ça, dit-elle en rangeant son revolver dans son étui.

Elle désigna une vitrine brisée, dans un angle de la pièce.

– On dirait que le coupable cherchait quelque chose en particulier. On vient tout juste de m'appeler et je viens d'arriver. Il n'y a personne dans la maison.

Gold, pour une fois silencieux, contempla la vitrine.

– Je vois, dit-il en fin en déglutissant. Ce sera tout.

187

– Vraiment ? Désolée de vous avoir dérangé, alors.

– Ce n'est pas ce que j'ai voulu dire. Veuillez m'excuser. C'est un sacré traumatisme que de se faire cambrioler.

Il prit une inspiration et lui sourit.

– Même si je crois pouvoir vous mettre sur une piste sérieuse, compte tenu de ce que l'on m'a dérobé. Je pense que vous devriez vous adresser à un certain Moe. Moe French.

– D'accord, lui promit-elle. Je vais aller lui rendre visite.

Elle lui lança un regard soupçonneux.

– Qu'est-ce qui vous fait croire que c'est lui ?

– J'imagine que je vais devoir remplir de la paperasse, répondit-il. Une tasse de thé ?

Mary Margaret était pour le moins enthousiaste à l'idée de sortir avec les filles, même si ce n'était qu'un piètre pis-aller à ce qu'elle aurait vraiment souhaité : passer une Saint-Valentin normale avec celui qu'elle aimait. Mais ce n'était pas possible.

Sur le trottoir, en revanche, David courait pour la rattraper.

– Il faut que je te parle.

Le visage de la jeune femme s'assombrit quand elle se rendit compte qu'il envisageait de discuter avec elle au vu de tous. Depuis qu'ils s'étaient embrassés, ils s'étaient efforcés de se montrer beaucoup plus discrets. Elle n'avait rien à gagner à passer pour une briseuse de ménages. Elle ne pouvait croire qu'il puisse se montrer si hardi.

– Je crois qu'on ferait mieux de…

– Je ne veux pas que tu ailles à cette soirée entre filles. Je ne veux pas. C'est tout.

Cela la rendit furieuse.

– Tu crois vraiment avoir le droit de me dire ce que je dois faire ?

– Non, reconnut-il. Mais il n'empêche que je n'ai pas envie que tu y ailles.

– Eh bien, je suis désolée, mais je n'ai rien d'autre à faire en cette Saint-Valentin. Je n'ai personne d'autre avec qui sortir. J'ai donc bien l'intention d'aller m'amuser.

Elle secoua la tête.

– Je suis lasse, David. Je suis lasse de tous ces secrets. Je voudrais que ça cesse.

– Ce n'est pas moi qui veux cette situation, rétorqua-t-il. J'ai l'impression que tu cherches à me punir.

– Très drôle. C'est ce que je ressens tous les jours. À propos de toi.

– Comment ça se fait ? s'étonna-t-il. Il y a quelques jours à peine, on a…

Ils avaient passé tout un après-midi ensemble. Seuls, libres, dans les bras l'un de l'autre.

– Je ne sais pas, David. Je me suis peut-être rendu compte de quelque chose. À moins que je me sois souvenue de quelque chose. À propos du fait d'avoir un peu plus de considération pour moi. Je ne peux pas m'empêcher d'avoir l'impression que ça va continuer comme ça éternellement si je ne dis rien.

– Ce n'est pas vrai.

– Vraiment ?

Sa remarque semblait l'avoir abattu, mais elle n'avait aucune envie de le plaindre. Commençant à culpabiliser, elle s'éloigna.

De retour au commissariat, Emma téléphona à Gold, qui se présenta bientôt au poste de police, une lueur d'impatience dans le regard. Elle lui fit signe de s'approcher du bureau et lui désigna les articles qu'elle avait découverts chez Moe French.

Du travail bâclé, vraiment. De manière amusante, ou peut-être par bêtise, French s'était même servi d'une taie d'oreiller pour emporter les objets d'art de Gold. Elle avait obtenu un mandat, ce qui lui avait permis de fouiller chez lui. Rien d'exceptionnel. La taie d'oreiller encore pleine se trouvait sur sa table de cuisine. Aucune trace de l'individu.

– Ce n'est pas ça, constata Gold après avoir étudié un moment le bureau.

Il y avait des lampes et des chandeliers, de belles pièces de vaisselle, des étuis à cigarettes, des bijoux…

– Ce n'est pas à vous? demanda Emma, passablement étonnée.

– Si, rectifia-t-il d'un air agacé. Mais tout n'est pas là. Il m'a dérobé quelque chose de très particulier. Et qui a énormément de valeur pour moi.

Il lui passa devant, se dirigeant vers la porte.

– J'aimerais bien que vous appreniez à faire correctement votre travail.

Quelle mouche l'a donc piqué? se demanda-t-elle.

– Ça m'aiderait vraiment si vous me disiez ce qui vous manque, Gold, lui fit-elle remarquer en le suivant du regard.

Le sujet semblait épineux, même pour lui.

– J'avance à tâtons. Donnez-moi un indice, au moins.

– Peu importe, répondit-il sans prendre la peine de se retourner. Retrouvez M. French. Il vous conduira au reste.

– Qui est-il, pour vous?

– Un client.

– Un ennemi?

– Un client.

Il s'immobilisa et se tourna juste assez pour la regarder du coin de l'œil.

– Si vous ne le retrouvez pas, je m'en occuperai moi-même.

– Pas de bêtises, Gold.

– Merci pour l'avertissement, mais je n'en fais jamais.

La nuit tomba et les ténèbres s'abattirent sur Storybrooke. En dépit de tous ses efforts, Emma se révéla incapable de mettre la main sur Moe French et, tandis qu'elle arpentait les rues de la ville, elle regretta que Graham ne soit plus là pour lui donner un coup de main. Il avait toujours eu le chic pour retrouver les gens. Plus rien n'était pareil, en son absence.

Leur baiser, ce dernier baiser… elle y pensait encore.

Mary Margaret retrouva Ruby et Ashley au Trou du Lapin. Le sourire aux lèvres, elle écouta Ashley raconter à quel point ç'avait été difficile avec le bébé. Elle écouta attentivement Ruby quand celle-ci leur raconte ses problèmes pour rencontrer quelqu'un et se plaignit de la difficulté à trouver un type bien à Storybrooke. Elle mourait d'envie de leur parler de David, de leur dire à quel point il était frustrant de garder le secret sur sa liaison, mais le moment n'était pas encore venu, et elle ne pouvait pas lui faire cela. Elle adorait Ruby, mais toute la ville serait au courant dès le lendemain si elle lui dévoilait quoi que ce soit.

– Et toi, Mary Margaret? s'enquit Ashley quand Ruby sembla en avoir terminé.

– Quoi, moi?

– Ta vie amoureuse, insista-t-elle. Du nouveau avec le docteur Whale?

– Mon Dieu, non, soupira-t-elle en fronçant les sourcils et en portant son verre à ses lèvres. C'était une grosse erreur.

– Je trouve ça plutôt amusant que vous soyez sortis ensemble, avoua Ruby. C'est peut-être une calamité, mais il est drôlement sexy.

– Je suis juste…

Mary Margaret renonça à terminer sa phrase. Elle avait du mal à croire à ce qu'elle voyait. À l'autre bout de la salle, au comptoir, David venait de s'asseoir à côté d'Archie. Ils discutaient tous les deux, mais il jeta un rapide coup d'œil dans sa direction.

– Quoi? demanda Ashley en suivant son regard. Oh mon Dieu! s'exclama-t-elle en apercevant David. Quel drôle de couple.

– Je ne crois pas qu'ils sortent ensemble, fit remarquer Ruby.

Ses deux amies éclatèrent de rire.

– Mais ce serait amusant, non?

– Vous ne trouvez pas ça étrange qu'il ne passe pas la Saint-Valentin avec Kathryn? demanda Ashley. Que fait-il ici?

Mary Margaret commanda un autre verre. Elle connaissait la réponse à cette question, bien sûr. Il était là pour la surveiller.

Qu'importe.

Pendant trois heures, elle fit comme s'il n'était pas là.

Quand il fut l'heure de partir, Mary Margaret rassembla ses effets, dit au revoir à ses amies – qui protestèrent, mais elle était épuisée – et quitta Le Trou du Lapin. David lui emboîta le pas, comme elle s'y était attendue; quand ils se furent éloignés de quelques rues, il l'appela et elle se retourna.

Lorsqu'il arriva à sa hauteur, elle lui déclara:

– Je t'ai vu là-dedans. Ça m'a donné la chair de poule.

– Comment ça?

– Je n'ai pas besoin que tu me suives partout. C'est déjà assez difficile comme ça. Que vont penser les gens?

– Je n'en sais rien, reconnut-il. Mais, au fond, je m'en moque un peu.

– Eh bien, moi, je ne m'en moque pas du tout, s'agaça-t-elle, les bras croisés. C'est une petite ville, et ce qu'on fait n'est pas bien.

Il réfléchit, acquiesça et plongea la main à l'intérieur de son blouson. Il en tira une carte et la lui tendit.

– Je t'ai acheté une carte de Saint-Valentin. Tiens.

Tout en sachant que c'était une erreur, Mary Margaret l'accepta et l'ouvrit. Elle la lut, fronça les sourcils et leva les yeux vers David en la brandissant vers lui.

– «Kathryn, je te ouaf, ouaf!»?

Il sembla étonné.

– Ce n'est pas la bonne. Désolé, s'excusa-t-il en la lui prenant des mains.

Il plongea de nouveau la main dans son blouson et en tira une autre.

– Tiens, voilà la bonne.

Elle la prit mais refusa de l'ouvrir.

Elle se contenta de le regarder d'un air attristé.

– Ça ne marche pas, constata-t-elle. Tu le sais aussi bien que moi.

– On peut y arriver, insista-t-il. Donne-moi juste un peu de temps. Je t'en prie, Mary Margaret.

Elle soupira.

– Tu devrais rentrer voir Kathryn.

– J'y vais. Mais je me suis dit que c'était important de te souhaiter une bonne Saint-Valentin.

– Eh bien, je te remercie, dit-elle sèchement. Joyeuse Saint-Valentin à toi aussi.

La journée d'Emma s'était révélée pour le moins étrange. Après avoir passé plusieurs heures à rechercher les biens disparus de Gold, elle commençait à avoir de sérieux soupçons sur ses intentions. Elle avait le pressentiment qu'il tramait quelque chose, et que Moe French n'était pas qu'un simple « client ».

Après un échange tout aussi étrange avec Gold dans son bureau, elle s'était rendue au *diner* avec une pile de documents, des informations sur les nombreuses propriétés de Gold à Storybrooke et aux alentours, et avait été creusé, à la recherche du moindre lien avec French. Elle était concentrée sur un tableau fiscal incroyablement ennuyeux quand elle leva les yeux et aperçut Henry qui la regardait en souriant.

– Qu'est-ce que tu fais ? s'enquit-il.

– Je travaille, répondit-elle en prenant une gorgée de café. Comment se fait-il que tu ne sois pas chez toi ?

– Ma mère est encore occupée, répondit-il en se glissant sur la banquette qui lui faisait face. Tu veux en savoir plus sur Rumpelstiltskin ?

– Je ne suis pas vraiment d'humeur.

Elle leva de nouveau les yeux et fronça les sourcils.

– Où est ton livre ?

– Je viens juste de me rappeler celle-là, répondit-il aussitôt.

– Je n'ai pas vraiment le…

– Mais elle est insensée, insista-t-il en écarquillant les yeux. Il y avait un royaume qui avait besoin de son aide. Rumpelstiltskin s'y est donc rendu, et on lui a demandé de mettre un terme à la guerre des Ogres. En échange, il a demandé…

Mais, ayant repéré quelque chose sur l'un des documents, Emma leva la main.

Gold avait une maison à la campagne. Une cabane.

Elle l'ignorait.

Elle eut une intuition. Moe French avait disparu et Gold était introuvable.

Elle décida d'aller se rendre compte par elle-même.

– Désolée, mais je dois aller vérifier quelque chose.

– Vraiment ?

– La prochaine fois, lui promit-elle.

Elle quitta la ville, tourna sur un vieux chemin de terre et suivit les indications données par la carte poussiéreuse que l'on pouvait trouver dans toutes les voitures de patrouille. Il y avait quelque chose qui… Quelque chose n'était pas logique. Ce n'était pas que quelqu'un lui avait menti, c'était que tout le monde mentait.

Au détour d'un virage, elle aperçut le pick-up.

Le pick-up de Moe French.

Elle avait eu raison de suivre son intuition.

En pénétrant dans la cabane avec son arme dégainée, elle tomba sur une scène horrible : hystérique, Gold rouait de coups French, inconscient et couvert de sang.

Elle interrompit Gold et le maîtrisa. Il sembla abandonner au moment même où il aperçut son visage. Elle appela une ambulance, et l'inculpa pour coups et blessures. Les urgentistes emmenèrent sans tarder le blessé à l'hôpital, son processus vital étant engagé.

Emma et Gold demeurèrent silencieux sur le chemin du retour.

– Je sais à quoi vous pensez, assura Emma. Je vous dois un service, et vous vous trouvez dans une de mes cellules. Et vous mourez d'envie d'en sortir. Je me trompe ?

Ayant respecté la procédure, Emma s'installa à son bureau et mordit dans un sandwich. Dans sa cellule, Gold gardait le silence, l'écoutant faire le point sur la situation. Habituellement, elle n'était pas si désinvolte. Sans doute tentait-elle de faire au mieux dans un cas si désespéré.

– Je vous demanderai de me rendre service quand j'en aurai besoin, finit-il par déclarer.

Elle prit une autre bouchée de son sandwich et l'observa attentivement. Avant qu'elle puisse lui répondre, ils entendirent tous les deux la porte d'entrée s'ouvrir et levèrent les yeux. Madame le maire et Henry entrèrent dans le commissariat.

– Je me demandais si ça vous dirait de passer une heure avec Henry, demanda Regina.

Emma termina sa bouchée, se tourna vers elle, puis de nouveau vers Gold.

– Laissez-moi deviner. Pour que vous puissiez lui parler seule à seul.

Regina haussa les épaules.

– Peut-être. Vous acceptez ou non ?

Emma acquiesça et se tourna de nouveau vers Gold.

– Vous êtes d'accord ?

– Bien sûr.

– Juste pour cette fois, alors, dit-elle à Regina.

Henry et elle quittèrent le commissariat.

Ils gardèrent le silence pendant quelques minutes, et Emma tenta d'imaginer ce que pouvaient bien se dire ces deux étranges personnages. Ils étaient adversaires, manifestement, mais Emma savait que leur relation était plus complexe qu'il y paraissait. Les petits secrets étaient de retour.

– Que se passe-t-il entre ces deux-là ? demanda-t-elle enfin.

– Qu'est-ce que tu veux dire ?

Elle secoua la tête.

– Je ne sais pas, Henry. La journée a été très bizarre.

– Qu'est-ce que M. Gold a fait pour se retrouver là ? demanda le garçon.

– Il a attaqué quelqu'un. Je l'ai surpris en train de s'en prendre à un homme.

– Quel homme ?

Elle le regarda en plissant les yeux.

– Moe French, répondit-elle. Le fleuriste.

Il hocha sagement la tête mais ne prononça pas la moindre parole.

– Quoi ? demanda-t-elle.

– Tu ne vas pas me croire si je te le dis. Alors pourquoi m'en donner la peine ?

– Essaie toujours.

– Eh bien, commença-t-il, tu te rappelles que je t'ai raconté comment Rumpelstiltskin était devenu mauvais pour obtenir tous ses pouvoirs ?

– Oui.

– Un peu plus tard, quand Baelfire est parti et qu'il s'est retrouvé seul, il a fait la connaissance d'une jeune femme et est tombé amoureux d'elle. Il est presque redevenu bon.

– Presque ?

– Oui. Il a eu le choix. Juste après qu'elle l'eut embrassé. Et il a choisi de garder ses pouvoirs plutôt que de rester amoureux et de redevenir normal. C'était précisément pour cette raison qu'il avait également perdu Baelfire.

– Son fils est mort ?

– Non, répondit le garçon. Il est simplement parti.

Ils continuèrent à marcher en silence pendant quelques minutes, passant devant l'école. La soirée était fraîche.

Les arbres avaient perdu leurs feuilles depuis longtemps et le vent soufflait dans les branches. La ville n'était jamais si paisible, à Boston.

– Belle, dit Henry.

– Pardon ?

– C'est le nom de la jeune femme dont il est tombé amoureux, expliqua le garçon. Mais, quand elle est rentrée chez elle après qu'il l'eut repoussé, son père a cru qu'elle était souillée, alors il l'a enfermée.

– Que lui est-il arrivé ?

– Elle s'est suicidée. C'est ce qu'a dit la reine, en tout cas.

Emma revit Gold frappant Moe French. Que l'avait-elle entendu crier ? « Tu l'as renvoyée ! »

– Et laisse-moi deviner, poursuivit Emma : Moe French est le père de cette fille.

– Était-ce vraiment la peine de poser la question ?

Elle secoua la tête. Le monde fantastique dans lequel vivait ce garçon s'articulait drôlement bien, dut-elle reconnaître. Et Henry était plein de sagesse et de vérité. Il savait énormément de choses sur cette ville, même s'il n'en semblait pas vraiment conscient.

– L'amour est exigeant, dit Emma en posant la main sur son épaule. Et les pères aussi.

Il leva les yeux vers elle et hocha la tête.

– Probablement. Tu dois avoir raison.

CHAPITRE 10

LE CHEVALIER D'OR

mma Swan avait l'impression que, dès qu'elle parvenait à résoudre un problème, deux autres faisaient leur apparition. Son conflit avec Regina? L'heure était à la détente, mais personne ne savait où cela la conduirait. L'affaire Gold/French? Évidemment, elle avait retrouvé les biens de Gold, et l'état de M. French s'était stabilisé à l'hôpital ; mais l'agresseur de ce dernier, grâce à une armée d'avocats, était parvenu à échapper à toute poursuite judiciaire et à s'en tirer sans dommages. Elle commença à se rappeler pourquoi le métier de chasseur de primes était plus attirant que celui de policier. Il était très simple de retrouver quelqu'un. Cela devenait nettement plus compliqué quand des intérêts divergents entraient en jeu.

Elle ne comprenait toujours pas ce qui s'était passé entre Gold et le fleuriste. Elle s'était résignée à ne jamais connaître le fin mot de l'histoire.

Ce n'était pas tout. Il s'avéra que Henry avait perdu son livre pendant la grosse tempête. Ou, à écouter le garçon, Regina avait profité des intempéries pour lui dérober son bouquin. Son « château » n'avait pas résisté aux éléments et, avant que qui que ce soit ait pu lever le petit doigt pour nettoyer ce désordre, Regina avait envoyé les bulldozers pour se débarrasser des débris. Elle n'avait jamais accepté que Henry ait un endroit à lui, et détestait par-dessus tout que ce soit leur endroit, à Emma et à lui. Savait-elle que le garçon avait enfoui son livre dans le sable? Ce n'était pas le cas d'Emma. Cela ne l'aurait pas surprise de la part du maire, mais elle n'aurait pas été étonnée non plus que le livre de contes, victime des circonstances, se trouve désormais dans une décharge.

Sans ses histoires, Henry semblait très contrarié, mais Emma se demanda si ce n'était pas mieux pour lui, finalement. Elle lui avait promis qu'elle le chercherait, mais jusqu'à présent elle n'y avait guère consacré d'efforts. Elle aurait bien aimé qu'il y ait un peu plus de sincérité et de réalité dans leur relation.

Toutefois, en le voyant au *diner* un après-midi, elle ne put s'empêcher de lui demander de lui raconter l'une de ses histoires. Elle estimait que cela pourrait l'aider de se souvenir de son livre et le tirer de sa torpeur. Lorsqu'il leva les yeux, moyennement intéressé, et lui demanda laquelle, Emma lui répondit:

– Je ne sais pas. Une qui parle d'amour.

– Je t'ai déjà raconté comment le Prince Charmant avait fait pour que Blanche-Neige se souvienne de lui à nouveau après qu'elle eut bu la potion?

– Il ne me semble pas. Quelle potion, déjà?

– Celle qui lui a fait oublier qu'elle l'aimait, répondit-il d'une voix plus aiguë.

Elle fut ravie de le voir revenir quelque peu à la vie, même si elle s'abstint d'esquisser le moindre sourire, sachant que cela pourrait ruiner tous ses efforts. Elle se contenta donc de hocher la tête d'un air sérieux.

– Ah oui! C'est Rumpelstiltskin qui la lui avait concoctée.

– Exactement. Et elle l'a bue pendant qu'elle était chez les nains, parce que le roi George lui avait dit qu'il tuerait le prince si elle empêchait le mariage de se dérouler.

– La pauvre…

– Je ne te le fais pas dire.

– Mais le prince s'est quand même lancé à sa recherche?

Elle l'écouta raconter la suite de l'histoire. Le prince avait retrouvé le Petit Chaperon rouge et, grâce à son aide, avait fini par mettre la main sur Blanche-Neige. Celle-ci, donc, ne se souvenait plus de lui et ne voulait surtout rien avoir à faire avec lui, car elle ne pensait plus qu'à supprimer la reine, ce dont le prince l'avait dissuadée à plusieurs reprises. Il avait dû la sauver en se jetant devant une flèche que la reine lui destinait pour lui prouver son amour pour elle, et pour que son baiser se révèle suffisamment puissant pour rompre le charme. Et Blanche-Neige avait fini par se rappeler qui il était.

— Donc, ensuite, demanda Emma, elle ne voulait plus tuer la reine ?

— Elle la détestait toujours autant, lui expliqua le garçon, mais elle avait retrouvé l'amour, et le plus important.

— Et alors, ils se sont mariés et ont eu de nombreux enfants ?

— Non ! s'exclama-t-il. Ce n'était que le début. Car, alors que la situation semblait rétablie, les hommes du roi George les ont rattrapés et ont emmené le Prince Charmant.

Emma s'apprêtait à lui poser d'autres questions, quand Henry se leva soudain.

— Il faut que j'aille à l'école. Si j'avais encore le livre, je te l'aurais prêté pour que tu puisses le lire.

Elle sourit.

— Je n'ai pas abandonné les recherches. Ne perds pas espoir. Pas encore.

Après le départ du garçon, Emma poussa un soupir et termina son café. Elle commençait à bien l'aimer, ce gosse.

Elle était à la caisse, payant ses consommations auprès de Ruby, quand l'étranger pénétra dans le *diner*, son casque de moto sous le bras. Ce n'était pas le moment. Elle le salua brièvement d'un signe de tête.

— Salut, dit-il. C'est justement vous que j'étais venu voir.

Elle leva les yeux au ciel et récupéra sa monnaie.

– J'espérais qu'on pourrait prendre ce verre que vous m'avez promis, déclara-t-il. Qu'en dites-vous ?

– Il y a un problème, riposta Emma. Je ne sors pas avec des hommes dont je ne connais pas le nom. C'est une règle que je me suis toujours fixée.

Il hocha de nouveau la tête, puis baissa les yeux.

– D'accord. Je m'appelle August. August W. Booth.

– « W » ? C'est l'initiale de quel prénom ? s'enquit-elle.

– Wayne. Ça gâche tout, hein ?

– Non. Ça m'est égal.

– Voilà. À présent, vous n'avez plus aucune raison de refuser de sortir avec moi. Ce soir. Après le travail. Je vous attendrai dehors.

Il désigna la porte et lui adressa un autre sourire.

Sans se donner la peine d'attendre sa réponse, il lui passa devant et franchit la porte, enfourcha sa moto et s'éloigna.

Soit il était très sûr de lui, soit il était odieusement prétentieux. Elle eut du mal à trancher. Elle réfléchissait encore devant la caisse quand, en levant les yeux, elle aperçut Mary Margaret au comptoir, tout au fond, l'observant avec un grand sourire.

Elle la rejoignit.

– J'ignorais que tu étais là. Tu te caches comme un bandit.

– Tu semblais captivée par je ne sais quelle histoire de Henry, rétorqua-t-elle. Je ne voulais pas vous interrompre. Sinon, c'était qui, ce type ? lui demanda-t-elle quand Emma prit place à côté d'elle.

– C'est ce que j'essaie de comprendre. Je n'en ai aucune idée. Ce n'est rien.

– Avec toi, « rien », c'est toujours quelque chose, lui fit-elle remarquer. Si ce n'était vraiment rien, on n'en parlerait pas.

– Qu'est-ce que tu fais ici, de toute façon ? On pourrait croire que tu te caches.

201

— C'est vrai, reconnut Mary Margaret en savourant son café. J'essaie d'éviter quelqu'un.

— Qui donc?

Elle prit une profonde inspiration.

— Alors, depuis deux semaines, David et moi, nous…

— Vous sortez ensemble, je sais.

Elle fit un signe de tête à Ruby, qui comprit aussitôt: Emma voulait encore du café. Cela faisait longtemps qu'elle n'en avait pas eu autant besoin.

Mary Margaret était stupéfaite.

— Comment peux-tu… commença-t-elle.

— C'est évident. Je suis à la fois le shérif de la ville et ta colocataire. Mais, vu ton comportement, je crois que je l'aurais tout de même deviné si j'étais une vieille femme aveugle et grabataire.

— Je ne m'étais pas rendu compte que c'était si évident.

Emma haussa les épaules.

— Et alors, qu'est-ce que tu comptes faire?

Ruby posa son café devant elle et Emma la remercia d'un sourire.

— Ce n'est pas ce que je vais faire qui me tracasse, c'est ce que David va faire. Il va l'annoncer à Kathryn. Aujourd'hui.

— Il va tout lui dire? demanda Emma, impressionnée.

Elle n'aurait pas cru qu'il en aurait le courage. Elle s'inquiétait pour son amie, et David ressemblait à tous les manipulateurs qu'elle connaissait, en fin de compte. Apparemment, le fait d'avoir été plongé dans le coma et de souffrir d'amnésie n'y changeait rien: quand on était un goujat, on le restait toute sa vie.

— Tout, confirma Mary Margaret. Absolument tout.

— Qu'est-ce qui l'en a convaincu?

— Elle lui a annoncé qu'elle voulait aller à Boston. En fac de droit. Il n'avait donc plus vraiment le choix.

— Il lui est déjà arrivé de faire de grands discours, lui fit remarquer Emma. Et, maintenant, voilà qu'à cause de lui tu es obligée de te cacher. Fais attention, Mary Margaret.

– Je sais, soupira celle-ci. Je sais. Je ferai attention.

Mary Margaret était dans le couloir au milieu d'une marée d'élèves quand son téléphone sonna. D'ordinaire, elle n'aurait pas décroché, mais c'était David. Il lui apprit qu'il l'avait fait. Il avait enfin quitté Kathryn.

– Comment l'a-t-elle pris ? s'enquit-elle, s'efforçant de prendre un ton compatissant.

En réalité, elle était folle de joie.

– Ça a été difficile. Notre conversation a été très éprouvante.

– Mais tu lui as dit la vérité ?

– Oui. Ça n'a pas été facile, mais je l'ai fait.

– Bien, dit-elle, se sentant soulagée d'un poids énorme.

Malgré les gens autour d'elle, elle s'immobilisa, ferma les yeux et s'efforça d'assimiler la nouvelle. Enfin. Enfin, ils allaient pouvoir être ensemble.

– Bien, dit David. À ce soir. Je te raconterai en détail.

– D'accord. Je t'aime.

– Moi aussi, je t'aime.

Elle raccrocha.

Quand elle rouvrit les yeux, son sourire s'estompa. Elle fit d'abord une moue perplexe, avant de prendre un air des plus sérieux.

Kathryn se dirigeait droit sur elle.

– Kathryn, je… commença-t-elle, incapable d'achever sa phrase, car l'ex de David la gifla de toutes ses forces.

Pendant un moment, le temps de reculer et de se remettre d'aplomb, elle vit trente-six chandelles. Tous les élèves présents dans le couloir ainsi que quelques professeurs se turent. Soudain, tout le monde lui sembla figé, le regard rivé sur elle.

– Allons discuter ailleurs, proposa Mary Margaret.

– Je me moque de savoir à quel point cette conversation peut se révéler gênante pour vous. Ce que vous avez fait est impardonnable. Impardonnable. À votre place, je n'oserais plus me regarder en face. Et pareil pour David. Je vous le laisse.

– Kathryn, aucun de nous n'imaginait que ça allait se passer de cette façon. Ça s'est simplement produit comme ça. Et nous étions conscients que la seule chose à faire, c'était de vous le dire avant que…

– De me le dire? Vous croyez qu'il me l'a dit? Non. Il m'a menti toute la matinée. Il m'a dit que rien ne nous unissait. Eh bien, vous savez quoi? Il a raison. Nous n'avions aucun lien. Parce qu'il était trop occupé à entretenir une liaison avec vous.

Elle secoua la tête.

– Ça a toujours été un lâche. Il faut que vous le sachiez. Parce que je ne vois pas pourquoi il en irait autrement avec vous.

Mais Mary Margaret en était restée à ce que Kathryn avait dit juste avant. Elle fit donc abstraction de son commentaire sur son éventuelle lâcheté.

– Il… il ne vous l'a pas dit?

– Non. Et s'il vous a menti à ce sujet, à vous aussi, parfait. À présent, vous comprenez ce que je ressens.

C'était apparemment tout ce que Kathryn avait à lui dire. Sans un mot de plus, elle tourna les talons et repartit d'où elle venait.

Un peu plus tard ce jour-là, Emma, agacée, se tenait de nouveau devant le *diner* de Mère-Grand. Elle était condamnée à passer toute sa vie là, lui semblait-il. Elle attendait August.

Elle ne pouvait croire qu'elle avait pu accepter sa proposition.

Elle perçut le vrombissement de sa moto avant même de la voir.

Il descendit la rue principale d'ouest en est et immobilisa son engin à sa hauteur.

– Salut, dit-il. Je n'étais pas sûr que vous viendriez.

– J'honore toujours mes rendez-vous, lui apprit-elle.

En esquissant un sourire, il lui tendit un casque.

– Venez, l'invita-t-il, je voudrais vous montrer quelque chose.

– Vous plaisantez !

– Quoi ?

– Ce n'est pas un peu… intime pour un premier rendez-vous ? demanda-t-elle en examinant la moto.

– Ça ne me dérange pas. Venez, ça va être amusant.

Elle soupira en secouant la tête.

– Très bien. Mais conduisez prudemment.

Ils partirent en direction de l'est, sur la route menant à la sortie de la ville, mais, avant d'atteindre le panneau, celui désormais si célèbre tant étaient nombreux les conducteurs ayant eu des problèmes avec leur véhicule à sa proximité, August ralentit et donna un coup de guidon pour s'enfoncer dans les bois. Emma se cramponna à lui et lui demanda :

– Vous vous moquez de moi ? Je suis le shérif !

Mais il fit comme s'il ne l'avait pas entendue.

Il ne leur fallut que quelques minutes pour atteindre une sorte de pré. Bientôt, le motard stoppa sa machine et coupa le contact.

Ils mirent tous deux pied à terre, et il la conduisit au sommet de la colline, jusqu'à un vieux puits. C'était la première fois qu'elle venait là.

– Joli puits, August. Vous savez vous y prendre pour séduire les filles, vous.

– Vous êtes déçue ? lui demanda-t-il.

– Quand vous disiez « un verre », lui fit-elle remarquer en jetant un coup d'œil au fond du puits, je pensais que vous parliez d'alcool.

– La prochaine fois, lui promit-il. Aujourd'hui, j'ai quelque chose de plus important à vos montrer.

Il s'approcha pour saisir une vieille corde, sur laquelle il commença à tirer.

– Vous saviez que ce puits est censé être très particulier ? Il y a une légende… d'après laquelle l'eau qu'on y puise proviendrait d'un ancien lac souterrain, et que ce dernier aurait des propriétés magiques.

– Génial. J'ai l'impression d'entendre mon fils.

– C'est un garçon intelligent, dit-il. D'après cette légende, si l'on boit de cette eau, on a la possibilité de récupérer quelque chose. Quelque chose que l'on a perdu.

– Dites-moi, vous en connaissez un rayon sur cette ville, pour un étranger.

– Et vous n'en savez pas grand-chose, pour un shérif.

– Vous êtes déjà venu à Storybrooke, August ? voulut-elle savoir.

Il y avait quelque chose de bizarre à propos de cet homme. Il donnait l'impression que tout était un jeu. Il fit remonter le seau. Elle le vit tirer deux timbales d'étain de sa poche et les déposer sur la margelle du puits. Il versa un peu d'eau dans chacune d'elles.

– Si je suis au courant de tout ça, déclara-t-il, c'est pour une simple raison : j'ai lu ce qu'il y avait d'inscrit sur la plaque.

Il la désigna d'un signe de la tête et Emma se pencha sur la plaque qui relatait cette histoire. Il n'avait rien inventé. Elle secoua la tête en souriant.

– Vous croyez réellement à la magie ? demanda-t-elle.

– Je suis écrivain. J'essaie de rester ouvert à toute éventualité.

– D'accord, mais la magie…

– Je crois à l'eau. L'eau est puissante. Des civilisations aussi vieilles que le monde la vénèrent. Elle sillonne la planète, nous reliant les uns aux autres. Si un élément a des propriétés mystiques, c'est bien celui-là.

– Pour étayer de si beaux discours, quelques preuves seraient bienvenues, lui fit-elle remarquer.

– Les preuves ne mènent pas toujours à la vérité.

– Ah bon ?

Ils se dévisagèrent pendant cinq bonnes minutes. Emma dut reconnaître qu'elle sentait un peu d'électricité dans l'air.

Il lui tendit un gobelet et brandit l'autre pour trinquer. Bien qu'elle n'en ait pas vraiment envie, finalement elle céda.

– Vous serez la sceptique, je serai le croyant, décida-t-il. Quoi qu'il en soit, l'eau est parfaitement potable.

– Santé, dit-elle.

– Santé.

Ils entrechoquèrent leurs timbales et burent.

La situation était loin d'être aussi agréable dans une autre partie de Storybrooke. La classe était terminée et Mary Margaret rentrait chez elle, encore abasourdie par ce qui s'était passé avec Kathryn. Et par les révélations de cette dernière : David lui avait menti. Non seulement il avait eu trop peur de dévoiler la vérité à sa femme, mais il lui avait menti à elle aussi. Il leur avait menti à toutes les deux pour se protéger. Et les dégâts étaient trop importants pour qu'il puisse les réparer.

Comment en était-elle arrivée là ? Après si peu de temps ? Deux mois auparavant, tout était… tout allait encore bien, du moins. Mais Emma était arrivée, David avait repris connaissance… Elle ne savait pas. Son existence lui semblait plus trépidante que jamais, mais plus risquée, aussi. Elle commençait à se demander si elle ne préférait pas l'illusion de calme à cette version plus authentique des choses, finalement.

À l'angle d'une rue, elle manqua heurter Mère-Grand.

– Bonsoir, la salua-t-elle avec le sourire. Je suis désolée, j'étais perdue dans mes pensées.

– Ce n'est rien, ma chère, je…

Mais elle s'interrompit en se rendant compte de qui il s'agissait.

– Oh ! vous !

– Pardon ? s'étonna Mary Margaret.

– Vous devriez avoir honte ! s'emporta Mère-Grand en se penchant vers elle.

Elle secoua la tête d'un air de dédain. L'institutrice eut du mal à croire tout le mépris qu'elle lisait dans son regard.

– Ce que vous avez fait est impardonnable.

– Mais je…

La vieille femme se contenta de souffler d'un air vexé, poursuivant sa route en détournant le regard.

Tête baissée, au bord du désespoir, l'enseignante reprit le chemin de son domicile.

Elle le vit par sa fenêtre : TRAÎNÉE.

Quelqu'un avait écrit ce mot en lettres majuscules sur sa voiture, et David s'efforçait de l'effacer. Parfait. Il avait compris que c'était lui le responsable. Évidemment, il n'avait pas écrit lui-même ce message, mais ses mensonges en étaient à l'origine. Et, comme il le savait, il essayait de tout effacer. Superficiellement, maladroitement. Et bien trop tard.

Elle descendit dans la rue.

– Qui a fait ça ? demanda-t-elle.

Surpris, il se retourna avec un regard implorant.

– Je n'en ai pas la moindre idée. J'ignore comment quelqu'un a pu l'apprendre.

– Je vais te le dire, moi. Tout le monde le sait parce que ta femme est venue à mon école pour me gifler, aujourd'hui. Devant tout le monde.

Il lui fallut un moment pour assimiler cette idée. Elle imagina les rouages dans son esprit : « Comment a-t-on pu découvrir mes mensonges ? ».

– Je suis vraiment désolé, s'excusa-t-il. Ce n'est pas à toi de faire les frais de tout ça.

– Elle m'a tout raconté, David, lui signifia-t-elle, les bras croisés. Elle m'a expliqué que tu ne lui avais rien dit. Que tu ne lui avais rien dit à propos de nous.

– Je ne comprends pas. Comment pourrait-elle être au courant, alors ?

– Ce n'est vraiment pas la question à se poser maintenant, s'impatienta-t-elle, agacée par son audace. Ce que j'aimerais savoir, c'est comment tu as pu croire qu'il n'y avait rien de mieux à faire que de nous mentir à toutes les deux. Tu ne vois pas les dégâts que ça a faits ? Il n'est plus possible de revenir en arrière, David.

– Je ne maîtrise pas non plus la réaction des gens à certaines nouvelles, se défendit-il.

– D'accord. Mais tu as l'entière maîtrise de tes actes. Et tu as menti. Et tes mensonges sont à l'origine de tout. C'est à cause d'eux que toute la ville me prend pour une traînée.

Elle désigna l'inscription sur sa voiture, secouant la tête d'un air agacé.

David laissa tomber son chiffon dans son seau, s'adossa à la voiture et se prit la tête entre les mains.

– Je croyais qu'elle se contenterait de quitter la ville. Je ne voulais pas que qui que ce soit souffre davantage.

– Et maintenant, tout le monde souffre. Beau résultat.

– On va arranger ça, lui promit-il en tendant les mains vers elle. Ça ne prendra pas longtemps.

– Ne me touche pas ! Tu ne vas rien arranger du tout.

– Comment ça ? Je ne comprends pas.

– C'est simple, David. C'est terminé. Tu as tout fichu en l'air.

Mary Margaret resta impassible quand il poussa un petit éclat de rire pathétique. Elle était incapable de culpabiliser. Pas pour le moment.

– Tu crois que je plaisante ? Ce n'est pas le cas. Tu va devoir vivre avec ça. À tout jamais.

Elle le laissa en plan et regagna son appartement en trombe.

Le Maine était une région glaciale au cœur de l'hiver, et ce jour-là était le plus froid de tous. Il n'y avait pas eu beaucoup de neige, cette année-là, mais les températures étaient négatives quand Emma rentra chez elle après qu'August l'eut déposée au commissariat. Elle était épuisée et s'inquiétait pour Mary Margaret. Toute la ville parlait de sa liaison, et la situation empirait de minute en minute. Elle avait déjà été témoin de ce genre d'affaires. En fait, il lui était même arrivé de se trouver au cœur de la controverse, et elle préférait ne pas s'en souvenir.

Alors qu'elle traversait la rue, quelque chose attira son attention derrière la roue d'un vieux pick-up. Quelque chose qui dépassait d'un tas de feuilles mortes.

Elle fronça les sourcils et s'agenouilla pour en avoir le cœur net. Elle n'arrivait pas à le croire.

Le livre. Le livre de Henry. Juste là, dans la rue.

Elle se redressa, l'épousseta et en parcourut les pages. Elle s'arrêta à l'histoire que le garçon lui avait racontée, à propos de M. Gold et de la fille, et se concentra sur les illustrations.

Elle ne comprenait pas pourquoi, mais elle l'avait retrouvé. Au moins, Henry allait être ravi, et cette idée l'enchanta. Elle repartit en direction du poste de police.

Elle n'eut cependant pas tellement le temps de se réjouir de sa trouvaille, car les appels d'urgence succédèrent au moment même où elle franchit la porte. D'abord un automobiliste, puis David, et enfin Regina.

Kathryn avait disparu. Elle demeurait introuvable.

Sa voiture, vide, était dans le fossé, à la sortie de la ville.

Mais elle n'était pas là.

CHAPITRE 11

LE GRAND MÉCHANT LOUP

mma fit la seule chose envisageable : elle organisa une battue. Le lendemain matin de la disparition de Kathryn Nolan, tous les habitants de la ville semblaient s'être donné rendez-vous, et ils passèrent la forêt au peigne fin dans l'espoir de trouver le moindre signe d'elle. David était présent ainsi que Mary Margaret, mais ils se tinrent à l'écart l'un de l'autre. Emma fut bouleversée de surprendre tant de messes basses de la part de ses concitoyens. Comment se faisait-il que sa colocataire payât les frais de cette situation et que personne ne se souciât du fait que David était au moins aussi responsable qu'elle ?

Cela ne la surprenait guère, mais c'était loin de lui plaire.

Ils avaient tous les deux commis des erreurs, mais seule Mary Margaret en souffrait.

La battue ne donna aucun résultat.

Plusieurs jours s'écoulèrent, et l'enquête d'Emma ne progressait pas. Jusqu'à ce que Sidney Glass, l'ancien rédacteur en chef du quotidien de la ville et son ex-concurrent au poste de shérif, se présente à son bureau avec une information intéressante.

Emma savait que Regina l'avait renvoyé après la tempête, mais elle en ignorait la raison et, à vrai dire, cela lui était complètement égal. Elle se doutait que c'était en rapport avec l'échec de la campagne, mais elle restait persuadée qu'il y avait autre chose. Cet homme l'avait toujours dégoûtée. Non seulement à cause de cette campagne, mais aussi de l'article odieux qu'il avait rédigé sur elle et de sa manière agaçante, du moins par le passé, de sembler suspendu aux lèvres de Regina.

Mais, depuis qu'il s'était fait renvoyer, Sidney avait passé beaucoup de temps à boire, que ce soit chez Mère-Grand ou au Trou du Lapin. Emma avait été obligée de le raccompagner chez lui, un soir à minuit, après l'avoir retrouvé ivre mort, divaguant au milieu de la rue principale. Il était descendu bien bas, visiblement ; elle se montra donc sceptique quand elle le vit arriver à son bureau avec une enveloppe en papier kraft, prétendant détenir les « véritables » relevés téléphoniques de David Nolan.

– Véritables par rapport à quoi ? De faux relevés ?

– Absolument. Ceux que vous avez falsifiés.

Il lui tendit l'enveloppe.

Elle s'en empara et jeta un coup d'œil au document qu'elle contenait. Cela ressemblait aux relevés officiels qu'elle avait obtenus auprès de l'opérateur téléphonique, à une différence près. La version de Glass faisait état d'un appel de huit minutes entre David et Kathryn une heure après la dernière apparition de celle-ci.

– Qu'est-ce qui me fait croire que ce relevé est le vrai et l'autre, le faux ?

– Parce que je n'ai aucune idée derrière la tête, lui fit remarquer Sidney.

C'est ça, ouais, se dit Emma.

Le problème survint lorsque Emma se rendit en personne chez l'opérateur pour en avoir le cœur net : elle découvrit que le relevé de Glass était correct et que l'exemplaire qu'elle avait reçu, *via* le bureau du maire, était inexact. Elle tenta de découvrir comment une telle chose avait pu se produire, mais en vain.

Elle aimait bien David, même s'il s'était montré particulièrement idiot dans sa relation avec Kathryn et Mary Margaret. Mais cela ne devait pas l'empêcher de faire son travail et, avec ce nouveau relevé, il était normal qu'elle le convoque pour lui poser quelques questions. Il n'y avait pas de corps, du moins pas encore, mais elle savait que le fait de rester plusieurs jours sans la moindre piste dans une affaire de disparition était un très, très mauvais signe. Ainsi, le jour de la fête des Mineurs, alors que toute la ville était en effervescence, elle approcha discrètement David pour lui demander de venir la retrouver au commissariat.

– Tu n'es pas en état d'arrestation, mais on doit parler de cette fameuse journée.

David obtempéra de bon cœur, tout en continuant à clamer haut et fort son innocence. Emma n'en attendait pas moins de sa part et y alla doucement avec lui pendant l'interrogatoire. Il lui assura n'avoir aucune explication pour ce coup de téléphone : selon lui, devait s'agir d'une erreur.

– Tu ne comprends pas, Emma, dit-il. Toute cette histoire, ça m'a anéanti.

Il secoua la tête en se frottant les yeux.

– Si j'avais pu faire ça mieux, tu sais…

– Parfois, la vie est incontrôlable, quoi qu'on fasse. David, je ne devrais pas te le dire mais je vais quand même le faire : je te crois. Je suis persuadée que tu n'as rien à voir avec tout ça. J'ignore où Kathryn se trouve et ce qui s'est passé, mais je sais que ce n'est pas toi.

– Je te remercie. Ça me fait plaisir. Énormément.

– Je crois cependant qu'il va falloir que tu prennes un avocat.

Il eut de nouveau l'air inquiet.

Une heure plus tard, Regina fit son apparition au poste de police, désireuse de savoir où Emma en était dans son enquête. Pour le moment, elle semblait avoir enterré la hache de guerre. Emma ne l'avait jamais vue s'intéresser à autre chose qu'à elle-même. Comme David, elle était légitimement abattue par cette disparition.

– Rien de nouveau, reconnut Emma. Désolée.

– Pourquoi avez-vous convoqué David Nolan ?

Le shérif la regarda d'un air étonné.

– Vous surveillez le commissariat, Regina ?

– Je l'ai vu en sortir, se justifia-t-elle en haussant les épaules. Et, à présent, j'aimerais savoir à quoi vous pensiez. Je suis votre supérieure hiérarchique et je suis dans mon droit.

Emma secoua la tête. Cette femme était au courant de tout ce qui se passait dans la ville. C'était inhumain.

– Je l'ai interrogé à propos des relevés téléphoniques. Apparemment, il…

– Son téléphone a appelé tout seul Kathryn le soir où elle est partie, oui, dit-elle en hochant la tête. On m'a informée du relevé erroné.

– Ça change beaucoup de choses, lui fit remarquer Emma. Mais je ne suis parvenue à aucune conclusion.

– Mademoiselle Swan, je vous en prie ! Il n'a rien à voir avec ça.

Intéressant, se dit-elle. *Voilà qu'elle défend David, à présent.* Emma ignorait ce que cela pouvait signifier. Pour le moment.

– Qu'est-ce qui vous fait dire ça ?

– Je le connais. Et je connais cette ville. Vous avez peut-être un avantage en étant étrangère, celui d'avoir un regard neuf sur tout, mais cela fait longtemps que je suis maire, et j'ai le nez creux pour ce genre d'affaires.

Le shérif n'aimait guère quand Regina se montrait si catégorique.

Cette dernière se leva.

– Le fait est que j'aimerais que ce bureau se montre un peu plus entreprenant. Sans doute en faisant appel à un peu plus de créativité. Qu'en est-il de ce nouvel étranger en ville, par exemple ? Ou des voleurs de voitures ? De Gold ? Lui avez-vous parlé ? Je veux que vous retrouviez mon amie. On dirait que vous n'avez même pas cherché.

– On veut tous la retrouver, Regina, se défendit Emma. Un peu de patience. Je suis douée pour retrouver les gens. Même si c'est parfois un peu délicat.

Blanche-Neige commençait tout juste à s'habituer à vivre comme une fugitive lorsqu'un nouvel élément bouleversa tout : la neige.

Et le froid.

Et le vent.

Et la glace.

Tout s'était bien passé pendant ses premières semaines seule : elle récupérait ou mendiait sa pitance comme elle le pouvait, trouvant parfois un paysan suffisamment bon pour la laisser dormir dans sa grange. Mais la reine et ses hommes avaient commencé à distribuer des affichettes avec son portrait dans tout le pays, et elle savait que la gentillesse des gens avait des limites. Si elle continuait à s'exposer, quelqu'un la dénoncerait.

Un soir, alors que la température avait dramatiquement chuté, Blanche errerait dans les bois en grelottant, comprenant pour la première fois qu'il pourrait s'agir de la fin du voyage. Elle avait échappé au Chasseur uniquement pour devenir invisible. Ce n'était pas le pire quand on était un fugitif, mais le problème, en étant invisible, c'est que personne ne peut vous venir en aide non plus.

Elle ne sentait plus ni ses mains ni ses pieds quand, au sommet d'une colline, elle aperçut une petite ferme dont l'une des fenêtres était éclairée. Elle s'immobilisa à l'abri d'un arbre et observa. Il y avait un jeune homme devant la fenêtre, et il parlait à quelqu'un, à l'intérieur. À moins d'une dizaine de mètres de la construction principale se trouvait un poulailler. Un lieu idéal pour dormir. Il y faisait chaud, il n'y avait pas d'humains et elle y trouverait plein d'œufs. Profitant du fait que l'attention de la jeune femme dans la maison était focalisée sur son prétendant, elle décida de prendre le risque de courir dans la neige jusqu'au poulailler.

Enfin à l'intérieur, elle fit la grimace à cause de l'odeur des gallinacées, qui aussitôt gloussèrent et à s'agitèrent à cause de la présence de leur nouvelle invitée. Le coq ne sembla que légèrement indisposé par son arrivée et se hissa au sommet d'un tas de foin, avant de se recoucher. Après s'être blottie dans un angle du poulailler, Blanche s'endormit presque immédiatement.

Elle rêva de son père et du temps précédant l'arrivée de Regina : sa mère venait de mourir et il l'avait emmenée sur le rivage pour jouer avec les galets. C'était un souvenir réel, et il lui était cher ; mais, dans son rêve, ce n'était pas tout : son père était heureux, contemplant l'onde, et, en tournant la tête pour suivre son regard, elle vit sa mère surgir des vagues, le sourire aux lèvres. Celle-ci tendit les bras vers sa fille, qui cessa d'être triste. Ils allaient de nouveau être réunis, ne serait-ce que pour un jour, ne serait-ce que pour un instant.

Elle se tourna vers son père.

– C'est maman ! s'écria-t-elle.

Il acquiesça.

– Oui. Va la rejoindre !

Elle reporta son attention sur sa mère, immobile à une demi-douzaine de mètres du rivage. Inquiète, elle se tourna de nouveau vers son père.

– Je ne peux pas, s'écria-t-elle.

– Si, tu le peux ! répondit-il sur le même ton. Il te suffit de nager !

– Mais j'ai peur !

– Ça m'est égal ! Elle est morte, de toute façon ! Et moi aussi !

Blanche se réveilla en sursaut, le souvenir du sourire narquois de son père refusant de se dissiper. Le jour se levait et les poules s'agitaient de nouveau.

L'estomac grondant, elle se redressa et observa les volailles.

– Désolée, dit-elle à l'une d'elles, mais tu as quelque chose dont j'ai besoin.

Elle fit le tour de l'enclos et ramassa deux œufs, renonçant à en prendre trop afin de ne pas mettre les fermiers en difficulté. Elle les déposa délicatement dans sa sacoche et se préparait à quitter les lieux quand elle entendit quelque chose.

Des bruits de pas.

Quelqu'un approchait.

Elle fila vers le fond du poulailler et s'accroupit derrière des cageots, bien consciente que sa dernière heure pouvait être arrivée. Et ce ne serait pas à cause de la reine ou de l'un de ses hommes. Juste d'un fermier furieux.

Quelqu'un entra et Blanche se fit toute petite. Toutefois, quand sa cape frotta contre la paroi de bois, elle ferma les yeux, consciente que le bruit l'avait trahie.

– Il y a quelqu'un ?

C'était une voix de femme.

Sa vision initiale d'un fermier furieux armé d'une fourche fit place à une autre image. Une jeune fille. Quelqu'un de gentil. Peut-être.

Elle tenta sa chance.

Lentement, elle se leva de derrière la pile de cageots. Une jeune femme au teint blafard vêtue d'une cape rouge la regardait fixement.

– Qui êtes-vous ? lui demanda-t-elle.

– Je suis désolée, répondit Blanche. Je vous volais des œufs. Je suis vraiment désolée.

La jeune femme esquissa un sourire.

– Eh bien ! Vous êtes la voleuse la plus honnête que j'aie jamais vue !

– Seulement deux, poursuivit-elle en les brandissant. J'avais faim. Et il fait froid, dehors.

– Avez-vous passé toute la nuit ici ?

Elle acquiesça.

– Vous ignorez qu'il y a un loup monstrueux en liberté ?

Blanche prit un air inquiet.

– Je savais bien que j'avais cru entendre quelque chose. Mais je ferais bien… de partir. Je vais les laisser.

Elle chercha un endroit où reposer les deux œufs.

– Non, non, ça ira. Vous pouvez les garder. Je m'en moque. Comment vous appelez-vous ?

– Moi ? Je m'appelle Mary Ja… Mary Mar… Mary Margaret. Je m'appelle Mary Margaret.

– Quel nom à rallonge ! lui fit remarquer la jeune femme. Je peux vous appeler Mary ?

Blanche hocha la tête.

– Venez, vous pouvez rester avec nous, je suis sûre que ça sera plus confortable. Je m'appelle Rouge.

Elle l'aida à sortir du poulailler et à marcher dans la neige.

– Il faut juste que j'aille tirer de l'eau au puits. Mais, dites-moi, j'ai du mal à comprendre. Que faites-vous par ici ?

Elles se dirigèrent vers le puits et Blanche-Neige ne tint aucun compte de la question, préférant demander à son tour :

– Qu'est-ce que c'est que ce monstre ?

Elle aida Rouge à accrocher le seau, puis à le faire descendre.

– C'est la saison du loup. Il y en a un très dangereux dans la région. Il est aussi gros qu'un poney, mais nettement plus assoiffé de sang. On le voit régulièrement dans les parages. Il tue du bétail et… attendez. Cette poulie se coince, parfois. Si vous pouviez juste…

Mais Blanche-Neige s'était éloignée de quelques pas, jusqu'au sommet d'une crête. Rouge la rejoignit et Blanche ne put s'empêcher de porter la main à sa bouche. Tout autour d'elles gisaient des corps ressemblant à des poupées désarticulées. Leur sang écarlate maculait la neige.

***

218

Cela faisait des semaines que Ruby et Mère-Grand se chamaillaient. Comme une bonne partie de la ville venait à passer, à un moment ou à un autre de la journée, par le *diner* de Mère-Grand, ce n'était un secret pour personne que les deux femmes s'en voulaient mutuellement. Et ce ne fut une surprise pour personne quand, après une dispute à propos du fait de venir travailler un samedi soir, Ruby décida de démissionner, laissant la vieille femme se débrouiller seule malgré une salle comble.

— Elle aura mis le temps, marmonna quelqu'un.

— Je n'arrive pas à croire que ça ne se soit pas produit plus tôt.

Emma et Mary Margaret avaient assisté la dispute d'un air gêné. En fin de compte, Ruby sortit de l'établissement en furie, hurlant à qui voulait l'entendre qu'elle quittait la ville pour aller à Boston. Mère-Grand s'abstint de tout commentaire et, la jeune femme partie, elle fit comme si elle s'en moquait éperdument.

— Hou là ! fit Emma, ça ne me dit rien de bon.

— Elles ont toujours été à couteaux tirés, lui fit remarquer Mary Margaret en reportant son attention sur son chocolat. Je ne sais pas pourquoi.

— Désolée, on s'égare, se reprit Emma. Nous parlions de David.

— J'aimerais simplement être certaine qu'il va bien. Je sais que je ne devrais pas, mais je ne peux pas m'en empêcher.

— Il va bien. Il est un peu secoué, il redoute que certains puissent croire qu'il est impliqué dans la disparition de Kathryn. Mais, sinon, ça va.

— Aucune nouvelle d'elle ?

— Aucune. Rien. Je suis sur le point de tout reprendre à zéro, et de façon chronologique. Je suis perplexe.

— Tu as recontacté Boston ?

— Elle n'y est pas, si c'est ce que tu veux savoir.

– Je ne comprends pas comment on peut disparaître aussi facilement, réfléchit Mary Margaret à voix haute. Elle était dans sa voiture. Que s'est-il passé ? Elle s'est évaporée ? On ne sait rien du tout ?

– Ce que je sais, c'est qu'elle a tout découvert pour vous deux, qu'elle t'a donné une gifle bien méritée et qu'elle s'est volatilisée.

– « Bien méritée » ? répéta Mary Margaret. Tu le penses vraiment ?

– Non, mais j'essaie de t'aider à comprendre ce que les autres pensent de cette affaire. Tant que je n'aurai pas découvert le fin mot de l'histoire, il y aura des soupçons sur vous. Prépare-toi à une longue bataille.

Dix minutes plus tard, elles quittèrent le *diner*. Emma vit l'humeur de Mary Margaret s'altérer de façon significative après cette partie de leur conversation. Elle s'inquiétait pour son amie mais savait qu'elle ne devrait peut-être pas trop sympathiser avec elle. Mary Margaret était sans doute un peu trop naïve pour s'en rendre compte, mais elle n'était pas lavée de tout soupçon. Emma la trouvait si innocente, si inconsciente des dangers de la vie… Elle était indépendante, mais vivait en même temps dans un cocon – une combinaison fort inhabituelle.

Il faisait froid et Emma se pelotonnait dans son manteau quand, à l'angle d'une rue, elles furent toutes les deux étonnées de voir Ruby, qui attendait le bus.

Elle portait une petite valise et jetait des regards furtifs dans la rue principale.

– Vous savez qu'il ne passe jamais de bus, lui rappela Emma. Où allez-vous ?

– N'importe où.

– On vous a entendues vous disputer, expliqua Mary Margaret. Tout le monde, en fait.

– Ouais, eh bien vous avez entendu la vérité. J'en ai assez d'elle et de ce *diner*. Et de Storybrooke. Je vais à Boston.

– Pas ce soir, en tout cas, la prévint Mary Margaret. Tu es énervée et il fait un froid glacial. Viens passer la nuit chez nous. Réfléchis bien. Repose-toi au moins une nuit.

Elle regarda les deux femmes tour à tour. Il ne lui fallut pas longtemps pour accepter.

– D'accord. Une nuit.

Mère-Grand, la grand-mère de Rouge, accueillit Blanche dans la fermette avec autant de générosité que de détermination. La jeune femme l'apprécia d'emblée, même si la vieille femme semblait facilement irritable. Rouge lui raconta aussitôt ce qu'elles avaient découvert à l'extérieur et elles ressortirent toutes les trois.

Près du puits, Mère-Grand observa la scène d'un air grave et, à la lueur du petit jour, se rendit en ville pour donner l'alerte. Bientôt, des dizaines si ce n'étaient des centaines de personnes se rassemblèrent à l'hôtel de ville pour discuter de la meilleure réponse à apporter à ce problème. Ce que les habitants de la région appelaient la « saison du loup » touchait à sa fin, manifestement ; mais le maire était furieux, car une demi-douzaine des hommes les plus robustes de la ville avaient trouvé la mort. Une grande partie de la population, aussi bien chez les hommes que chez les femmes, réclamait vengeance. On discuta de l'organisation d'une nouvelle battue pour le soir même.

Blanche-Neige se demanda où elle avait mis les pieds. D'un côté, elle était persuadée qu'elle ferait mieux de filer dès la tombée de la nuit ; mais, d'un autre, il y avait la menace de ce loup. De plus, elle le savait : tant que ces gens réfléchissaient à leurs problèmes, ils ne se souciaient pas d'elle.

– Tout ce que je sais, c'est que le massacre de cette nuit était le dernier !

La foule donna bruyamment son approbation. Certains se levèrent même pour crier :

— Tuons le monstre !

— Si j'étais resté dix minutes de plus à la battue d'hier, je serais mort avec eux ! s'écria le maire. Et si j'avais rebroussé chemin ? J'aurais peut-être pu abattre cette bête !

— Vous n'y seriez sans doute pas parvenu, retentit une voix.

Blanche regarda sur sa gauche, aussitôt imitée par Rouge. C'était Mère-Grand qui venait de prendre la parole.

Rouge semblait mortifiée par la remarque de sa grand-mère. Le maire Tompkins scruta la salle, à la recherche de la personne à l'origine de ce commentaire. Son regard se posa sur Rouge, à qui il adressa un sourire. Elle baissa aussitôt les yeux.

Mmm, se dit Blanche-Neige, *il y a quelque chose entre eux.*

— Cette créature est plus puissante que vous l'ima-ginez, poursuivit Mère-Grand. Plus forte, plus intelligente. Vous n'auriez aucune chance, monsieur le maire. Restez tous cloîtrés chez vous, verrouillez vos portes, cachez vos enfants et faites une croix sur votre bétail ! C'est le seul conseil que je puisse vous donner !

Les recommandations de Mère-Grand furent accueillies par des huées et des ricanements.

— Vous nous l'avez déjà dit, veuve Lucas, répondit le maire.

— Oui, c'est vrai. Mais je ne vous ai pas dit comment je le savais.

Le silence se fit dans l'assemblée. Mère-Grand se leva.

— Il y a près de soixante ans, j'étais encore enfant avec six frères plus âgés que moi, solides comme des chênes, tous ayant participé à la seconde guerre des Ogres. Et mon père était le plus robuste d'entre eux. Une année, pendant la saison du loup, il a décidé de se lancer à la poursuite de l'animal. Il ne s'agissait bien sûr pas du même, à l'époque, mais il était tout aussi redoutable. Ils l'ont fait pour moi. Pour me protéger.

À cet instant, elle faillit fondre en larmes, mais Rouge lui prit la main.

Mère-Grand poursuivit :

— J'étais censée dormir, mais je me suis hissée sur le toit pour mieux voir, et je me suis étendue sur le chaume. Ils avaient cerné la bête, tous les sept, et pointaient leurs piques vers elle. Puis ça a commencé… elle s'est jetée sur eux. Pas vraiment sur les hommes, mais sur les piques, les saisissant à pleines dents et les brisant en deux. Ils l'ont frappée avec ce qu'il restait de leurs armes, mais en vain. Elle leur a arraché la gorge si vite qu'aucun d'eux n'a eu le temps de crier, de prier ou de faire ses adieux.

La foule était captivée. Mère-Grand les regarda longuement, rassemblant ses souvenirs.

— Elle m'a scrutée de ses yeux noirs, deux vastes abymes, puis elle s'est éloignée. Vous avez déjà vu un animal sauvage faire demi-tour et s'en aller comme si vous n'existiez pas ? Si ce loup-ci ressemble à celui-là, il n'y a aucun moyen de le vaincre. Le simple fait qu'il existe dans notre monde signifie sa victoire. Il ne faut pas chercher à le tuer. Il faut juste se cacher.

Sur ce, Mère-Grand lâcha la main de Rouge, lui rappela de mettre sa capuche et annonça aux deux jeunes filles qu'il était temps de partir.

Elles ne regagnèrent la fermette qu'aux alentours de midi, et Mère-Grand, épuisée de ne pas avoir dormi de la nuit, déclara aux deux jeunes femmes qu'elle devait aller se reposer.

— Ne vous éloignez pas, leur recommanda-t-elle. Et rentrez avant la tombée de la nuit. Promis ?

— Je te le promets, dit Rouge.

Dès que sa grand-mère eut refermé la porte de sa chambre, Rouge prit Blanche par la main et lui dit :

— Viens.

*
**

Mary Margaret en avait assez d'attendre à ne rien faire.

Le lendemain matin, alors que Ruby et Emma dormaient encore, elle fit son sac et se dirigea vers les bois, à la sortie de la ville, avec la ferme intention de retrouver Kathryn.

Elle se rappela comment Emma leur avait ordonné de former une longue ligne quand ils étaient une centaine à participer à la battue. Seule, il allait lui être nettement plus difficile de mettre au point une stratégie efficace. Elle se gara à l'endroit même où on avait retrouvé le véhicule de Kathryn, vérifia de nouveau sa boussole et comprit qu'elle aurait autant de chances de trouver quelque chose en avançant au hasard qu'en adoptant n'importe quelle méthode. Elle s'enfonça donc dans la forêt.

Elle effectua des recherches pendant deux heures, sans manquer, de temps à autre, de vérifier où se trouvait sa voiture et de se repérer. Pendant ce temps, elle songea à David, à Regina, et à tous ceux dans cette ville qui auraient été en mesure de faire du mal à Kathryn. David ? Impossible. Elle ne doutait pas que le maire en soit capable, mais pour quelle raison ? Elle ne voyait pas. Cela signifiait que le coupable était une personne semblant normale, une sorte de sociopathe. Elle pensa alors au docteur Whale, ou à Sidney Glass. N'importe qui aurait…

Elle se figea.

David se tenait à quelques mètres devant elle, le regard vitreux.

– David ? s'enquit-elle en se dirigeant vers lui. Que fais-tu là ?

C'était étrange, il ne semblait pas la reconnaître. Il lui passa devant en déclarant :

– C'est moi.

– Je sais que c'est toi. Ça n'a pas l'air d'aller.

– Je la cherche.

– Écoute-moi, David, lui dit-elle en lui emboîtant le pas, Emma ne te soupçonne pas vraiment, quoi qu'elle en dise. Kathryn va bien, elle est quelque part. Il nous suffit de...

– Je la cherche, répéta-t-il.

Mary Margaret s'immobilisa et il poursuivit son chemin, tel un zombie.

– David ?

– Je la cherche, ressassa-t-il. Je la cherche.

Accompagné de Ruby, Henry attendait au commissariat qu'Emma ait terminé son travail. Pour passer le temps, il énumérait une liste de postes vacants à Storybrooke, espérant aider la jeune femme à trouver un nouvel emploi. Emma, assise à son bureau, réfléchissait à la disparition de Kathryn, mais en vain. Elle écoutait son fils qui faisait l'impossible pour aider Ruby. Quand il lui proposa un poste de vendeuse, elle lui assura ne pas être intéressée. Quand il lui en suggéra un de coursier à vélo, elle lui affirma être une empotée.

– Je ne sais rien faire, vraiment. C'est tout le problème.

– Je suis sûr que tu sais faire beaucoup de choses. Même si tu ne t'en es pas encore aperçue.

– J'ai toujours été serveuse. Qu'est-ce que c'est que cette vie ?

Le téléphone sonna et Ruby décrocha. Après avoir longuement écouté sa correspondante, Mme Ginger, elle lui garantit que les « bruits de pas » qu'elle entendait étaient ceux du chien d'Archie, Pongo, et non ceux d'un rôdeur. Mme Ginger la remercia puis raccrocha.

– Si seulement j'étais douée pour quelque chose, se plaignit Ruby. Enfin...

Emma esquissa un sourire :

– On dirait que tu as certains talents.

Henry et la jeune femme se retournèrent. Emma haussa les épaules.

– Écoute, il te faut du travail et j'ai besoin d'aide ici. J'ai le budget suffisant. Pourquoi n'accepterais-tu pas un poste de responsable administrative ?

– Oh, non ! dit Ruby. Je suis incapable de faire du travail de police.

– Il ne s'agit que de répondre au téléphone et de me donner un coup de main de temps en temps, ce genre de choses. Tu n'auras pas besoin de tuer qui que ce soit !

– Oh…

– Il me faut quelqu'un. Qu'en dis-tu ?

Ruby y réfléchit un instant, puis hocha la tête en souriant.

– D'accord. Je te remercie, Emma. Merci de me donner une chance.

– Tout le plaisir est pour moi. Et ta première mission pourrait être d'aller nous chercher à manger chez Mère-Grand. Je meurs de faim et je n'ai pas le temps d'y aller.

– D'accord.

Ruby s'empara de son sac à main et se dirigea vers la sortie. Mais avant qu'elle ait pu poser la main sur la poignée, la porte s'ouvrit à toute volée et Mary Margaret, qui semblait lessivée, fit irruption dans la salle.

– Je viens de croiser David dans les bois. Il est à la recherche de Kathryn.

– Elle n'y est pas, répondit Emma en secouant la tête.

– Il n'est pas dans son état normal, insista-t-elle. Il est comme… ailleurs.

Rouge accompagna Blanche-Neige dans la forêt, toutes les deux discutant de l'histoire de Mère-Grand et du loup. Blanche était heureuse que Rouge ne semble pas trop s'intéresser à son parcours et ne lui pose aucune question. Elle laissa donc sa nouvelle amie lui expliquer ce que cela faisait d'être coincée sous l'aile de sa grand-mère. Elle lui raconta aussi tout sur Peter et sur le fait qu'ils envisageaient de se mettre ensemble.

– C'est le jeune homme qui était à ta fenêtre, hier soir? demanda Blanche.

– Tu l'as vu?

– J'étais cachée dans les bois. Je vous ai entendus discuter. Il m'a paru mignon.

Rouge lui adressa un sourire malicieux.

– Il est très mignon. On est amoureux. On va se mettre en couple, mais on doit d'abord partir d'ici.

– Pourquoi?

– Parce qu'il n'y a rien pour nous ici. Il nous faut une grande ville. Un château. La Cour. On n'est pas faits pour la terre. Ici, les gens sont violents, dangereux et étroits d'esprit.

Blanche aurait bien aimé lui apprendre à quel point les gens pouvaient se montrer violents, dangereux et étroits d'esprit à la Cour, mais elle garda le silence.

– Comment est-il? voulut-elle savoir.

– Il est courageux. Charmant. Fort. Intelligent.

Blanche esquissa un sourire, la dévisageant pendant qu'elle énumérait les qualités de son amant. Elle se demanda si elle rencontrerait un jour un homme qui lui inspirerait de tels sentiments. Elle l'espérait de tout son cœur.

– Mais j'ai peur qu'il veuille participer à la battue de ce soir, lui confia-t-elle. Et qu'il se fasse blesser. Voilà pourquoi nous, nous allons traquer cette créature tout de suite.

Elle lui adressa un nouveau sourire malicieux, mais avec un sens complètement différent.

– Pardon? s'inquiéta Blanche. On ne peut pas…

– Oh, allez, ça va être amusant! D'ailleurs, on ne craint rien, la journée. L'animal n'a ses pouvoirs qu'en pleine nuit.

Elle éclata de rire. Blanche fut choquée et un peu impressionnée par les manières quelque peu cavalières de cette jeune femme. Elle lui plaisait bien.

– Je suis une bonne pisteuse, lui avoua Rouge. Je sais où le trouver. On ira le débusquer dans sa tanière ou dans sa grotte, comme ça on pourra y conduire directement les chasseurs.

– Je ne sais pas si c'est une bonne idée. Ça me semble risqué.

– Allons, Mary! On n'a qu'une vie!

Si tu savais, pensa Blanche.

Elles traversaient un pré, évoluant péniblement dans la neige, quand Rouge lui expliqua comment chercher des traces. Elles examinèrent le sol aux endroits les plus propices pendant près d'une heure. De temps à autre, Blanche l'appelait pour lui montrer quelque chose et Rouge lui annonçait : «C'est une biche» ou : «Ça, c'est un chien, aucun doute là-dessus.» Blanche commençait à se sentir gagnée par la fatigue, et elle avait les pieds gelés, quand Rouge l'appela :

– Voilà, ça, ce sont des traces de loup géant.

Les empreintes qu'elle lui indiquait étaient suffisamment grosses pour être celles d'un dragon. Blanche-Neige n'en croyait pas ses yeux.

– Et regarde ça, lui dit Rouge en suivant la direction de la piste. Regarde comme elles sont éloignées les unes des autres.

– De quelle taille peut bien être cette créature? s'inquiéta Blanche, en estimant, bouche bée, l'amplitude de la foulée de l'animal.

– Elle est grosse. Vraiment grosse. Allez, viens.

Elles suivirent la piste sur près de cinq cents mètres. Pendant un temps, il leur sembla que le loup fuyait quelque part; mais, en gravissant une colline, alors que Blanche lui demandait si elles ne revenaient pas vers la fermette, les traces semblèrent de moins en moins éloignées les unes des autres. Elles furent d'autant plus déconcertées en remarquant que la taille des empreintes paraissait diminuer progressivement.

– Il rapetisse? demanda Blanche en accélérant le pas.

– Je l'ignore. Je…

Rouge s'immobilisa et tendit le doigt.

– Regarde.

Les traces de pattes diminuaient pas, elles changeaient de forme.

– De quel genre de monstre s'agit-il, Rouge?

Elle lui avait posé la question, mais la réponse était évidente: les traces de pattes s'étaient changées en traces de bottes. En pleine course, le loup semblait s'être transformé en homme.

– Je ne sais pas, mais ce n'est pas qu'un simple loup.

Elles continuèrent à suivre la piste de l'autre côté de la colline, puis dans la vallée. Elles gardèrent toutes les deux le silence, même quand elles aperçurent la fermette.

La piste menait directement à la fenêtre de Rouge.

– Je ne comprends pas, déclara Blanche. Qui d'autre y avait-il à ta fenêtre la nuit dernière? À part Peter?

Rouge, la main plaquée sur la bouche, restait muette.

– Rouge?

– Personne, répondit-elle. Il n'y avait que Peter.

Les yeux écarquillés, elle se tourna vers sa nouvelle amie.

– C'est Peter, le loup.

Au retour de Ruby, les bras chargés de sandwichs, Emma lui dit:

– Ne les déballe pas. Mary Margaret est partie. On va aller chercher David dans les bois.

La nouvelle assistante sembla surprise, et Henry jeta un coup d'œil à Emma en lui adressant son fameux sourire plein de sous-entendus.

Après qu'Emma eut calmé Mary Margaret et l'eut renvoyée chez elle, Henry avait ouvert son livre pour lui montrer l'histoire de Rouge.

– Elle s'est toujours dévalorisée, tu vois? Regarde… En fait, il faut que tu lui laisses faire des choses. C'est une bonne pisteuse, même. Tu vois?

– Il y a une véritable enquête en cours, Henry. Quelqu'un est porté disparu et a des ennuis. Pour le moment, je voudrais que tu penses un peu à autre chose qu'à cette histoire de malédiction.

– Mais, tout ce que je dis, c'est que Ruby peut t'aider. Je la connais.

– D'accord, reconnu Emma. Très bien.

Elle demanda donc à Ruby de l'accompagner.

Elles atteignirent toutes les deux la sortie de la ville, où la voiture de Kathryn avait quitté la chaussée, et prirent la direction du nord, dans les bois. Il n'y avait aucune trace de David nulle part et il leur restait deux heures avant la tombée de la nuit.

– Ce n'est pas bon signe, fit remarquer Emma. S'il est quelque part là-dedans et qu'il ne va pas bien…

– Pourquoi n'irait-il pas bien? demanda Ruby en scrutant la forêt.

– Je n'en sais rien. Des restes de son coma? Moi non plus, je ne comprends pas. Tout ce que je sais, c'est que Mary Margaret m'a paru plutôt secouée.

– Je ne devrais pas être là, regretta Ruby. Je vais certainement encore tout faire rater.

Emma appréciait la jeune femme et aurait bien voulu apaiser ses angoisses, mais elle n'avait pas de temps à perdre et s'en voulut de lui avoir demandé de venir. Ruby se déplaçait comme quelqu'un qui ne serait jamais allé en forêt et, encore plus navrant, semblait plus préoccupée par ses propres problèmes que par sa mission. Emma prit une profonde inspiration et se retint de justesse de lui demander de regagner la voiture. Mieux valait être deux que seule, dans ces bois.

– Attends.

Le shérif se tourna vers Ruby, qui scrutait la forêt.

– Quoi ?

– Je l'entends.

– Vraiment ?

– Oui. Ou quelque chose. Je sais où il est.

Elle se tourna vers Emma. Dans son regard, celle-ci décela quelque chose de complètement différent. Une sorte de… voracité.

– Pas toi ?

Avant qu'Emma ait pu lui répondre, la jeune femme fila. Elle courait dans les bois, plutôt déterminée.

– Eh ! s'écria le shérif en se lançant à sa poursuite. Attends ! Où vas-tu ?

– Il est par ici, viens ! écria-t-elle par-dessus son épaule.

Elles coururent pendant au moins cinq minutes, Emma se faisant de plus en plus distancer. Elle était à bout de souffle et sur le point de faire une halte quand elle aperçut la jeune femme, dans le lointain. Elle s'était accroupie.

– Quoi ? Qu'est-ce qu'il y a ?

Mais Ruby n'eut pas besoin de lui répondre, car Emma fut bientôt capable de le voir par elle-même. David, inconscient, était étendu par terre, recroquevillé au pied d'un érable argenté.

– Il est contusionné, déshydraté, écorché, tout ce à quoi l'on pourrait s'attendre, énuméra le docteur Whale. L'entaille à la tête est superficielle, et elle n'est pas à l'origine de sa conduite. Il a un problème mental.

Ils étaient à l'hôpital. Emma et le médecin se tenaient devant la chambre de David. Ce dernier avait repris connaissance, mais il prétendait n'avoir aucun souvenir d'être allé dans les bois. Emma n'aimait pas ça du tout, mais, pour le moment, elle ne pouvait pas dire grand-chose.

Le docteur Whale et elle retournèrent dans la chambre.

– On va découvrir ce qui s'est passé, promit-elle au blessé. Courage !

– C'est comme s'il ne s'était rien passé, expliqua-t-il. Enfin, je sais que je l'ai fait, parce que tu me le dis. Mais, pour le moment, ça me semble aussi irréel que les histoires de Henry.

Emma se tourna vers le docteur Whale.

– À quel point peut-il être… fonctionnel au cours de l'une de ces… crises ? Enfin, il a parlé à quelqu'un pendant celle-ci.

– Tout est possible, répondit le médecin. Ceux qui sont dans un état similaire, disons dans un demi-sommeil médicamenteux, sont capables de faire bien des choses : cuisiner, parler, conduire…

Il haussa les épaules.

– C'est très difficile à dire.

– Tu veux savoir si j'ai pu passer ce coup de fil, devina-t-il en se tournant vers Emma. Ou davantage. J'ai compris. Tu crois que je l'ai enlevée. Ou peut-être même tuée. Et que je ne m'en suis même pas rendu compte.

– Du calme, David, dit le médecin. Personne ne dit ça.

– On essaie seulement de comprendre ce qui s'est passé, ajouta Emma.

– Ça expliquerait tout, remarque, déclara-t-il d'un air mélancolique. Ça expliquerait pourquoi je ne donnais pas l'impression de te mentir. Puisque je n'étais pas au courant.

– Ne dis plus rien, David.

Emma n'eut pas besoin de se retourner, elle ne connaissait que trop bien la voix puissante et agressive de Regina.

– Que faites-vous là ? poursuivit-elle, Emma comprenant que la question lui était directement adressée. Pourquoi son avocat n'est-il pas présent ? Lui avez-vous lu ses droits ?

– Non, répondit-elle. Parce qu'il n'est pas en état d'arrestation. Nous discutons.

– C'est ça.

– Et vous, que faites-vous là ? voulut savoir Emma.

– Je suis toujours la personne à joindre en cas d'urgence.

– Je croyais avoir changé pour Kathryn, déclara David d'un air confus.

– Oui, eh bien elle est portée disparue.

Elle approcha du lit.

– Je suis là pour vous apporter mon soutien. Et une protection, si vous en avez besoin.

Elle se tourna vers Emma.

– Pourquoi ne vous contentez-vous pas de la retrouver ?

Pourquoi est-elle si déterminée à le défendre ? se demanda Emma.

– C'est vaste, le Maine, se défendit-elle.

– Elle n'est pas dans cette chambre, l'interrompit sèchement le maire. À présent, sortez d'ici et partez à sa recherche.

Dans la salle d'attente, Emma appela Ruby. Il lui était venu une idée.

– Il faudrait que tu ailles vérifier quelque chose pour moi, lui demanda-t-elle. Le plus vite possible. La dernière fois que David a été victime d'une telle crise de somnambulisme, on l'a retrouvé au pont. Je me demande si on aura autant de chance, cette fois. Il faut que tu ailles vérifier. Maintenant.

– Moi ?

– Tu as été géniale, dans les bois, Ruby. Tu en es tout à fait capable. Appelle-moi si tu trouves quoi que ce soit. Prends ma voiture. Les clés sont sur le bureau.

Emma fut dans la forêt un quart d'heure après avoir reçu l'appel de Ruby, qui avait manifestement trouvé quelque chose. Les membres de la médecine légale n'étaient pas très loin derrière. Ruby, à qui l'on avait donné un gobelet de café, s'était réfugiée dans la Coccinelle, quelque peu abasourdie. Après avoir jeté un dernier coup d'œil dans la boîte que son assistante avait découverte près de la rivière, Emma remonta la pente escarpée et s'installa sur le siège passager de la voiture.

– Tu as fait du bon boulot, lui garantit-elle. Une fois de plus.

– Je ne sais pas si j'ai bien fait.

– Je comprends. Mais ça nous permet de faire une grande avancée.

Emma n'était pas vraiment ravie non plus d'avoir cette image fixée dans son esprit, mais elle pensait réellement ce qu'elle disait. Ils pourraient aller de l'avant, désormais, dès que le labo leur aurait envoyé les résultats de leurs analyses. Le contenu de la boîte… eh bien, elle comprenait pourquoi Ruby avait à ce point hurlé dans le combiné.

Elle lui prit la main.

– Je te remercie. Pour tout ce que tu as fait aujourd'hui.

La jeune femme acquiesça, tentant d'esquisser un sourire.

Emma ne trouva rien à ajouter.

Même si Peter avait protesté, Rouge lui avait annoncé qu'elle croyait que c'était lui le loup, qu'il fallait l'empêcher de nuire, et qu'elle ferait bien de rester avec lui cette nuit-là. Afin d'éviter d'éveiller les soupçons de Mère-Grand, Blanche-Neige avait accepté, tout en sachant que c'était une erreur, de revêtir la cape rouge de son amie et de se faire passer pour elle dans sa chambre, juste au cas où sa grand-mère aurait décidé de vérifier que tout allait bien.

Les deux femmes s'étaient dit au revoir, et Blanche, affublée de la cape, s'était endormie dans le lit de Rouge.

Un peu après minuit, Mère-Grand se présenta dans la chambre.

– Rouge, ma chérie. Il faut que tu te lèves. Je…

Blanche, complètement réveillée, fit de son mieux pour rester dissimulée sous les draps, mais la vieille femme, qui n'était pas dupe, remarqua que quelque chose n'allait pas. Elle tendit la main vers Blanche-Neige et l'obligea à se retourner.

Quand elle constata que ce n'était pas Rouge, elle écarquilla les yeux.

– Qu'avez-vous fait ? chuchota-t-elle.

– On ne pensait pas à mal, protesta Blanche.

– Où est-elle ? demanda Mère-Grand d'un ton si pressant que la jeune femme sentit une poussée d'adrénaline.

Elle se redressa dans le lit et lui raconta tout à propos de Peter.

– Elle est avec ce garçon ? En ce moment même ?

– Oui.

– Juste ciel ! Venez, indiquez-moi le chemin.

Elle s'empara de son arbalète.

– Immédiatement, jeune fille.

Elles s'élancèrent toutes les deux dans la nuit, Blanche luttant pour ne pas se laisser distancer. Mère-Grand ne lui avait manifestement pas tout dit, mais ce qui la perturbait le plus, c'était qu'elle ne cessait de plaindre ce « pauvre garçon ».

– Vous ne comprenez pas, insista Blanche. C'est lui le loup. On a vu les traces. Le loup est également un homme.

– Ce n'est pas lui le loup, jeune fille, rétorqua-t-elle d'un ton sec.

Blanche se tourna vers elle, prenant conscience de ce que cela pouvait impliquer.

Rouge. C'est Rouge le loup.

Cela lui semblait évident, à présent, mais, pour une raison ou une autre, cela ne lui était jamais…

– Vous étiez au courant ? demanda-t-elle, pressant le pas derrière la vieille femme.

– Bien sûr. Sa mère en était un aussi, avant de se faire tuer lors d'une battue. J'ai longtemps cru que Rouge ne serait pas affectée, mais, dès ses treize ans, ça a commencé. J'ai acheté cette cape à un magicien, ça l'empêche de se transformer, mais elle ne la porte pas cette nuit et elle a trouvé le moyen de sortir de la maison.

– Pourquoi ne le lui avez-vous pas dit ?

– Je ne voulais pas l'accabler de ce fardeau. De ce terrible fardeau.

Quand elles atteignirent la barrière d'une ferme, Mère-Grand s'immobilisa, attendant que Blanche lui indique le chemin. Celle-ci s'exécuta et tendit le doigt.

– Vous aussi, vous en êtes un, n'est-ce pas ? demanda la jeune femme.

– Oui, se contenta-t-elle de répondre en humant l'air. Je flaire son odeur, à présent. Je vais devoir la tuer avec mes carreaux à pointe d'argent. On est sous le vent, on a donc une chance.

Peter en eut moins. À leur arrivée, Rouge, entièrement transformée, avait déjà massacré son amant. Blanche-Neige jeta la cape rouge sur le loup, épargnant à Mère-Grand le drame de devoir tirer sur sa propre petite-fille. Mais, pour Rouge, qui ne se rendit compte de la réalité qu'à son réveil, couverte de sang, dans les bras de Blanche-Neige et de Mère-Grand, la tragédie avait déjà commencé. Sans doute aurait-elle préféré une mort rapide, un carreau d'arbalète à pointe d'argent planté dans le cœur, du moins à cet instant. Elle éclata en sanglots à la vue la dépouille de Peter. Elle pleura d'autant plus qu'elle comprit que c'était elle qui l'avait tué et que c'était son propre plan qui lui avait permis de massacrer son amant.

Mais l'heure n'était pas aux lamentations. Elles auraient des années et des années pour se plaindre. Pour l'instant, il fallait ramener Rouge en lieu sûr. Car, malgré ses pleurs en tentant de toucher le corps inerte de Peter, elles perçurent le bruit que faisait la battue en approchant.

– Raccompagne-la à la maison, ordonna Mère-Grand à Blanche-Neige. Ils sont trop près.

Elles se regardèrent dans les yeux et Blanche comprit. La vieille femme maîtrisait ses transformations et elle allait partir dans une autre direction pour les protéger.

– On se retrouve à la ferme. Demain matin.

Inutile de dire que Mère-Grand avait survécu.

Contrairement aux membres de la battue.

Ayant entendu dire que l'on avait retrouvé David et qu'il avait repris le travail, Mary Margaret alla lui rendre visite au refuge animalier. Il était hors de danger, mais il n'allait pas bien.

Pas bien du tout.

Il faisait les cent pas dans un bureau.

– Je ne sais pas ce qui s'est passé. Je ne suis sûr de rien, Mary Margaret. Il est fort possible que je l'aie tuée.

– Tu ne l'as pas tuée. Tu n'es pas comme ça. D'ailleurs, je suis sûre qu'elle va revenir. Un peu de patience.

Il secoua la tête d'un air agacé.

– Pourquoi l'aurais-je appelée ? demanda-t-il. Ça n'a aucun sens.

– Il y a forcément une explication. Et si…

Quand on ouvrit la porte du refuge, David se dirigea vers l'entrée. Un peu plus tard, il regagna le bureau, suivi d'Emma.

Celle-ci salua Mary Margaret d'un signe de tête.

– On a trouvé quelque chose près de la rivière, leur apprit-elle. À proximité du pont.

Elle adressa à David un regard lourd de sens.

– De quoi s'agit-il ? voulut-il savoir.

– Je ne vois pas comment le dire autrement, je vais donc être directe : il y avait un cœur humain dans une boîte à bijoux. Nous pensons qu'il s'agit de celui de Kathryn.

Mary Margaret se cramponna à l'accoudoir de son fauteuil, se sentant gagnée par les ténèbres. Elle ferma les yeux et tenta de se ressaisir. David était effondré, la tête sur le bureau, complètement abattu.

– C'est probablement moi le coupable, reconnut-il, au bord des larmes.

Il tendit ses poignets.

– Passe-moi les menottes.

Emma le dévisagea.

– Vas-y! insista-t-il.

– Je ne peux pas, David. Il y a une empreinte, à l'intérieur de la boîte, et ce n'est pas la tienne.

Perplexes, David et l'institutrice échangèrent un regard. Emma se tourna vers cette dernière.

– C'est celle de Mary Margaret.

CHAPITRE 12

LE CHEMIN DES TÉNÈBRES

uelques jours après que Blanche-Neige eut avalé la potion qui lui avait fait oublier le Prince Charmant, elle était encore terrée chez les sept nains, la mémoire vierge. Les nains se rendaient compte que cette amnésie n'était pas aussi paisible que Rumpelstiltskin l'avait laissé supposer. Blanche n'était plus… elle-même. Elle était furieuse, en fait. Tout le temps.

Furieuse contre tout et tout le monde. Et elle ne savait pas vraiment pourquoi.

Grincheux avait bien une idée.

Un matin, après l'avoir regardée chasser des merlebleus avec un balai, il retourna auprès des autres nains pour leur dire qu'ils devaient faire quelque chose.

— Mais quoi ? demanda Atchoum.

— Je ne sais pas. Quelque chose. Il faut qu'on lui parle.

— Ce n'est pas la potion, le problème, ricana Blanche. Le véritable problème, c'est que je reste vivre avec une bande de nains alors que la femme qui a tué mon père se pavane dans mon château après avoir pris ma place. Et il se trouve qu'il s'agit de la même personne qui a tenté de m'éliminer. Suis-je folle ? Oui. Folle de rage !

— Ce n'est pas juste de t'en prendre à tes amis, lui fit remarquer Jiminy Cricket, qui s'était joint à la conversation.

— Tu as raison, reconnut Blanche-Neige, perdue dans ses pensées. Tu as absolument raison.

– Nous progressons, chuchota Jiminy.

– C'est à elle que je devrais m'en prendre. En la tuant!

Le moins que l'on puisse dire, c'est qu'Emma trouva très étrange d'incarcérer Mary Margaret. Elle la prit en photo et remplit la paperasse habituelle, la jeune femme ne cessant de proclamer son innocence. Emma lui certifia qu'elle ne faisait que son travail et que l'empreinte était une preuve solide. Elle était peut-être innocente, mais le shérif savait que si elle faisait montre de favoritisme, cela pourrait avoir des conséquences fâcheuses. Elle n'avait aucune intention de faire courir le moindre danger à son amie en agissant avec précipitation. Ils finiraient bien par comprendre ce qui était arrivé à Kathryn. Mais, pour cela, il allait lui falloir un peu de temps.

Comme si cela ne suffisait pas, Ruby avait démissionné de son poste et était retournée travailler au *diner*. Emma était donc de nouveau seule, avec très peu de personnes à qui parler de l'affaire. Parmi celles qu'elle appréciait, du moins.

Regina, qui l'avait appelée pour pouvoir assister à l'interrogatoire, se présenta quelques minutes après qu'Emma eut terminé de remplir la paperasse. Mary Margaret affirma qu'elle n'avait pas besoin d'avocat.

– Pourquoi donc? demanda-t-elle. Je suis innocente.

Quand le shérif lui posa des questions, elle garda son calme et leur révéla une information capitale: la boîte à bijoux lui appartenait. Elle ignorait comment elle avait pu finir enterrée à proximité de la rivière et n'avait vraiment aucune idée de la manière dont le cœur de Kathryn avait pu se retrouver à l'intérieur, mais cette boîte lui appartenait. Et elle affirma n'avoir pas l'intention de prétendre le contraire.

Dehors, pendant que Mary Margaret se trouvait dans la

salle d'interrogatoire, Emma et Regina discutaient de ses réponses.

– Personne n'accuse Mlle Blanchard d'être une mauvaise personne, déclara le maire. Mais elle a le cœur brisé. Et ça, ça peut vous faire commettre les pires horreurs.

**
*

Grincheux n'aurait jamais cru que Blanche-Neige pouvait être du genre violent, mais, en la voyant désarmer l'un des chevaliers de la reine, il avait été plutôt impressionné. Ils étaient à moins de dix kilomètres de leur chaumière et, sachant que se rendre au château de la reine était suicidaire, mais ayant été incapable de l'en dissuader, il l'avait suivie à distance. Le Chevalier noir, apparu au détour d'un chemin, avait tenté de l'intimider, mais elle ne s'en était pas laissé conter. En un clin d'œil, sans le moindre effort, elle avait projeté le soldat à terre avec la pioche qu'elle avait emportée, lui avait demandé où se trouvait la reine, s'était moquée de lui et l'avait renvoyé d'où il venait.

Elle tentait à présent de revêtir l'armure du chevalier, quand Grincheux surgit de la forêt.

– Tu es folle? Tu crois pouvoir tromper quelqu'un avec ce déguisement?

– Qu'est-ce que tu fais là? demanda-t-elle. Tu m'as suivie?

– Oui. Parce que je n'ai pas envie que tu te fasses tuer.

– Ce n'est pas dans mes intentions, déclara-t-elle sèchement. De plus, la reine mérite de mourir.

– C'est possible, mais la justice se moque souvent de ce qui est possible. Si tu es à ce point furieuse, c'est parce que tu as oublié.

Blanche s'interrompit un moment.

– Que veux-tu dire? lui demanda-t-elle.

– Je veux dire que j'ai une meilleure idée. On va aller chez Rumpelstiltskin pour qu'il te rende la mémoire.

241

Emma raccompagna Mary Margaret à sa cellule, qu'elle verrouilla en lui signalant qu'elle allait s'absenter quelques heures, et rentra chez elle. Pas pour y faire une sieste, ni pour s'y doucher, ni pour s'y changer. Mais pour fouiller les lieux.

L'enseignante prétendait que quelqu'un s'était introduit chez elle et avait dérobé sa boîte à bijoux ; mais, quand Emma examina les serrures, elle ne découvrit aucun signe d'effraction. Il n'y avait que deux clés, celle de sa colocataire et la sienne. Quelque chose clochait.

Elle fouilla la chambre de Mary Margaret, en vain. Elle s'apprêtait à se rendre dans la sienne quand elle entendit frapper à la porte.

Un lundi midi ? s'étonna-t-elle. Elle vérifia son arme et désengagea la sécurité.

– Qui est-ce ?

– C'est moi !

Henry.

– Qu'est-ce que tu fais là ? lui demanda-t-elle après avoir ouvert la porte.

Il entra, rayonnant.

– Ça ressemble à la première fois qu'on s'est vus, hein ?

– Comment se fait-il que tu ne sois pas à l'école ?

– Je suis malade.

– Tu n'es pas malade.

Il jeta son sac à dos sur le canapé en soupirant.

– C'est moi qui ai rédigé le mot d'absence, reconnut-il. Mais il faut que je t'aide. Mary Margaret est innocente. C'est très important pour l'opération Cobra.

– Je te le répète ce n'est pas l'opération Cobra. C'est la vraie vie.

– C'est la même chose.

Elle secoua la tête.

– Très bien. Tu es malade. Aide-moi à fouiller cet appartement, alors.

– Qu'est-ce que tu cherches ?

– Je ne le sais pas encore, avoua-t-elle. Tout ce qui peut sortir de l'ordinaire.

Elle regagna sa chambre et fureta près de la fenêtre, à la recherche du moindre signe d'effraction. Cinq minutes s'étaient déjà écoulées. *Il n'y a rien du tout*, dut-elle se rendre à l'évidence. *Et c'est parce qu'elle n'a pas…*

– Je crois que j'ai trouvé quelque chose !

Emma alla dans le salon et y vit Henry à quatre pattes, tirant sur la grille d'aération sous la table basse. Elle fronça les sourcils et déplaça la table.

– Il y a quelque chose là-dessous, insista le garçon.

– Je crois que je le vois.

Elle le poussa et examina la grille. Puis elle alla dans la cuisine pour y chercher un tournevis. Il lui fallut moins d'une minute pour dévisser la grille et la soulever. La lumière du plafonnier illuminant le trou rectangulaire, elle décela les contours d'un objet.

– Mon Dieu ! s'exclama-t-elle.

Henry demeura silencieux.

Elle tira un mouchoir en papier de la boîte sur la table, tendit la main et la referma sur la lame d'un couteau de chasse, prenant soin d'éviter d'en toucher le manche.

– Va chez Mère-Grand, lui ordonna-t-elle. Restes-y jusqu'à ce que je vienne te chercher.

Elle plissa les yeux. S'agissait-il de sang, sur la lame ?

– Mais je…

– Allez, Henry, insista-t-elle.

Puis, d'une voix un peu plus douce, alors qu'ils regardaient tous les deux fixement le couteau :

– Vas-y tout de suite.

À l'autre bout de la ville, Emma avait regagné le commissariat, regardant son amie derrière les barreaux d'un air attristé.

– On a l'arme du crime, à présent.

Elle l'avait glissé dans un sachet, et placée dans le local des pièces à conviction. La situation semblait s'aggraver pour son amie.

– Dans la climatisation? s'étonna Mary Margaret. Je ne sais même pas comment on y accède!

– Alors, quelqu'un s'est introduit chez nous et y a dissimulé le couteau.

– Tu me crois?

– Je te crois, Mary Margaret, mais il va me falloir des preuves qui pointent dans une autre direction. Jusqu'à présent, elles vont toutes dans le même sens.

– Qu'est-ce que tu veux dire? demanda la prisonnière, s'affalant sur le banc de sa cellule.

– Je veux dire qu'il est peut-être temps pour toi de faire appel à un avocat.

– C'est une excellente idée!

Les deux jeunes femmes se retournèrent. Gold se tenait dans l'encadrement de la porte, tenant délicatement sa canne de ses deux mains. Il les salua d'un signe de tête.

– Que faites-vous ici? demanda Mary Margaret.

– Je suis venu vous proposer mes services, lui déclara-t-il en pénétrant dans la salle. Je sais me montrer très persuasif. Demandez à Mlle Swan. Je me suis retrouvé dans la même situation que vous, il n'y a pas très longtemps, et aujourd'hui, regardez-moi: je suis un homme libre!

– Ça peut aider d'avoir un juge dans la poche, lui fit remarquer Emma.

– C'est vrai, vous avez raison. Mais, mademoiselle Blanchard, j'ai suivi votre affaire et je suis persuadé que vous seriez bien avisée de me prendre pour avocat. Immédiatement. Je peux vous faire sortir de là assez rapidement.

– Ce dont elle a besoin, c'est que je puisse faire mon travail, Gold, pas…

– Personne ne vous en empêche. Je propose simplement mon aide à…

– Laisse-nous seuls, s'il te plaît.

Gold et Emma se tournèrent tous les deux vers l'inculpée.

– Je pense que vous devriez reconsidérer votre décision, mademoiselle Blanchard, lui conseilla-t-il.

– Ce n'était pas à vous que je m'adressais, monsieur Gold, lui fit-elle remarquer en portant son regard d'acier sur Emma. Mais au shérif. J'aimerais m'entretenir avec mon avocat. En privé.

Emma lui jeta un regard intrigué, puis se tourna vers Gold.

– D'accord, vous avez gagné, reconnut-elle. J'espère que vous agissez vraiment dans son intérêt.

– Bien sûr, s'offusqua-t-il avant de sourire à Mary Margaret. Cela fait un moment que c'est le cas.

Ils discutèrent un bon quart d'heure. Quand M. Gold eut quitté le poste de police, Mary Margaret se sentit nettement mieux. Cet homme était-il digne de confiance ? Absolument pas. Mais ce qu'elle savait pertinemment, c'était qu'il s'agissait d'un adversaire de Regina, et que celle-ci tentait de lui jouer un sale tour. Ainsi, dans cette affaire, l'ennemi de son ennemie était son allié.

La jeune femme ne resta seule qu'une minute dans sa cellule. Emma revint aussitôt, lui fit un signe de tête, mais ne lui posa aucune question à propos de Gold. Elle n'en eut pas le temps, en réalité. Quelques minutes plus tard, David se présentait au commissariat.

Elle le regarda en silence, ce dernier lui demandant un moment de tranquillité avec Mary Margaret. Emma se tourna vers la prisonnière en poussant un soupir.

– Tu es très demandée. Ça t'ennuie ?

– Non. Je vais lui parler.

Évidemment. David était le seul à la défendre, dans cette ville.

Emma se tourna de nouveau vers lui.

— Tu as dix minutes.

— J'aimerais bien que tu nous laisses seuls.

Elle acquiesça.

— D'accord. Je vais me faire un café. Dix minutes, pas davantage.

Elle quitta la pièce. Il prit une profonde inspiration et s'approcha de la cellule où Mary Margaret l'attendait pleine d'espoir, les mains sur les barreaux.

— Tu es venu, dit-elle.

— Il fallait que je te parle. J'ai appelé Kathryn. Je m'en souviens, à présent. Nous avons discuté. Elle m'a dit... Mary Margaret, elle m'a dit qu'elle voulait que nous soyons ensemble, tous les deux. Elle nous a donné sa bénédiction.

— Vraiment ?

Il hocha la tête.

— Et ce n'est pas tout. Je me rappelle autre chose.

La jeune femme patienta, toujours pleine d'espoir. Il eut du mal à poursuivre.

— Tu m'as dit que tu allais la tuer.

— Pardon ?

— Tu m'as dit que tu voulais la tuer. Tu me l'as annoncé à brûle-pourpoint.

— Je n'ai jamais rien dit de tel, se défendit-elle. Jamais je n'aurais pu dire ça.

Il ne tint aucun compte de sa remarque.

— Il faut que je te demande si tu as quelque chose à voir avec la disparition de Kathryn.

Ils se dévisagèrent un long moment. Mary Margaret n'arrivait pas à croire ce qu'il venait de dire. Regina seule était censée être la menteuse, et supposée faire des coups tordus. Cela... cela n'avait aucun sens.

– Quand ton relevé téléphonique a été révélé, quand je t'ai trouvé errant dans les bois, quand tout le monde croyait que tu avais tué Kathryn… je suis restée auprès de toi. Jamais je n'ai eu le moindre doute. Mais alors que désormais tous les éléments m'accusent… Tu me crois vraiment capable de ça ?

Il tendit la main vers le barreau.

– Je ne sais plus quoi penser.

– Va-t'en ! lui intima-t-elle. Tu es incroyable, David.

– Mais je…

– Hors de ma vue !

Mary Margaret passa une nuit affreuse dans sa cellule, à se tourner et se retourner. Elle était sûre d'une chose : Regina était derrière tout cela. Elle n'avait aucun moyen de le prouver, mais elle en avait la certitude. Pour elle, il suffisait de trouver des éléments incontestables. Et, dans le même temps, il fallait, juste un peu, qu'elle garde confiance.

Emma avait la même impression. Elle s'inquiétait de plus en plus de ne rien trouver qui soit susceptible de faire libérer son amie. Les résultats du laboratoire confirmaient qu'il s'agissait du cœur de Kathryn – donc désormais d'une affaire criminelle. Tout comme Mary Margaret, Emma savait que Regina tirait les ficelles ; mais, jusqu'à présent, celle-ci l'avait devancée sur tous les plans. Elle se rendit donc chez celui qu'elle pensait capable de faire pencher la balance dans l'autre sens.

– J'ai besoin de votre aide, monsieur Gold.

Il se tenait derrière le comptoir de sa boutique, un sourire sarcastique au coin des lèvres.

– Vraiment ?

– Vraiment. Je crois que Regina est à l'origine des ennuis de Mary Margaret. Seulement, je suis incapable de le prouver.

– Et en quoi puis-je vous être utile ?

– Je ne sais par quel bout l'attaquer. J'ai donc besoin de votre aide.

Il semblait ravi.

– Quel acte d'humilité, lui fit-il remarquer. Je suis admiratif, mademoiselle Swan. Et vous avez raison de vous méfier. C'est une femme dangereuse. Très dangereuse.

– Alors, dites-moi… Dites-moi comment la vaincre.

CHAPITRE 13

LE CHAPELIER FOU

mma et Gold discutèrent pendant deux bonnes heures, mettant un plan au point. Quand la jeune femme se sentit prête, ils prirent le chemin du commissariat, dans l'intention de mettre Mary Margaret au courant de leurs projets.

Seul problème, la prisonnière n'était plus là…

Henry les accueillit devant la porte du poste de police, contre laquelle il s'était adossé pour lire son livre.

– Votre plan est exceptionnel ! s'exclama-t-il en les voyant.

– Quel plan ? s'étonna Emma. Que fais-tu là ?

– J'étais venu parler à Mary Margaret, mais j'ai soudain compris ce qui se passait, alors j'ai décidé de vous attendre.

Emma se tourna vers Gold en fronçant les sourcils, et ils passèrent tous les deux devant le garçon pour entrer dans le commissariat. Le shérif éprouva un sentiment d'effroi en se tournant vers la cellule. Elle était vide.

– Il semblerait que Mlle Blanchard ait décidé de prendre les choses en main, remarqua Gold. Quel rebondissement intéressant…

Le garçon les suivait de près.

– Henry, dit Emma, qu'as-tu fait ?

– Rien du tout. Je croyais que c'était toi. Ce n'était pas votre plan ?

– Non, répondit-elle. Mais c'est manifestement celui de quelqu'un d'autre.

— Ou alors elle s'est échappée toute seule, suggéra Gold.

— La lecture de l'acte d'accusation aura lieu demain à huit heures précises, déclara Emma en se dirigeant vers la cellule pour en examiner la porte. Si elle n'est pas revenue d'ici là, elle sera considérée comme une fugitive. Elle risque de gros ennuis.

— Vous avez donc jusqu'à huit heures demain matin pour la retrouver, lui fit remarquer Gold.

— Comment je peux vous aider ? voulut savoir Henry.

— Rentre chez toi. Ça commence à devenir bien trop sérieux pour que tu te retrouves embarqué dans cette histoire.

— L'avenir de Mlle Blanchard est déjà compromis, comme vous le savez, déclara Gold en se tournant vers Emma d'un air placide, le regard perçant. Mais je me permets de vous rappeler que si on vous surprend à lui venir en aide, le vôtre pourrait également l'être.

— Je m'en moque, répondit-elle en rassemblant ses affaires. Je préfère perdre mon travail plutôt que mon amie.

— Même s'il s'agit d'une erreur judiciaire ?

— Même.

— Comme c'est intéressant. Ah, l'amitié !

— N'avez-vous jamais eu d'amis, monsieur Gold ? Ça change la vie.

— Paraît-il. J'ai déjà entendu dire ça.

— Alors vous comprenez…

Il hocha la tête. Emma aurait été incapable de dire si c'était parce qu'il respectait cette idée, ou s'il la contestait, ou encore s'il la trouvait simplement amusante.

Il était tard, mais Emma décida d'aller jeter un coup d'œil près du pont. Elle ignorait où Mary Margaret s'était enfuie, mais, sans aucune aide, elle n'avait pas pu aller bien loin et se dissimulait probablement dans les bois, même si elle pouvait être n'importe où. Ce pont signifiait quelque chose, à ses yeux. Elle s'y était peut-être rendue.

Emma monta dans sa Coccinelle et se dirigea vers la périphérie de la ville, très inquiète pour son amie. Perdue dans ses pensées, elle prit un virage un peu trop serré, et manqua de renverser un homme.

Elle ne l'aperçut qu'une fraction de seconde, lorsqu'il se jeta hors de sa trajectoire pour éviter de se faire percuter.

Emma immobilisa son véhicule et courut vers lui. Dans les fourrés, elle découvrit un inconnu, assis dans l'herbe, se tenant la cheville des deux mains. En la voyant, il la salua d'un signe de tête :

– Bonsoir. Belle soirée pour une promenade.

Il était grand et efflanqué. Élégant d'une façon peu commune, bien mieux habillé que la majeure partie des habitants de Storybrooke.

– Je suis désolée, s'excusa Emma. Vous êtes blessé ?

Il s'aida d'un arbre pour se relever, puis tenta de s'appuyer sur sa cheville. Elle ne semblait pas en très bon état.

– Je vais vous raccompagner chez vous, lui proposa-t-elle.

– Ça va, ça va, la rassura-t-il d'un signe de la main, se dirigeant vers la chaussée en claudiquant. Il n'y a pas de problème.

Même si, manifestement, il y en avait un, puisqu'il semblait incapable de faire plus de quelques pas.

– Vous habitez loin ?

– À environ un kilomètre. Par là.

– Vous n'allez pas pouvoir marcher pendant un kilomètre. Allons, laissez-moi vous raccompagner, ce serait ridicule de refuser.

Il poussa un soupir, paraissant revenir à la raison.

– D'accord, accepta-t-il. Très bien. Comment vous appelez-vous ?

– Mon nom est Emma Swan, se présenta-t-elle en lui tendant la main. Je suis le shérif. Je ne crois pas vous avoir déjà croisé.

– Le shérif ! s'exclama-t-il en souriant. Non, il ne me semble pas vous avoir déjà vue. Je ne sors pas beaucoup. Mais ravi de faire votre connaissance, ajouta-t-il en lui serrant la main. Je m'appelle Jefferson.

Emma fut étonnée quand Jefferson lui indiqua où il habitait. Un vieux chemin privé qu'elle n'avait jamais remarqué auparavant, non loin de l'extrême limite de la ville. Ils traversèrent un bois sur près de cinq cents mètres avant d'atteindre un portail en fer forgé, puis la maison elle-même. La demeure était impressionnante, c'était le moins que l'on puisse dire. Classique, majestueuse, gigantesque, et illuminée comme un sapin de Noël. Emma eut du mal à en croire ses yeux. Cet homme vivait dans un manoir au milieu de nulle part. Il dominait Storybrooke comme un seigneur. Comment se faisait-il qu'elle ne le connût pas ?

Elle l'aida à atteindre la porte d'entrée et accepta son invitation. Elle fut obligée de le reconnaître, cet homme l'intriguait. Elle lui avait raconté qu'elle était à la recherche d'un chien, préférant éviter d'entrer dans les détails. Il avait semblé se contenter de son histoire.

– Vous devez avoir une famille très nombreuse, supposa-t-elle, ce qui était sa façon de dire : « Comment quelqu'un peut-il avoir besoin d'une maison aussi grande ? ».

– Non, il n'y a que moi ici, répondit-il en boitant jusqu'au vestibule.

Elle le suivit jusqu'à un salon somptueux.

– Ces recherches que vous avez entreprises… dit-il. Vous êtes à la poursuite de votre chien, c'est bien ça ? Je crois que je vais pouvoir vous aider. Je sais que vous avez vos GPS et vos gadgets sophistiqués, mais je suis comme qui dirait… cartographe amateur.

Il s'affaira devant un vieux secrétaire à cylindre, puis se retourna, une carte roulée à la main. Il passa de nouveau devant elle en boitant et déroula sa feuille sur le piano.

– Celle-ci fourmille de détails sur les bois, se vanta-t-il. N'hésitez pas à vous en servir.

– Oh! s'exclama Emma en examinant la carte.

– Désirez-vous boire quelque chose? Une tasse de thé pour vous réchauffer?

Elle était captivée par le plan, non seulement pour ses incroyables détails mais aussi pour son côté artistique. Elle commença à étudier les zones qu'elle connaissait, se rappelant ses différentes rencontres. Cette carte leur aurait été d'une grande utilité quand ils s'étaient lancés à la recherche de David…

Elle leva les yeux. Jefferson avait quitté la pièce, mais elle l'entendait dans la cuisine, faisant tinter de la vaisselle. Il réapparut quelques minutes plus tard avec un plateau à thé.

– Je me suis dit que vous aimeriez vous réchauffer avant de reprendre vos recherches.

Elle s'empara d'une tasse d'un air distrait.

– Cette carte est incroyable, le félicita-t-elle en savourant son thé. Vous êtes très doué.

– Je vous remercie. C'est l'un de mes passe-temps.

– Et comment gagnez-vous votre vie? s'enquit-elle.

– Oh, je vis de choses et d'autres. J'ai énormément d'activités.

Il s'installa confortablement sur son canapé.

– Allons, asseyez-vous.

Elle jeta un dernier coup d'œil à la carte, puis prit place sur le canapé. Peut-être s'agissait-il du stress de ces derniers jours ou du manque de sommeil, mais elle se sentit soudain très fatiguée. Épuisée.

– Je crois que je ferais bien d'y aller, reconnut-elle en s'enfonçant dans le canapé.

D'un air endormi, elle leva les yeux vers lui.

– Il faut que…

– N'hésitez pas à rester aussi longtemps qu'il vous plaira.

Pour une raison inexplicable, elle laissa échapper sa tasse de thé, qui tomba sur le tapis. Elle baissa les yeux sur la tache en secouant la tête. *En temps normal, j'aurais essayé de nettoyer ça…* se dit-elle.

– Ce n'est rien, vraiment, la rassura Jefferson, sa voix résonnant dans toute la pièce.

Elle le regarda en plissant les yeux et en fronçant les sourcils. Elle avait l'impression que toute sa silhouette s'étirait.

– Qui… commença-t-elle.

Mais quelque chose n'allait pas. Elle s'effondra sur le sol, glissant du canapé, tout juste consciente qu'on l'avait droguée… qu'il avait…

– Qui êtes-vous ? parvint-elle à articuler avant qu'un voile gris s'abatte devant elle.

Elle rêva d'un homme, un père. D'un père et de sa fille.

Ils n'étaient que tous les deux.

Le père était un homme hardi, sûr de lui, puissant. Mais il se cachait, aussi. Il se cachait de la reine.

Sa fille et lui s'amusaient.

Ils étaient en sécurité.

Jusqu'au retour de la reine.

Quand Emma se réveilla, elle était seule.

Elle était dans la même pièce, à plat ventre sur le canapé, les mains liées dans le dos. Il lui fallut un moment pour se rappeler. Quand ce fut le cas, elle eut une montée d'adrénaline. Elle était en mauvaise posture. En très mauvaise posture. Elle parvint à se tortiller jusqu'au bord du canapé et à se tourner suffisamment pour constater que la tasse de thé qu'elle avait lâchée était encore là. En regardant vers la porte – elle ignorait où se trouvait l'homme –, elle réussit à se redresser et à s'asseoir, à se laisser glisser par terre et à faire tomber un coussin sur la tasse. D'un coup de talon, elle réduisit la tasse en miettes. Elle s'empara d'un éclat de porcelaine et, à tâtons, tenta de scier le lien qui lui mordait les poignets.

Il lui fallut moins d'une minute pour se libérer.

Elle se leva et regarda autour d'elle, à la recherche d'une arme. Son revolver se trouvait dans sa voiture. Elle jeta son dévolu sur un tisonnier en fer, posé à côté de la cheminée. Était-elle en état de courir ? Bien sûr. Mais cela ne lui sembla pas être une bonne idée. Elle allait se lancer à la recherche du psychopathe quand elle remarqua la présence du télescope, à la fenêtre, pointé sur Storybrooke. Après avoir jeté un nouveau coup d'œil en direction de la porte, elle regarda dans la lunette.

Elle frémit.

Le commissariat, en pleine ligne de mire.

Jefferson l'avait observée.

Elle prit une inspiration, préférant éviter pour le moment de se demander tout ce qu'impliquait sa découverte. Elle se dirigea plutôt vers le couloir, brandissant son tisonnier comme une épée.

Elle approcha d'une porte entrebâillée. Avant de l'atteindre, elle entendit des bruits, des frottements métalliques, mais ce qu'elle vit par l'interstice lui fit écarquiller les yeux : la silhouette de Jefferson dans une pièce plongée dans l'obscurité, aiguisant ce qui semblait être une immense paire de ciseaux.

Elle recula en retenant son souffle. Elle allait faire irruption dans la pièce quand elle perçut un nouveau son.

Une plainte.

Qui provenait d'un peu plus loin dans le couloir.

Décidant d'aller voir de quoi il retournait, elle s'éloigna de la pièce dans laquelle se trouvait Jefferson, se demandant s'il était vraiment judicieux de renoncer à l'effet de surprise. Mais elle entendit de nouveau la plainte, et il lui fut impossible de l'ignorer. Elle se dirigea donc vers la porte close. Cela semblait venir de cette pièce-là.

En silence, avec précaution, elle tourna la poignée et poussa la porte.

Au centre de la pièce : une chaise. Pas grand-chose d'autre. Sur la chaise, les mains liées, un bâillon sur la bouche, le regard hurlant de terreur, Mary Margaret Blanchard.

Emma se précipita dans la pièce, posa le tisonnier et ôta aussitôt le bâillon de la bouche de Mary Margaret.

— Que fais-tu là ? demanda cette dernière.

— Je pourrais te poser la même question, lui rétorqua Emma, s'efforçant de défaire les nœuds de la corde qui lui entravait les poignets. Qui est ce type ?

— Je n'en ai pas la moindre idée, chuchota-t-elle en jetant un regard vers la porte. Je courais dans les bois quand il m'a attrapée pour me conduire ici.

— Tu es blessée ?

— Non, et toi ?

— Non plus. Comment es-tu sortie de ta cellule ?

— Quelqu'un m'a glissé une clé sous mon oreiller. J'y ai beaucoup réfléchi, et je me suis dit que je risquais gros si je restais là-bas. Je ne sais pas. J'ai paniqué.

— Qui t'a donné cette clé ?

— Je l'ignore.

C'est ce type, se dit soudain Emma. C'était parfaitement logique. D'autant plus qu'il surveillait la prison. Mais pourquoi souhaitait-il leur présence à toutes les deux chez lui ?

Elle parvint à défaire le dernier nœud. Ensuite, elle se baissa pour s'occuper de la corde qui lui entravait les pieds.

— Tout ce que je sais, c'est que nous devons partir d'ici.

— Emma !

— Salut ! résonna une voix aussi glaciale que dérangeante depuis le pas de la porte.

Le shérif fit volte-face. La silhouette de Jefferson apparaissait à contre-jour dans la lumière du couloir. Il était armé d'un revolver. Celui du shérif.

— Je l'ai trouvé dans votre voiture, j'espère que ça ne vous dérange pas, déclara-t-il. Les lames, c'est un peu trop salissant.

— J'ai déjà appelé les renforts, le prévint Emma.

– Vous n'avez appelé personne. Personne ne sait que vous êtes là. Et à présent, vous allez faire tout ce que je vous dis. Rattachez-la.

Emma tenta de trouver un moyen de se tirer de ce mauvais pas, mais en vain. Il lui faudrait un peu de temps. Elle se contenta donc de hocher la tête.

– D'accord. Mais détendez-vous.

– Serrez bien, insista-t-il.

Jefferson conduisit Emma dans la pièce où elle l'avait vu occupé à aiguiser ses ciseaux. Quand ils furent à l'intérieur, il alluma et ce qu'elle vit la stupéfia.

Des chapeaux.

Plein, plein de chapeaux.

Uniquement des hauts-de-forme noirs, chacun sur une étagère individuelle éclairée par l'arrière. Au milieu de la pièce se dressait une longue table couverte de rouleaux de tissus, de ciseaux, de pinces et de pochoirs. Elle comprit alors de quoi il s'agissait : l'atelier d'un chapelier.

– J'ignore qui vous êtes et ce que vous avez en tête, dit Emma en se tournant vers lui, mais si vous lui faites le moindre mal, ou si vous vous en prenez à moi, vous ne vous en tirerez pas comme ça.

– Lui faire du mal ? Je lui sauve la vie.

– Que voulez-vous dire ?

– Elle tentait de quitter Storybrooke. Vous savez ce qui arrive à ceux qui essaient de partir, n'est-ce pas ?

– Ouais, répondit-elle. Ils partent.

– Non. Il leur arrive des choses terribles. À cause de la malédiction.

Elle secoua la tête.

– Des « choses terribles » ? Une « malédiction » ? J'ai l'impression d'entendre Henry.

– S'il parle de la malédiction, c'est un enfant intelligent. Vous feriez bien de l'écouter.

Bon, se dit Emma. *Il est complètement fou.*

– Votre visage vous trahit, lui fit-il remarquer. Je sais pour qui vous devez me prendre. Mais laissez-moi vous raconter une histoire.

– D'accord, répondit-elle, jugeant préférable de le faire parler.

De le faire parler et de le laisser parler.

– Il était une fois, commença-t-il, un homme qui n'existait que pour sa fille. Ils vivaient ensemble dans les bois, et il avait trouvé le moyen de joindre les deux bouts en faisant un peu de bricolage ici et là et en vendant de petits objets au marché. Ils n'avaient pas grand-chose, mais assez pour subsister.

– Que c'est mignon ! lâcha Emma.

Il esquissa un sourire narquois.

– C'était le cas. Mais, dans les histoires comme celle-ci, ça ne dure jamais bien longtemps, n'est-ce pas ? Évidemment, cet homme avait un passé et, bien sûr, ce passé a fini par le rattraper.

– Que faisait-il ? s'enquit-elle. C'était un maquereau à la retraite ?

– Non. C'était le propriétaire d'un objet très puissant, et très particulier. Et il savait comment s'en servir. Il avait travaillé pour une très, très méchante femme, jadis, et un jour elle est venue chez lui pour lui annoncer qu'elle avait besoin de ses services. L'objet qu'il possédait, voyez-vous, était capable d'ouvrir un passage vers un autre monde, et elle devait aller quelque part. Au Pays des Merveilles.

– Au Pays des Merveilles ? s'étonna-t-elle. Je ne l'avais pas vue venir, celle-là.

– Bien sûr que non. Contrairement à cet homme. Voyez-vous, le Pays des Merveilles est un lieu où les formes de magie les plus rares sont possibles. Et cette femme devait récupérer quelque chose qu'elle avait perdu et qui se trouvait là-bas, sous la garde de la Reine de Cœur.

– Quel en a été le prix à payer ? demanda Emma.

– Pardon ?

La question sembla le prendre au dépourvu.

– Le prix, répéta-t-elle. Il y a toujours un prix à payer.

– Vous avez raison. Oui… Eh bien, cette méchante femme lui a d'abord promis qu'il n'arriverait jamais rien de mal à sa fille. Mais le prix à payer, comme vous le faites si justement remarquer, était bien plus élevé que prévu.

– Que s'est-il passé ?

– Il s'est retrouvé pris au piège. Elle l'a trahi. Elle a obtenu ce pour quoi elle était venue et l'a abandonné au Pays des Merveilles.

– Il ne pouvait plus rentrer voir sa fille ?

Jefferson secoua lentement la tête.

– Non. Il ne le pouvait plus.

Emma décela une véritable souffrance dans son regard. *Ce type est complètement dingue*, se dit-elle.

Au même instant, il leva les yeux vers elle et lui adressa un sourire.

– Il est devenu complètement dingue, voyez-vous. Pendant qu'il était là-bas. Parce qu'il ne pouvait pas rentrer chez lui.

Emma attendit.

– Et que s'est-il passé ensuite ? voulut-elle savoir.

Il hocha la tête.

– Bien sûr, vous voulez connaître la suite. Toutes les bonnes histoires se terminent bien.

– Il n'est jamais rentré ?

– J'ai besoin de votre aide, déclara-t-il. Pour confectionner un chapeau.

Elle le dévisagea. Il la regardait comme si elle était censée savoir ce qu'il attendait d'elle.

– Pardon ?

Il dirigea le revolver un peu partout dans la pièce avant de le pointer sur sa tempe.

– Qu'en dites-vous ? demanda-t-il avant d'éclater de rire.

259

– Excusez-moi, vous m'avez enlevée pour que je confectionne un chapeau?

Il posa la main dans son dos et la guida jusqu'à un banc avant de faire le tour de la table, sans cesser de la menacer de son arme.

– Absolument, répondit-il.

– Vous n'en avez pas assez comme ça?

– Les miens ne fonctionnent pas, expliqua-t-il. Ça a toujours été le problème. Mais vous avez de la magie en vous, alors que ce monde en manque cruellement.

Je vois, se dit-elle. *Le chapeau a un rapport avec le portail. Dans son histoire.*

– J'ignore comment fabriquer un chapeau, sans parler d'un chapeau magique, s'excusa-t-elle.

– Essayez!

Elle se tourna vers lui. Il ne semblait pas aller très bien. Dans les bois, il lui avait paru sain d'esprit, mais, à présent, eh bien, on aurait dit un déséquilibré. Elle commença à prendre peur. Aussi bien pour elle que pour Mary Margaret.

Elle ramassa une paire de ciseaux et s'empara d'un morceau d'étoffe.

– Vous êtes au courant que la magie, ça n'existe pas, hein?

– Bien sûr, bien sûr, répondit-il. C'est ce dont les ignorants de ce monde semblent si convaincus. Les histoires du livre du jeune Henry ne sont que des contes de fées, et la magie n'a jamais existé.

Il éclata de rire.

– Sauf, bien sûr, quand quelqu'un a besoin qu'un miracle se produise pour lui. Je me trompe? Dans ces cas-là, les gens de ce monde adooorent croire à la réalité de la magie.

– Pourquoi parlez-vous de cette façon? demanda-t-elle. N'êtes-vous pas de ce monde?

– Bien sûr que non! lâcha-t-il, agacé par sa question. Je suis coincé ici, mais je ne suis pas d'ici. Vous n'avez pas écouté mon histoire?

– Et d'où venez-vous ?

– Je viens du même endroit que tous ceux qui sont coincés dans cette maudite ville. Vous y compris, d'une certaine façon.

Il soulignait chacun de ses mots d'un mouvement de revolver.

– Le Royaume enchanté. Et j'ai été séparé de ma fille. Il y a des malédictions de toutes sortes, mademoiselle Swan, déplora-t-il en secouant la tête.

Elle décida de jouer le jeu.

– Je croyais que tout le monde était ici, cependant, lui fit-elle remarquer. Comment se fait-il que votre fille n'y soit pas ? C'est déjà une bonne chose, non ?

– Elle est ici, déclara-t-il d'un air mélancolique. Mais elle ne se souvient plus de moi. Elle vit dans une autre famille. Elle…

La sonnette retentit.

Jefferson tourna brusquement la tête et jeta un regard dans le couloir.

– Ne bougez pas, lui intima-t-il en quittant la pièce en trombe.

Emma l'entendit verrouiller la porte de l'extérieur.

Elle regarda autour d'elle, sachant qu'elle devait signaler sa présence. C'était une chance à saisir. Une telle occasion ne se représenterait sans doute plus.

Elle l'entendit discuter quelques minutes avec quelqu'un à l'entrée. Il devait s'agir d'August. Mais elle ne pouvait pas crier, elle craignait de mettre Mary Margaret en danger.

En entendant August remettre le contact de sa moto, elle perdit tout espoir. Bientôt, le vrombissement de l'engin s'estompa et Jefferson réapparut.

– Presque ! s'écria-t-il en riant.

Elle le regarda frapper des mains à plusieurs reprises.

– Mais pas tout à fait.

Cela viendra, pensa-t-elle.

— Remettons-nous au travail, déclara-t-il. Vous et votre amie ne partirez pas d'ici tant que vous ne serez pas parvenue à me faire rentrer chez moi.

Elle travailla donc sur un chapeau pendant ce qui lui sembla durer des heures, faisant de son mieux pour lui donner la même forme que ceux qu'il avait déjà façonnés. Elle n'avait aucune idée de ce qu'elle faisait mais savait qu'une autre occasion se présenterait. D'une manière ou d'une autre. Il était trop à cran, trop déséquilibré pour mener à bien un enlèvement. Emma devait simplement faire preuve de patience et continuer à enquêter.

Quelques heures plus tard, après le lever du soleil, une ouverture se présenta.

Jefferson était allé chercher son télescope ; en le disposant près de la fenêtre, il gloussa pour lui-même avant de dire :

— Vous ne me croyez pas, hein ?

— À quel propos ?

— Au sujet de Grace, répondit-il en scrutant Storybrooke. Je vais vous montrer.

Elle reposa ses ciseaux, consciente qu'il tenait toujours son revolver à la main.

— D'accord, dit-elle en s'approchant de la fenêtre.

— La voilà. Regardez.

Emma obtempéra. À la lueur des premiers rayons du soleil, elle vit une petite pièce par la fenêtre d'une cuisine. Là, une fillette prenait son petit déjeuner avec ses parents.

— Vous pensez que c'est votre fille ? demanda-t-elle.

— Je sais que c'est elle. Ici, elle s'appelle Paige.

Emma connaissait cette fille, en fait. Elle avait déjà vu Henry lui parler, à la sortie de l'école. Elle se nommait effectivement Paige.

— Elle s'appelle Grace, dans votre monde ?

Il lui lança un regard sceptique.

– Dans ce monde qui selon vous n'existe pas?

Elle haussa les épaules. Elle savait à présent que c'était le meilleur moyen de l'atteindre. Croire.

– Je n'en suis plus si certaine. Je sais que je voudrais y croire. D'après Henry, la femme que vous détenez serait ma mère. J'aimerais bien que ce soit vrai. Mais est-ce suffisant? Je n'en suis pas sûre. Même si je reste ouverte à cette idée.

Il acquiesça, s'approcha du télescope et regarda par la fenêtre.

– Vous êtes ouverte à la foi, alors. Et permettez-moi de vous dire qu'on a intérêt quand on est séparé de son enfant.

Elle esquissa un sourire attristé.

– J'en connais un rayon sur ce sujet.

Elle retourna à la table et Jefferson s'approcha un peu plus de la fenêtre, les mains derrière le dos.

– Alors, vous savez qu'il faut parfois croire, parce que c'est le meilleur moyen de pouvoir rester sain d'esprit.

– Peut-être.

Elle fit un pas vers le télescope.

– Alors comprenez-vous, à présent, pourquoi il faut que ce chapeau fonctionne? demanda-t-il en regardant fixement la maison où vivait sa «fille».

– Oui…

Il était sur le point d'ajouter quelque chose, mais il n'en eut pas l'occasion. À cet instant précis, Emma le frappa à la tête avec le télescope et l'homme s'écroula, inconscient.

Elle récupéra son revolver et se dirigea droit vers la pièce où Mary Margaret était séquestrée. Elle fit irruption dans la salle et se jeta aussitôt à ses pieds pour la libérer.

– Que s'est-il passé? demanda la prisonnière, encore plus nerveuse à présent. Que… Emma. Emma!

Mais l'avertissement vint trop tard et Jefferson fut trop rapide. Il lui assena un coup de poing, lui faisant lâcher son arme. Il se jeta sur elle pour la plaquer au sol. Elle se cramponna à la seule chose sur laquelle elle put mettre la main, son foulard. En tirant dessus, elle fut horrifiée de constater la présence d'une énorme cicatrice tout autour de son cou.

Il la maîtrisa, tendit la main par-dessus la tête de la jeune femme et récupéra le revolver.

– Il a perdu la tête… déclara Jefferson, un sourire hystérique sur les lèvres.

Il la visa avec son arme.

Emma crut sa dernière heure arrivée.

Puis, comme au ralenti, elle vit que l'on faisait tournoyer quelque chose. Libre, Mary Margaret brandissait une arme. Un marteau de guerre.

Un maillet de croquet, en fait.

Elle atteignit Jefferson en plein milieu du dos et il s'effondra en avant, lâchant le revolver. Quand il se tourna vers Mary Margaret, elle était déjà prête à riposter. Stupéfaite, Emma la vit lui assener un violent coup de pied dans la poitrine, le faisant basculer à la renverse en battant des bras.

Directement par la fenêtre.

La vitre vola en éclats. Il poussa un dernier cri avant de disparaître.

Les deux femmes se précipitèrent vers l'ouverture pour regarder en bas.

La chute était impressionnante, car la maison était perchée sur une colline. Le regard rivé en contrebas, Emma s'attendait à voir une scène effroyable.

Mais il n'y avait rien. Personne.

Juste un haut-de-forme.

Dehors, Emma et Mary Margaret se lancèrent à la recherche de la moindre trace de sa présence. La matinée était bien avancée, à présent, et le soleil commençait à s'élever au-dessus de Storybrooke. Emma était épuisée.

– Qui était-ce? demanda tranquillement Mary Margaret en croisant les bras, apercevant Storybrooke dans le lointain.

– Un solitaire, répondit Emma en lui adressant un sourire. Ce que j'aimerais savoir, moi, c'est depuis quand tu es ceinture noire !

– Je ne sais pas ce qui m'a pris, répondit-elle en levant les yeux vers la fenêtre brisée.

Toutefois, son attention attirée par autre chose, elle dit à son amie :

– Regarde, Emma.

Celle-ci aperçut sa voiture, dissimulée sous une bâche, derrière un garage.

– Bon, shérif, poursuivit Mary Margaret, j'imagine que vous allez me ramener dans ma cellule.

Emma poussa un soupir.

– Va-t'en, lui conseilla-t-elle.

– Pardon ?

– Je ne t'en empêcherai pas.

– Ça ne va rien résoudre.

– Je ne suis pas certaine que la lecture de ton acte d'accusation va résoudre quoi que ce soit non plus, lui fit-elle remarquer. Ce qui compte, c'est que tu aies le choix. C'est à toi de décider et à personne d'autre. Tu es mon amie et, dans ma vie, mes amis sont ma seule famille.

Elle posa la main sur l'épaule de Mary Margaret.

– Je suis sincère. Je n'ai pas l'intention de t'abandonner.

Mary Margaret esquissa un sourire.

Elles se dirigèrent vers la voiture d'Emma et la débarrassèrent de sa bâche.

– Tout le monde pense que j'ai tué Kathryn, déclara l'enseignante. Mais ce n'est pas le cas. Pourtant, je crois qu'on peut venir à bout de ce problème. Je n'ai pas envie de m'enfuir.

Emma acquiesça.

– Bon choix.

Son amie n'était pas encore sortie d'affaire, loin de là ; mais, sur le trajet du retour, Emma se sentit gagnée par une nouvelle sérénité. Elles gardèrent toutes les deux le silence.

Mary Margaret regardait dehors, le front appuyé sur la vitre, comme si elles partaient en vacances en famille, Emma étant la mère, et qu'elles arrivaient à destination après un long voyage. Emma croyait son amie. Elle croyait en son innocence et la savait incapable de faire le moindre mal à Kathryn. Elles étaient ensemble dans cette affaire, pour le meilleur et pour le pire.

– Alors, tu penses qu'il était fou ? demanda Mary Margaret sans se retourner.

Emma aurait voulu lui dire qu'elle en était persuadée, mais elle savait que l'enseignante ne se contenterait pas de cette réponse. Pendant un moment, elle avait entretenu l'idée que tout ce qu'il lui avait raconté était vrai, que les histoires de Henry n'étaient pas que des contes de fées. En fait, elle aurait bien voulu que ce soit le cas, mais son bon sens l'avait convaincue que c'était idiot. Pour la première fois, en revanche, elle comprit à quel point Mary Margaret aurait aimé pouvoir croire qu'elle avait rencontré le grand amour, qu'elle avait une fille et un passé plein d'amour. Cela avait certainement quelque chose de très séduisant.

– Oui, répondit-elle doucement.

– Ouais, confirma son amie, se tournant enfin vers elle. Moi aussi.

TROISIÈME PARTIE

RETROUVAILLES

CHAPITRE 14

DANIEL

ls purent amener Mary Margaret à temps au palais de justice. Ensuite Emma, le cœur lourd, dut de nouveau l'enfermer dans sa cellule. La situation se présentait plutôt mal : le juge avait déterminé que les preuves étaient suffisantes pour engager un procès pour homicide. Mary Margaret ne disait rien. Elle était désormais accusée du meurtre de Kathryn.

– On est toutes les deux épuisées, dit Emma. Dors. Je vais rentrer me coucher. Je reviens dans quelques heures.

Son amie acquiesça, la tête baissée.

– Sois confiante, Mary Margaret. Sois confiante.

Emma descendit lentement la rue principale, les idées confuses, usée après les montées d'adrénaline et l'excitation de la nuit au manoir de Jefferson. Plutôt que fatiguée, cependant, elle se sentait tendue et inquiète. Elle doutait de pouvoir dormir. Elle envisagea d'aller faire un tour, de retourner au pont, à la recherche d'un nouvel indice. Tout pour faire sortir Mary Margaret de là. Mais quand elle aperçut Henry au *diner*, prenant un chocolat chaud avant d'aller en classe, elle ne put s'empêcher de sourire et pénétra dans l'établissement. Parfois, la réalité était trop difficile à supporter.

– Salut, toi. Ça fait plaisir de te voir.

– Je sais pourquoi tu es là, lui assura Henry. Pour que je te raconte une histoire.

– Peut-être bien, reconnut-elle en commandant un café d'un signe de tête à Ruby.

Pendant que le garçon fouillait dans son sac, Emma repensa à ce qui lui était arrivé avec Jefferson, quand il lui avait demandé d'accepter la réalité de toutes ces histoires. Même si elle avait fait semblant, elle y avait tout de même cru, l'espace d'un instant. Et cela lui avait fait du bien.

– T'es-tu déjà demandé pourquoi Regina haïssait à ce point Blanche-Neige?

Elle aurait préféré qu'il lui parle de Jefferson, ou du Chapelier fou, mais elle n'avait pas l'intention de l'encourager. Cela ne la dérangeait pas qu'il lui raconte des histoires, mais elle préférait éviter de l'y inciter.

– Ça remonte à très loin, commença Henry en désignant une illustration dans son livre. Ça remonte à l'adolescence de Regina, quand elle était amoureuse d'un garçon d'écurie.

– Regina est capable d'éprouver de l'amour?

– Ha, ha! fit-il mine de rire.

Je suis trop dure avec ce gamin, se dit-elle. C'était Regina qui l'avait élevé, après tout. Ce n'était pas aussi simple qu'elle voulait bien le croire.

– Bon, et que s'est-il passé avec ce garçon d'écurie? voulut-elle savoir. Et quel est le rapport avec Blanche-Neige?

– La mère de Regina était très, très méchante. Et elle avait des pouvoirs magiques. Issue d'une famille de paysans, elle avait épousé un riche seigneur et s'était mis en tête que Regina devait se marier avec un homme riche et puissant. Et puis un jour, alors que Regina se promenait à cheval, une fillette lui est passée devant en trombe, sa monture s'étant complètement emballée. Devine qui c'était.

– Hmm… Blanche-Neige?

– Exactement! s'écria Henry. Et Regina l'a sauvée. Le père de Blanche-Neige, le roi, était si heureux qu'il a demandé Regina en mariage.

– Oh! Ça signifie que c'était fichu pour le garçon d'écurie.

– En quelque sorte, confirma-t-il en lui montrant une autre illustration représentant deux jeunes amoureux dans une écurie, tous deux visiblement terrifiés par une femme à l'air maléfique.

— Sauf que Regina a tenté de refuser pour pouvoir rester avec le garçon d'écurie, et que sa mère l'a tué devant elle.

Emma fronça les sourcils.

— Bon sang, c'est horrible. Il est vraiment pour les enfants, ce livre ?

— Il est pour tout le monde.

— Mais je ne comprends toujours pas pourquoi Regina haïrait Blanche-Neige. Quel est le rapport ?

— C'est Blanche-Neige qui a révélé par accident l'existence du garçon d'écurie à la mère de Regina, annonça Henry d'un ton sinistre. Alors Regina lui a toujours reproché la mort de l'amour de sa vie.

— C'est... incroyablement triste.

Elle avait d'autres questions à lui poser, ne serait-ce que pour savoir ce qu'il était advenu de Regina, mais son attention fut attirée par un certain vacarme devant le *diner*. Quelques personnes couraient dans la rue, et un attroupement semblait s'être formé sur le trottoir d'en face. Emma se leva en plissant les yeux.

— Attends-moi ici, lui ordonna-t-elle avant de s'élancer vers la porte puis de traverser la rue.

Il y avait une vingtaine de badauds rassemblés autour de quelque chose, mais elle ne pouvait voir de quoi il s'agissait.

— Que se passe-t-il ? demanda-t-elle en s'approchant. Qu'est-ce que...

Elle s'interrompit, stupéfaite.

C'était impossible.

Pourtant, c'était bien elle.

Amaigrie et en haillons, le regard rivé sur les gens qui s'étaient agglutinés autour d'elle, le visage et les vêtements couverts de terre, Kathryn était assise par terre.

Vivante.

L'ambulance arriva quelques instants plus tard, et Emma envoya Kathryn à l'hôpital. Avant de s'y rendre elle-même, elle avait quelque chose à faire. Elle se dirigea droit vers le commissariat.

À son arrivée, Mary Margaret était assoupie sur sa couche, mais elle la vit remuer en approchant de la porte.

– Qu'est-ce qu'il y a? demanda la prisonnière en voyant Emma arriver à grands pas.

– Tu es libre, lui dit-elle. J'abandonne toutes les poursuites contre toi. Kathryn est en vie.

– Elle est… quoi? demanda-t-elle en se redressant, l'esprit encore embrumé. Tu as le droit de faire ça?

– Je n'en sais rien, reconnut Emma, mais je le fais quand même.

– Comment peut-elle être vivante?

– Elle est en vie parce qu'elle n'a jamais couru le moindre danger. Aucun danger réel, du moins.

Ce n'était pour le moment qu'une intuition, mais elle commençait à prendre forme lentement dans son esprit.

Le shérif ouvrit la cellule et Mary Margaret en sortit.

– Rentre. Va te reposer et prendre une bonne douche. Il me reste beaucoup de réponses à trouver, mais une chose est certaine, tu n'as tué personne.

– Mais tu le savais déjà, ça.

– Oui, c'est vrai.

Emma arriva à l'hôpital, à l'autre bout de la ville, alors que le docteur Whale finissait d'ausculter Kathryn. David était présent, assis devant sa chambre. Il n'avait pas l'air bien.

– Comment va-t-elle? demanda la jeune femme.

Il leva les yeux et hocha la tête.

– Je crois que ça va. Je n'en sais rien. Tout ça…

Il s'interrompit.

– Et toi, comment ça va?

– Je ne sais pas. Je suis content. Triste. Perdu. En tout cas, je suis vraiment soulagé qu'elle soit en vie.

– Voilà qui a le mérite d'être franc, en tout cas.

– Tu sais… tu sais comment va Mary Margaret?

– Elle va bien. Elle aussi est soulagée, évidemment. Mais je crois que ça l'a pas mal traumatisée, toute cette histoire. Comme tu peux l'imaginer.

– Je voudrais lui parler, dit-il.

– Je me doute.

– Alors, qu'est-ce que je fais? demanda-t-il en comprenant qu'elle n'en dirait pas davantage.

– Peut-être que le mieux, pour l'instant, serait de ne rien faire.

Elle s'abstint de lui rappeler ce qu'il savait déjà: Mary Margaret ne souhaitait pas le voir. Pas après qu'il lui eut montré qu'il n'avait aucune confiance en elle.

Il hocha la tête.

Il avait compris. Il ne souhaitait certainement pas y penser, mais il avait compris.

Elle entra dans la chambre de Kathryn.

Le docteur Whale était auprès d'elle et lui parlait mais Emma se rendit soudain compte qu'il lui parlait de sa montre.

– … la seule qui n'ait encore aucune pièce japonaise. Et elle est plus chère parce que…

Qu'est-ce qui lui prend, à ce type? se demanda-t-elle.

Le médecin s'interrompit en remarquant la présence d'Emma.

– Shérif Swan, l'accueillit-il.

Il fit un geste en direction de Kathryn.

– Elle a repris connaissance, comme vous pouvez le constater.

Emma ne tint aucun compte de lui et s'approcha du lit.

– Kathryn, c'est moi, Emma Swan, déclara-t-elle. On s'est croisées lors de la soirée donnée en l'honneur du retour de David.

– Je m'en souviens, répondit-elle. Vous êtes le shérif. Et la colocataire de Mary Margaret.

Était-ce du mécontentement, dans le ton de sa voix?

– C'est exact, mais je ne suis pas là pour avantager l'une ou l'autre. Je ne veux pas vous prendre tout votre temps, mais si vous pouviez vous rappeler ce qui vous est arrivé, ou si vous pouviez nous aider d'une manière ou d'une autre…

Kathryn hocha la tête.

– Je ne me souviens pas de grand-chose, reconnut-elle. J'ai eu un accident de voiture. L'airbag s'est déclenché. Ensuite, tout ce que je sais, c'est que j'étais dans le noir, dans une sorte de sous-sol. Je n'ai vu personne, mais il y avait de quoi boire et manger. Sinon, je ne sais pas. J'imagine qu'on m'a droguée.

Le docteur Whale acquiesça.

– On essaye d'éliminer tout ça de son organisme, confirma-t-il. Elle a été droguée. Absolument.

– Je me suis réveillée dans un champ, à la périphérie de la ville, et je suis revenue à pied. C'est tout ce que je peux vous dire.

– Vous n'avez vu personne? insista Emma. Vous n'avez entendu aucune voix, senti aucune odeur? Du parfum? Aucun détail?

– Rien! Je regrette de ne pas être en mesure de vous aider davantage, surtout que depuis… mon départ, tout le monde m'a crue morte? N'est-ce pas?

Emma se tourna vers le médecin.

– Qui lui a raconté ça?

Il haussa les épaules.

Ce que je ne l'aime pas, lui! se dit Emma.

– J'ai pensé qu'elle aimerait savoir, se défendit-il. Elle finira bien par lire dans la presse ce qui s'est passé avec son cœur, non?

– Pardon? demanda Kathryn. Mon cœur?

– Inutile de vous inquiéter avec ça pour le moment, la rassura aussitôt Emma, ne voyant pas vraiment comment elle allait pouvoir lui expliquer que son cœur avait été retrouvé dans une boîte. Le plus important, c'est que vous n'ayez plus rien à craindre.

– Même si on a à présent la certitude que quelqu'un a falsifié les résultats d'ADN.

– Les résultats d'ADN? répéta Kathryn. De quoi parlez-vous? Je ne comprends vraiment pas.

– Ne vous inquiétez pas, tenta de la rassurer le docteur Whale. Le vôtre est toujours en place. La police a trouvé un cœur, et on pensait qu'il s'agissait du vôtre.

Génial! se dit Emma.

Atterrée, la rescapée se tourna vers Emma.

– Qui a pu faire une chose pareille?

– Quelqu'un qui a tenté de piéger Mary Margaret. On ignore de qui il s'agit. Pour le moment.

Kathryn secoua la tête.

– Pourquoi? Pourquoi quelqu'un voudrait-il faire ça?

– Nous ne le savons pas. Pas encore.

Cette nuit-là, la fête donnée en l'honneur de la libération de Mary Margaret attira beaucoup de monde. Même August avait été invité.

Emma savourait un verre de punch, regardant August se mêler à la foule, se demandant qui était cet homme récemment arrivé en ville. Elle avait du mal à le cerner.

Elle s'approchait de lui quand Henry et Mary Margaret se présentèrent ensemble au centre de la pièce. Le garçon annonça alors à l'institutrice qu'il avait une carte à lui remettre. De la part de toute sa classe, et il y était inscrit: « Nous sommes très contents que vous n'ayez pas tué Mme Nolan. »

– Eh bien, merci beaucoup, Henry, dit-elle en acceptant le message sans sourciller. Tu peux annoncer à tout le monde que je vais bientôt revenir.

– Je vous ai aussi trouvé une cloche, poursuivit-il en lui tendant une petite boîte. Pour la classe.

Emma esquissa un sourire. Quand elle leva les yeux, elle constata que Gold l'observait. D'un signe de tête, il lui indiqua un coin reculé de la pièce. Elle l'y suivit.

Elle décida aussitôt de jouer franc-jeu avec lui :

– J'ignore ce que vous avez comploté avec Regina, mais je sais que cette histoire n'est pas aussi limpide que vous aimeriez me le faire croire. C'est vous deux qui êtes à l'origine de tout ça. Je ne sais pas comment ni pourquoi, mais je sais que vous tramez quelque chose.

– Qu'est-ce qui vous fait croire que j'aie pu passer un marché avec Regina ?

– Je n'en sais rien. Disons qu'il s'agit d'une intuition.

– Les intuitions n'ont jamais constitué des preuves, lui fit remarquer Gold. Et vous êtes un représentant de l'ordre.

– C'est vous qui avez fait réapparaître Kathryn de nulle part ?

– À vous écouter, je serais doté de pouvoirs magiques, la railla-t-il.

– On dirait parfois que c'est le cas, se défendit-elle.

– Je ne comprends pas. Seriez-vous en train de prétendre que je travaille à la fois avec et contre Regina ?

– Je ne sais pas. Vous jouez peut-être sur les deux tableaux.

– Peut-être. Il est toujours difficile de le savoir, avec moi, hein ?

– Ah ça, oui !

– Permettez-moi de vous poser une question qui n'a aucun rapport : que pensez-vous de cet étranger ? De cet August ? Vous lui faites confiance ?

Elle se tourna vers l'intéressé, et Gold l'imita.

– Je commence.

– Il s'appelle «August Wayne Booth», déclara Gold. Il s'agit manifestement d'un faux nom.

Emma garda le silence un long moment avant de répliquer :

– Les écrivains utilisent souvent des pseudonymes. Je ne m'inquiète pas trop à cause de lui.

– Vous lui faites confiance, alors.

– Je ne sais pas encore. Mais nettement plus qu'à vous, en tout cas.

– Oh, vous feriez bien d'avoir un peu plus confiance en moi, mademoiselle Swan. Je tiens toujours parole.

– C'est vous qui le dites.

– Parce que c'est vrai.

Le lendemain matin, Emma se trouvait au *diner*, tentant de savourer tranquillement une tasse de café pour la première fois depuis la libération de Mary Margaret. Elle en ignorait la raison, mais elle ne se sentait pas aussi soulagée qu'elle l'aurait cru. Bien sûr, son amie était hors de danger, et Kathryn en sécurité, mais Emma en avait trop vu, et deviné trop de relations à double tranchant pour penser que l'ordre était complètement revenu à Storybrooke. Tout au contraire, elle savait à présent dans quel chaos la ville était plongée. Et, apparemment, Sidney Glass, l'ancien rédacteur en chef du *Miroir*, était de nouveau ivre à huit heures du matin. Il était à la table la plus éloignée, dans un angle de la salle.

Elle secoua la tête, espérant qu'il ferait quelque chose qui l'obligerait à l'enfermer dans une cellule. Il prétendait que Regina l'avait renvoyé à cause de l'élection, mais Emma soupçonnait de ne pas connaître tous les détails de l'histoire. Mais elle était certaine que Sidney en pinçait pour Regina. Elle avait déjà cru le deviner quand il s'était mis à divaguer, lors de ses différentes arrestations, ces derniers jours, à propos d'«elle» ou de «cette femme». Il n'avait jamais véritablement révélé l'identité de celle à qui il faisait allusion, mais c'était évident, surtout après avoir été de bon cœur le petit toutou du maire. Ils semblaient tous les deux s'être brouillés, mais Emma n'avait aucune confiance en lui, et ce n'était pas près de changer.

Malheureusement, Glass ne tarda pas à la voir et il s'approcha de sa table en titubant avant de prendre place sur la banquette.

– Monsieur Glass, le salua-t-elle. Ce n'est probablement pas le meilleur moment pour s'enivrer.

– Il n'y a pas d'heure pour se saouler.

Il hocha la tête, comme pour se persuader du bien-fondé de cette idée.

– Que voulez-vous?

– Je voudrais vous expliquer que cette ville renferme toutes sortes de secrets.

– Ce n'est pas un scoop. Mais je vous remercie du tuyau.

– Je ne suis pas certain que vous les connaissiez tous. Ne soyez pas trop sûre de vous.

– Laissez-moi deviner, lui dit-elle. Vous êtes sur le point de m'en révéler quelques-uns.

– Un, peut-être. Un ou deux. Je sais ce que vous croyez: c'est Regina qui a fait quelque chose à cette fille. Et je sais aussi ce dont vous êtes également persuadée: Gold est lui aussi impliqué dans cette affaire. Je me trompe?

Emma garda le silence, se contentant de le regarder fixement.

– On dirait que non… Je suis simplement heureuse que Kathryn soit en vie, Sidney, déclara-t-elle en se levant. Et j'espère que vous allez prendre un peu soin de vous, vous aussi.

Elle lâcha sur la table deux billets d'un dollar, qu'il contempla d'un air absent.

– L'espoir est éternel, déclara-t-il sans quitter les billets des yeux. Il le faut.

– L'espoir, c'est bien beau, lui fit-elle remarquer, mais je préfère les preuves. Et la vérité.

Il acquiesça.

– Une dernière chose, mademoiselle Swan.

– Oui?

– La situation ne va pas tarder à changer. Une fois de plus. Vous obtiendrez votre vérité. Mais une autre information vous semblera digne d'intérêt.

– Parle-t-on toujours de Kathryn?

Il secoua la tête.

– Non. On parle des passe-partout.

Emma haussa les sourcils.

– Je vous écoute.

– Il y en a un jeu. C'est Regina qui l'a. Il ouvre toutes les portes de la ville.

– C'est ridicule.

– Je sais. Mais ça ne signifie pas pour autant que c'est faux.

– Pourquoi me dites-vous ça?

Il soupira et baissa de nouveau les yeux sur la table.

– Je ne sais pas, mademoiselle Swan. Je suis tiraillé.

– À quel sujet?

– À propos de beaucoup de choses, soupira-t-il. À bientôt.

Mary Margaret n'avait pas eu beaucoup de temps pour réfléchir depuis sa libération, et elle avait passé le lendemain de la soirée organisée en son honneur à faire du ménage, à se reposer et à essayer de comprendre ce qui s'était passé les jours précédents. Elle ne pensait qu'à David. Évidemment. Il l'avait trahie si facilement, il se dérobait tellement souvent… Pourtant, à de nombreuses reprises, elle lui avait montré à quel point elle avait confiance en lui. Et que lui avait-il donné, en retour? De l'hésitation. Du doute. De la suspicion. Elle le savait bien, il vaudrait mieux qu'elle lui parle, mais elle ignorait quand et quoi lui dire.

David précipita les événements en se présentant devant chez elle, ce soir-là.

Quand elle sortit de son appartement, à la tombée de la nuit, il vint à sa rencontre avant qu'elle ait pu fermer sa porte.

Elle n'eut presque aucune réaction en le voyant. Elle se tourna vers lui, le regard vide.

– Va-t'en, dit-elle enfin.

– Il faut que je te parle.

– Eh bien, vas-y, répondit-elle avec une certaine impatience. Elle fouilla dans son sac.

– Je dois te présenter mes excuses.

– Ah ça, oui !

– J'ai compris. Je ne t'ai pas crue, alors que j'aurais dû.

Mary Margaret poussa un soupir et cessa de fouiller dans son sac. Elle trouva les bonnes paroles assez facilement, en fait. Le message était très simple :

– Je n'oublierai jamais ce moment. Quand on se prend un tel coup sur la tête et que la seule personne que l'on pense pouvoir vous soutenir s'en va…

– Je suis vraiment désolé, s'excusa-t-il.

– Tu aurais dû me croire. Peu importent les apparences.

– Je suis humain, répliqua-t-il. C'était une belle machination. J'ai commis une terrible erreur. Je n'ai pas eu confiance.

Mary Margaret secoua la tête et regarda derrière David, en direction de l'horloge de la tour du centre-ville.

– J'ai parfois l'impression que des forces essaient de nous séparer.

– Quel genre de forces ? demanda-t-il.

– Je n'en sais rien, répondit-elle en haussant les épaules.

Elle aurait certes pu citer des noms, mais sans doute était-ce un peu trop facile. Un prétexte pour sauver une relation sans avenir.

– Tout ce que je sais, c'est que chaque fois qu'on se rapproche l'un de l'autre, un poison semble s'instiller entre nous. On a passé de bons moments, et je ne veux pas les remplacer par de mauvais. Par ce sentiment.

– Mais Mary Margaret, je… je t'aime.

Ses paroles n'eurent pas l'effet escompté. Elles n'avaient plus la même signification.

– Je le sais, répondit-elle. Et c'est ce qu'il y a de plus triste.

Emma était exténuée. Ces derniers jours, elle avait été à deux doigts de toucher au but. Incroyablement proche de la vérité, elle avait pourtant été incapable de l'atteindre. Plus rien de ce qui avait trait au cœur enfermé dans la boîte à bijoux n'avait de sens. À l'exception d'une seule explication : Regina. Emma ne comprenait ni ce qui aurait pu la motiver, ni les moyens employés, mais elle commençait à bien la connaître.

Il était à peu près quatre heures quand madame le maire en personne se présenta au commissariat. Emma fut surprise de la voir, et encore plus d'entendre ce qu'elle avait à lui dire :

– Je vais vous donner des informations capitales sur votre affaire, mais, avant, je voudrais que vous en compreniez bien toutes les circonstances.

– J'ai hâte.

Regina hocha la tête. Emma avait peine à le croire. Après tant de mois de conflit avec cette femme, voilà qu'elle venait la voir pour se rendre ? Elle ne l'imaginait pas un seul instant, mais cette situation la réjouissait au plus haut point.

– Sidney ! appela le maire en se tournant vers la porte. Venez, à présent.

Le ravissement d'Emma fit place à un certain désarroi en voyant Sidney Glass entrer dans son bureau, tête basse. Regina l'attendit, un bras tendu, comme une mère obligeant son fils à s'excuser auprès d'une voisine.

– Bon, Sidney, lui dit-elle, répétez au shérif ce que vous m'avez raconté.

Il leva les yeux d'un air penaud.

Bon sang, mais qu'est-ce qui se passe ? se demanda Emma.

– C'est moi qui l'ai fait, avoua-t-il.

Le shérif attendit.

Puis se tourna vers Regina, derrière Sidney.

– C'est vous qui avez fait quoi ?

– C'est… c'est moi qui ai enlevé Kathryn. Je l'ai détenue dans le sous-sol d'une maison abandonnée, près du lac. J'ai soudoyé un technicien du laboratoire pour qu'il me fasse parvenir un cœur de l'hôpital et qu'il falsifie les résultats d'analyse.

Emma était stupéfaite. Elle en avait perdu la voix.

— Et ensuite? insista Regina pour le pousser à poursuivre.

— J'ai emprunté le passe-partout de Regina pour dissimuler le couteau chez vous.

— Mes clés… soupira Regina en secouant la tête. Je ne peux m'empêcher de me sentir personnellement trahie…

Emma retrouva enfin la voix.

— Et vous voulez me faire croire que vous avez fait ça… dans quel but?

Il était impossible qu'il ait dit vrai. Elle repensa au moment où elle avait vu Sidney, un matin au *diner*. Il y avait quelque chose entre ces deux-là. Un amour non partagé, un accord financier ou quoi que ce soit d'autre, mais quelque chose.

— J'avais pour projet d'être celui qui allait la sauver, déclara-t-il faiblement. J'aurais eu un scoop à raconter et j'aurais pu réintégrer le journal. Écrire un livre, en faire un film…

Il haussa les épaules, puis Emma eut l'impression de deviner un sourire au coin de ses lèvres.

— Ç'aurait été le moyen de devenir célèbre, j'imagine. C'était idiot. C'était… Je sais que ça peut paraître dingue.

— Oh, je ne sais pas si c'est dingue, répliqua Emma. Mais c'est faux. Toute cette histoire n'est qu'un mensonge.

— Je peux vous conduire jusqu'à la maison. En bas, au sous-sol, vous y trouverez des chaînes et tout le reste. Des tas d'empreintes, des indices partout.

Les larmes lui montaient aux yeux.

— Je peux vous parler? demanda-t-elle à Regina avant de se lever. Sidney, restez là.

Elle sortit du bureau, suivie de Regina. Après en avoir fermé la porte, elle se tourna vers le maire, les bras croisés, et déclara:

– Voilà les plus grosses conneries que j'aie jamais entendues.

– Je suis certaine du contraire, rétorqua Regina.

– Ce pauvre homme… Je sais que vous êtes derrière tout ça et que vous tirez les ficelles. Vous avez mis tout un stratagème en place. Mais j'ai l'intention de jouer à un tout autre jeu, Regina. Et celui-là, vous allez le perdre.

Le maire s'apprêta à répondre, mais, furieuse, Emma l'en empêcha.

– Tout ce dont je me soucie, c'est de mon fils, Regina. Je me moque de savoir ce qui vous arrive et ce qui m'arrive. Vous êtes une sociopathe. Vous vous êtes donné du mal pour éloigner de moi quelqu'un que j'aime, et à présent c'est mon tour.

Son interlocutrice recula d'un pas. Emma eut la satisfaction de la voir saisir son message et en comprendre la signification. Regina posa ses doigts sur une babiole qu'elle portait autour du cou et la tordit entre ses doigts. *Elle est effrayée*, comprit Emma.

– Je récupère mon fils, Regina. Et vous ne pourrez rien y faire.

CHAPITRE 15

LA PROMESSE DE PINOCCHIO

'était le jour où Mary Margaret devait reprendre le travail. Ce matin-là, Emma fut étonnée de voir August passer chez elle pour installer un nouveau verrou, pour le moins impressionnant, sur la porte d'entrée. Apparemment, c'était Henry qui le lui avait suggéré. Ils passaient beaucoup de temps ensemble, tous les deux. Et, malgré sa présence mystérieuse en ville et sa façon de lui sourire dès qu'elle ouvrait la bouche, elle commençait à s'y faire. Elle trouvait qu'il n'était pas ridicule de changer de serrure ; l'épisode du couteau dissimulé lui était resté en travers de la gorge.

La prochaine étape, avait-elle décidé la veille après sa confrontation avec Regina, serait de demander à Gold de monter un dossier juridique contre Regina afin d'obtenir la garde de son fils. Avec la ferme intention de jeter un peu de lumière sur la disparition de Kathryn. Elle était là pour Henry, pour l'élever. Il n'y avait plus aucune raison pour que le garçon continue à vivre chez le maire. Cette femme était le mal incarné. Emma ne voyait aucune autre façon de le dire.

– Tu te sens prête ? lui demanda Mary Margaret. Pour t'occuper de lui ? Si tu gagnes ?

Emma se tourna vers elle sans lui répondre, avant de reporter son attention sur la porte.

– On dirait une serrure de château fort, fit-elle remarquer en observant l'énorme verrou quand August eut terminé de l'installer.

Il étudia fièrement la porte, puis hocha la tête.

– Personne ne pourra rentrer, déclara-t-il.

Au même instant, la voix de Henry grésilla dans le talkie-walkie d'Emma.

– Code rouge, code rouge! Urgence pour l'opération Cobra! s'écria-t-il.

– Que se passe-t-il? demanda-t-elle dans l'émetteur.

– Rendez-vous au commissariat! hurla-t-il.

Elle haussa un sourcil et se tourna vers Mary Margaret.

– Le devoir m'appelle. Bonne chance.

August lui emboîta le pas, puis dehors, lui demanda si cela ne la dérangerait pas qu'il l'accompagne. Emma, qui marchait d'un pas soutenu, lui lança un regard interloqué.

– Pourquoi?

– Je pensais que vous ne croyiez pas à cette opération Cobra, expliqua-t-il en s'efforçant de suivre son rythme.

Il boitait légèrement. Cela faisait plusieurs fois qu'elle le remarquait. Elle ne savait pas vraiment qu'en penser.

– Je n'y crois pas, confirma-t-elle. Mais c'est un moyen de communiquer avec lui.

Il acquiesça.

– Vous savez qu'une bataille juridique contre Regina ne changera rien, n'est-ce pas?

– Vous êtes venu pour installer un verrou ou pour me donner des conseils?

– Vous devez essayer d'avoir une vision d'ensemble, Emma. C'est la seule manière de comprendre ce qui vous attend contre Regina.

– Vraiment? Comment vous savez ça, vous, le petit nouveau?

– Je ne peux pas vous le dire. Prenez votre journée. Laissez-moi vous montrer.

– Pour quoi faire? Vous allez me faire des tours de magie?

– Non. Pas du tout. Je vous demanderai simplement de faire acte de foi.

– Ah ouais? On va encore boire un peu d'eau?

– Non. On va faire quelque chose d'un peu plus sérieux, cette fois. Quelque chose d'important.

Emma fit une halte et il s'immobilisa à son tour.

– Qui êtes-vous? voulut-elle savoir. Vraiment?

– Un simple citoyen inquiet.

– C'est ça, August. C'est ça.

Ils se turent pendant le reste du trajet. Elle en avait assez de ses remarques énigmatiques et aurait préféré qu'il crache le morceau et lui révèle ce qu'il savait une fois pour toutes. Parce qu'il était au courant de quelque chose. Cela commençait à la contrarier sérieusement.

En arrivant au commissariat, ils trouvèrent Henry derrière le bureau d'Emma. Il avait ouvert son livre et l'étudiait attentivement.

– Qu'y a-t-il de si urgent? lui demanda-t-elle.

– Il y a une nouvelle histoire dans le livre! s'écria-t-il.

Elle s'approcha avant de se pencher sur l'ouvrage.

– Comment est-ce possible?

– Quelqu'un a dû l'ajouter pendant que je ne l'avais plus. Je ne sais pas. Peut-être qu'on essaie de nous en dire plus sur la malédiction.

– De quoi parle-t-elle, cette histoire? voulut-elle savoir.

Le garçon se tourna vers August avant de reporter son attention sur le livre.

– De Pinocchio. Mais elle n'est pas terminée.

– Allons, Henry, dit-elle. Je vais t'accompagner à l'école.

Elle lança à August un regard qui signifiait: «Il est temps pour vous de partir», puis aida le garçon à rassembler ses affaires.

– Tu me raconteras tout ça sur le chemin.

– August est Pinocchio! s'exclama Henry. Tu ne trouves pas ça évident?

– Euh… non, répondit Emma.

– Et pourquoi crois-tu qu'il boite ?

– Parce qu'il s'est fait mal à la jambe ?

– Non, répondit-il en secouant la tête. C'est parce qu'il se transforme de nouveau en pantin de bois. Maintenant qu'il est coincé dans un monde où il n'y a pas de magie.

Emma hocha la tête.

– Tu as raison. Il n'y a pas de magie, dans ce monde-ci.

– D'où ses problèmes.

Il lui raconta succinctement l'histoire de Pinocchio, qui lui sembla assez familière : la marionnette, Geppetto, la baleine, et ainsi de suite, jusqu'à ce qu'il arrive au moment où la Fée bleue lui demande de concevoir une armoire magique susceptible de servir de portail pour échapper à la malédiction de la Méchante Reine.

– Attends un peu ! l'interrompit-elle. Cette histoire est liée aux autres ?

– Bien sûr, elles le sont toutes. Et ils ont eu besoin de Geppetto pour fabriquer l'armoire qui vous aurait permis d'échapper à la malédiction, à Blanche-Neige et à toi. Mais il en a profité pour y glisser Pinocchio, pour le mettre lui aussi en lieu sûr. Il lui a fait jurer de prendre soin de toi.

– Je vois. Rien que la petite Emma et le petit Pinocchio…

– Je crois qu'il est un peu plus âgé que toi.

Elle soupira.

– Tu as raison, confirma-t-elle en lui tapotant l'épaule. J'avais remarqué quelques cheveux blancs.

Emma déposa Henry à l'école avant de regagner son bureau, prenant le temps d'adresser un sourire à Mary Margaret. Celle-ci le lui rendit, puis demanda au garçon :

– C'était bien, cette promenade avec Emma ?

– Elle ne croit jamais à mes histoires, se plaignit-il. Mais sinon, oui.

Mary Margaret hocha la tête, cherchant quelque chose à lui dire pour détourner son attention de son livre. Elle se sentait coupable de le lui avoir offert, mais il en tirait un tel plaisir... Elle ignorait si c'était un bien ou un mal.

– Oh, mince! s'exclama Henry en jetant un coup d'œil dans son sac à dos.

Il leva les yeux vers l'enseignante.

– J'ai oublié mon déjeuner chez moi.

Génial, se dit-elle.

– Pas de problème, le rassura-t-elle. Le cours ne commence que dans un quart d'heure. Je vais faire prévenir ta mère.

Elle le fit entrer dans la classe puis s'éloigna, imaginant tout ce qu'elle pourrait dire à Regina.

Madame le maire se présenta à l'école quelques minutes seulement avant que retentisse la sonnerie. Mary Margaret la regarda approcher.

– Je constate que vous êtes de retour, lui dit Regina.

– En effet. Ne vous en déplaise.

Le maire ne montra aucune réaction et, après avoir dévisagé un moment l'institutrice, elle lui demanda:

– Il y a un problème, mademoiselle Blanchard?

– Il n'y en a plus. Même si quelqu'un s'est donné énormément de mal pour faire croire que j'avais commis une horreur. Mais cette personne a échoué, dit-elle en esquissant un sourire, donc tout va bien.

– Seriez-vous en train d'insinuer quelque chose?

– Absolument. Mais je vous pardonne. Même si vous ne pouvez pas reconnaître ce que vous avez fait.

Elle secoua la tête face au regard implacable de Regina.

– Vous devez vous sentir bien seule si votre unique plaisir consiste à anéantir le bonheur des autres. C'est vraiment triste, madame le maire, parce que, en dépit de ce que vous pouvez croire, ça ne vous rendra pas heureuse pour autant. Ça vous laissera au contraire un trou béant dans le cœur.

Mary Margaret crut déceler quelque chose, un léger vacillement dans le regard de Regina, mais cela s'estompa aussitôt.

– Je vous souhaite une bonne journée, mademoiselle Blanchard, dit enfin Regina. On se reverra bientôt, j'en suis certaine.

Elle s'éloigna au moment même où la sonnerie retentissait.

Après avoir quitté l'école, Emma se dirigea droit vers la boutique de M. Gold. Elle avait la ferme intention de mettre son plan à exécution, afin d'obtenir définitivement la garde de Henry. Elle craignait que cela puisse perturber le garçon et savait que Regina jetterait toutes ses forces dans la bataille ; mais quelque chose dans son attitude, la veille, lui laissait penser qu'il n'y avait plus de temps à perdre. Avait-elle en partie fait tomber son masque et montré sa vraie nature, durant un instant ? Même si elle n'avait aucune confiance en lui, Emma connaissait un avocat en ville susceptible de l'emporter contre Regina. Elle n'avait guère le choix.

M. Gold se tenait derrière son comptoir, dans la boutique, consultant des documents.

– Ah ! dit-il en la voyant entrer. Mademoiselle Swan.

– Il faut que je le tire de là, Gold. Il faut que je sauve Henry des griffes de Regina.

Il se contenta de hocher la tête d'un air songeur.

– Je dois reconnaître que vos intentions sont louables. Après ce qu'elle a fait à Mary Margaret, la priver de son droit de garde me semble être la meilleure chose à faire. Toutefois, ajouta-t-il, je ne peux pas défendre votre cause.

Ce n'était évidemment pas ce qu'Emma avait espéré entendre.

– Comment pouvez-vous dire ça ? Vous savez ce qu'elle a fait.

– Sans doute, mais il est impossible de le prouver. Je suis navré, mademoiselle Swan, mais ma décision est prise. À présent, si vous voulez bien m'excuser, j'étais sur le point de partir.

Elle posa la main sur le comptoir, juste devant lui.

– Changez d'avis, lui intima-t-elle.

– Je sais choisir mes affaires, rétorqua-t-il. Et celle-ci est ingagnable.

– Comment se fait-il que vous ayez soudain si peur d'elle ?

– Je n'ai pas peur. Je crains simplement de ne pas être celui qui vous permettra de défaire Regina. Pas cette fois.

Elle était furieuse, mais il y avait toujours quelque chose, avec Gold. Toujours un coup tordu. À sa façon de sourire, elle se rendit compte qu'il sous-entendait que quelqu'un d'autre pourrait l'aider. Quelqu'un qui conviendrait peut-être mieux à la situation.

Puis elle comprit.

– Vous avez raison, confirma-t-elle.

Elle se dirigea droit vers la maison d'hôte, demanda un numéro de chambre à Mère-Grand et se retrouva bientôt martelant la porte d'August. Elle perçut du mouvement à l'intérieur et, une minute plus tard, il lui ouvrit. La première pensée d'Emma fut qu'il avait l'air exténué.

– Du calme, du calme, dit-il. Il y a un problème ?

– Oui. Je n'ai plus le choix.

– À quel propos ? s'enquit-il en inclinant la tête.

– Vous m'avez dit que si je voulais battre Regina, il fallait que j'aie une vision d'ensemble du problème, vous vous rappelez ?

Il acquiesça.

– Eh bien, il faut que vous m'aidiez à obtenir cette vue globale.

Il esquissa un léger sourire de satisfaction.

– Montrez-la-moi !

– D'accord. D'accord.

Ils enfourchèrent sa moto et se dirigèrent vers la sortie de Storybrooke, Emma cramponnée à sa taille, la tête plaquée contre son blouson de cuir malgré son casque. Quand ils franchirent la limite de la ville, prenant la direction de l'autoroute, Emma se rendit compte qu'elle quittait Storybrooke pour la première fois depuis qu'elle y était arrivée en compagnie de Henry. Comment son existence avait-elle pu être chamboulée à ce point ? Comment sa vie avait-elle pu changer du tout au tout ? Elle se rappela les avertissements de Henry à propos du fait de quitter la ville, mais les repoussa aussitôt. Elle ignorait où ils allaient, mais ce n'était manifestement pas le cas d'August. Un quart d'heure plus tard, ils roulaient à cent trente kilomètres-heure en direction de Boston, son pilote se faufilant avec adresse entre les véhicules les plus lents. Et cet homme, qu'avait-il dans la tête ? Il savait quelque chose. Elle en était persuadée. Et elle était sur le point de le découvrir.

Avec August aux commandes, il ne leur fallut pas longtemps pour atteindre la périphérie de Boston. En apercevant la tour John-Hancock, qui surplombait le quartier de Back Bay, Emma hurla dans l'oreille du motard :

– On va à Boston ?

– Presque ! Mais pas tout à fait !

Au même moment, elle sentit l'engin s'incliner légèrement sur le côté, avant de s'engager sur une bretelle de sortie.

August poursuivit sur une route plus ou moins laissée à l'abandon et, bientôt, ils se retrouvèrent dans les bois, à bonne distance de la ville. En parvenant à hauteur d'un vieux *diner* poussiéreux, sur le bord de la route, Emma se demanda s'il était encore ouvert.

Quand il immobilisa son engin, elle mit pied à terre et ôta son casque.

– Qu'est-ce qu'on fait ici ? s'enquit-elle, observant le *diner*.

– On remonte le temps.

– Vous pouvez cesser de parler par énigmes, je vous prie ? Je ne suis pas le personnage d'un de vos livres. Dites-moi ce que nous faisons ici.

– Je crois que vous le savez, répondit-il. Et j'ai l'impression que c'est pour cette raison que vous semblez si contrariée.

Il désigna le *diner* d'un signe de tête.

– Vous êtes déjà venue ici.

Elle plissa les yeux et tenta de se souvenir quand elle aurait pu mettre les pieds dans cet établissement au cours de ces dernières années. August l'observa un moment, puis plongea la main dans son blouson de cuir et en tira une coupure de presse soigneusement pliée.

Le titre de l'article : « Un garçon de sept ans découvre un nourrisson sur le bord de la route ».

– Vous voyez le *diner* ? C'est celui-là. C'est là que le garçon vous a apportée.

Elle se tourna de nouveau vers l'établissement, mais ce n'était pas la peine. Elle savait que c'était celui-là. Et qu'August disait vrai.

– Vous m'avez amenée à l'endroit où l'on m'a trouvée, déclara-t-elle sur la défensive. Génial. Pour quelle raison ?

– C'est également mon histoire. La vôtre et la mienne… c'est la même histoire.

– Comment ça ?

– Ce garçon de sept ans qui vous a trouvé…

Il hocha de nouveau la tête.

– C'était moi, Emma.

Il lui indiqua la photo du garçon.

– C'était moi.

Emma suivit August en silence, tandis qu'il la guidait à travers bois. Le fait d'être là lui faisait penser à ses parents, au choix qu'ils avaient fait de l'abandonner. Elle avait été jetée là comme de vulgaires détritus par ceux-là mêmes censés prendre soin d'elle. Cette promenade à travers bois faisait remonter en elle une vieille rage, qu'elle s'était tant efforcée de faire disparaître pendant toutes ces années.

— Que fait-on dans les bois ? lui demanda-t-elle, en partie pour détourner son attention de la tempête qui faisait rage dans son ventre.

— Toutes les réponses sont là, répondit-il. À l'endroit où je vous ai trouvée.

Emma se figea. Après un instant, August jeta un coup d'œil par-dessus son épaule, la vit et se retourna. Il s'appuya contre un arbre.

— Vous n'êtes pas ce garçon. Vous savez comment je l'ai deviné ? On ne m'a pas trouvée dans les bois, mais sur le bord de la route. Près de ce *diner*.

— Comment pouvez-vous en être aussi certaine ? Vous l'avez lu dans le journal ? Ne vous est-il jamais venu à l'esprit que ce garçon de sept ans avait peut-être menti sur l'endroit où il vous a découverte ?

— Ce qui me vient à l'esprit, c'est que vous me mentez. Sur toute la ligne. Et que je vous ai cru parce que je suis vulnérable, et vous le savez.

Elle secoua la tête. Elle n'avait pas l'intention de fondre en larmes devant lui, qu'importe ce que ce lieu pouvait lui faire.

— J'en ai assez entendu.

Il s'approcha d'elle en boitant.

— Quand je vous ai trouvée, poursuivit-il, vous étiez emmitouflée dans une couverture. Elle était blanche et bordée d'un ruban violet. Et le nom d'« Emma » était brodé sur le devant.

C'était bien le cas, évidemment. Il s'agissait effectivement de sa couverture. Mais il aurait pu mettre la main dessus, ou la voir chez elle.

— Ce n'était pas dans l'article, hein ?

— Non, répondit-elle. Mais je ne suis pas convaincue pour autant. Pourquoi auriez-vous menti sur le lieu où vous m'avez découverte, à l'époque ?

— Pour vous protéger, déclara-t-il sans détour.

— Pour me protéger ? Et de quoi ?

Il prit une profonde inspiration, traversa le sentier, lui passa devant et se dirigea vers un gros arbre. Il n'était pas différent des autres, du moins pas au premier coup d'œil. Elle suivit l'homme du regard et se rendit compte, quand il l'atteignit, qu'il était creux.

— Personne ne devait savoir d'où vous veniez réellement.

— Je viens d'un arbre ?

— Vous connaissez les histoires du livre de Henry, n'est-ce pas ? Vous êtes au courant de la malédiction et de votre rôle dans ces récits. Je me trompe ? C'est vrai. Tout est vrai. Nous sommes tous les deux arrivés dans ce monde-ci grâce à cet arbre. De la même manière que nous avons pu quitter l'autre monde grâce à une armoire.

— J'ai compris. Vous êtes Pinocchio. Ça explique les mensonges.

Elle hocha la tête.

— C'est vous qui avez ajouté cette histoire au livre, hein ? En fait, je vois. C'est vous qui avez remplacé le livre. Quand le premier a été perdu.

Elle secoua la tête.

— Vous êtes cinglé, n'est-ce pas ?

— Il fallait que je vous raconte la vérité.

— La vérité, c'est que vous n'avez pas toute votre tête. Et vous ne savez même pas mentir, August. Pourquoi ne pas mettre un point final à cette histoire ?

— À cause de ça, dit-il en écartant les bras. C'est ça, la fin. Nous sommes en train de l'écrire. En ce moment même. Vous et moi.

— Comment ça se termine ? voulut-elle savoir.

— Vous finissez par me croire, répondit-il d'un ton implorant.

À moins que ce type décide de me décapiter et de m'enterrer là, se dit-elle.

– Ça n'est pas près de se produire, August. Vous feriez mieux de laisser tomber.

– Croyez-moi, insista-t-il.

Il semblait agacé, ce qui ne plut guère à Emma.

– Touchez-le. La preuve dont vous avez besoin se révélera à vous. Contentez-vous de le toucher. Ce n'est pas difficile, tout de même.

– Pourquoi faites-vous ça ? voulut-elle comprendre. Pourquoi insistez-vous tellement pour que je voie cette vérité que vous souhaitez tant me montrer ?

Il hocha la tête puis baissa les yeux.

– Parce que j'ai promis à mon père que je vous protégerais dans ce monde.

Il reporta son regard sur elle. Elle fut surprise de voir des larmes dans ses yeux.

– Et je vous ai trahie. Je vous ai abandonnée.

– Que voulez-vous dire ?

– Je vous ai laissée dans une famille d'accueil. J'avais promis de rester avec vous, mais je vous ai laissée tomber.

Emma en ignorait la raison et elle aurait été incapable de l'expliquer, mais cela lui fit également monter les larmes aux yeux. Elle s'efforça de les retenir.

– Je suis vraiment désolé, Emma. Je… je me suis enfui. Je ne me plaisais pas ici. J'avais peur. Mais j'aurais dû rester avec vous.

Ne trouvant rien à lui répondre, Emma se contenta d'étudier l'arbre creux.

– Qu'est-ce que ça vous coûte d'essayer ? Faites-moi plaisir. Ayez confiance. Touchez l'arbre.

Elle continua d'en examiner le tronc. Ce serait si simple. Elle aurait tant voulu que toute cette histoire soit véridique. Vraiment. Plus que tout.

Elle s'en approcha. Après avoir jeté un dernier coup d'œil à August, elle tendit la main et toucha l'écorce.

Elle ferma les yeux.

Elle attendit.

Rien ne se produisit.

Après quelques secondes, elle rouvrit les yeux. August attendait ses conclusions avec une certaine impatience.

– Alors ? demanda-t-il. Vous vous rappelez ?

Si saugrenu que ce fût, elle se rendit compte qu'il ne mentait pas. Il y croyait. À tout.

– Qu'avez-vous vu ?

– Rien.

– C'est impossible, rétorqua-t-il en approchant de l'arbre pour le toucher à son tour. Vous étiez censée vous rappeler. Et y croire.

Elle se sentit vidée de toutes ses émotions, et son caractère bien trempé reprit le dessus. Elle le regarda d'un air sévère, contractant les épaules.

– Ce n'est pas le cas, déclara-t-elle en se détournant de l'arbre.

S'apprêtant à reprendre le chemin du *diner*, elle eut soudain une idée et se retourna.

– Vous souhaitiez que j'obtienne des réponses, poursuivit-elle. Eh bien, je les ai eues. J'en ai assez, August. De vous. De Storybrooke. De tout.

Il lui emboîta le pas. Elle l'entendait s'efforcer de la suivre à travers le sous-bois.

– Attendez, Emma ! s'exclama-t-il. Vous ne comprenez pas. Ce n'était pas censé se passer comme ça…

Il s'interrompit quand il chuta. Emma se retourna en l'entendant crier. Il était étendu sur le sol, se tenant la jambe de douleur. Il serra les dents et se tourna vers elle.

– Qu'est-ce que vous avez à la jambe ? demanda-t-elle d'un ton monocorde.

– J'étais censé être là pour vous, répondit-il. J'étais censé me montrer courageux pour vous. Mais ça n'a pas été le cas. Et j'en suis désolé.

— Mince, mais de quoi parlez-vous? s'agaça-t-elle. Vous vous prenez encore pour mon gardien?

Il secoua la tête, puis s'adossa à un arbre. Il semblait abattu. *Dieu merci*, se dit Emma. *On va peut-être pouvoir y aller, à présent.*

— Vous ne me croyez pas, se plaignit-il.

— Si vous pensez pouvoir changer quoi que ce soit en tentant de me faire culpabiliser, vous vous trompez.

— Je ne plaisante pas. Que vous le croyiez ou non, c'est la vérité, Emma. Je suis malade. Je suis mourant.

L'air absent, il prit quelques profondes inspirations.

— Vous êtes déjà allée à Phuket?

— Quel est le rapport? demanda Emma.

— C'est un endroit merveilleux. Une île exceptionnelle. Le lieu parfait pour s'y perdre, vous savez? C'est là où j'étais quand… quand vous avez décidé de rester à Storybrooke.

— Comment diable avez-vous appris que j'avais décidé d'y rester?

— Parce que à huit heures et quart, un matin, je me suis réveillé avec une douleur lancinante dans la jambe. C'est-à-dire à huit heures et quart le soir à Storybrooke. Ça vous dit quelque chose?

Elle attendit. Elle ignorait où il voulait en venir, mais elle était prête à ne pas croire ce qu'il dirait.

— C'est l'heure à laquelle vous avez décidé de rester. Quand le temps s'est remis en marche. J'aurais dû me trouver à vos côtés, mais ça n'a pas été le cas. Et, comme j'étais à l'autre bout du monde, on m'a douloureusement rappelé à quel point je m'étais égaré.

Il se releva et se baissa pour saisir le revers de son pantalon.

— Si l'arbre ne vous a pas permis d'y croire, peut-être que ceci vous convaincra.

Il remonta sa jambe de pantalon, révélant à Emma son tibia velu.

— Alors, vous niez toujours?

— Tout ce que je vois, c'est votre jambe.

Il baissa la tête, les yeux écarquillés.

— Vous ne le voyez pas? s'étonna-t-il. Vous ne voyez pas que je me transforme de nouveau en pantin de bois?

Elle en avait désormais la certitude : cet homme était fou. Et elle? Elle était dans les bois avec lui. Elle avait posé la main sur cet arbre, espérant voir quelque chose. Voulant y croire. Mais le fait de vouloir croire à quelque chose n'avait jamais été profitable à qui que ce soit. Cela signifiait seulement que vous étiez passé à côté de la réalité.

— Vous ne voulez pas y croire, comprit August.

— Ce n'est pas vrai. Mais, quoi qu'il en soit, en quoi est-ce si important pour vous?

— Parce que la ville, tout le monde, a besoin de vous, Emma. Il est de votre responsabilité de nous sauver.

— De ma responsabilité? Vous voulez dire que je suis responsable du bonheur de chacun? Je n'ai rien demandé et je ne veux pas de ça.

— Pour le moment. Il n'y a pas si longtemps, vous ne vouliez pas de Henry. Puis il est venu à vous et, aujourd'hui, vous vous battez comme une diablesse pour le récupérer.

— Pour lui, oui. Parce que c'est logique. C'est mon fils. Et c'est à peu près tout ce dont je peux m'occuper. Et encore. Et voilà que vous me demandez de sauver tous les autres?

August se contenta de la dévisager.

— Ramenez-moi, exigea-t-elle. J'en ai assez.

Quand Emma fut de retour à Storybrooke, la nuit était déjà tombée. Elle dit tout juste au revoir à August quand il la déposa devant chez elle et, après un moment de réflexion, ne rentra même pas pour récupérer ses affaires. Elle avait sa voiture, ses clés, les vêtements qu'elle avait sur le dos... De quoi d'autre pourrait-elle avoir besoin?

Elle monta dans sa Coccinelle et se dirigea vers le manoir

de Regina. Elle se gara dans la rue et s'empara de son talkie-walkie, dans la boîte à gants.

– Code rouge, annonça-t-elle tranquillement.

Elle prit une brève inspiration et répéta sa phrase, un peu plus fort, cette fois :

– Code rouge, Henry.

– Emma ! s'écria-t-il. Qu'est-ce qui se passe ?

Dans sa chambre, la lumière était allumée. Elle l'imagina sur son lit, ce qui la fit sourire, enthousiaste à l'idée de franchir une nouvelle étape du plan. Cela allait être difficile.

– Il faut que je te parle, déclara-t-elle. Je suis dehors.

Une seconde plus tard, elle aperçut son visage à la fenêtre.

– C'est à propos de toi et moi, précisa-t-elle. Tu peux descendre ?

– Bien sûr.

Ce qu'il fit. Ils prirent tous les deux place dans la voiture et gardèrent le silence un long moment.

– Henry, finit-elle par demander, tu t'es déjà demandé ce qui nous retenait ici ?

– La malédiction, répondit-il aussitôt. C'est ce qui retient tout le monde ici.

Elle secoua la tête d'un air attristé.

– Un jour, tu m'as dit que j'étais différente. Que je pouvais partir.

Il acquiesça.

– Parce que tu es celle qui va nous sauver.

– Et toi, tu n'es pas différent ? Tu es mon fils…

Il y réfléchit un instant, prenant un air hésitant.

– Peut-être, répondit-il. Pourquoi ?

– Alors, je dois te poser une question.

Il patienta.

– Ça te dirait d'oublier Regina ? De venir vivre avec moi ?

Le garçon se fendit d'un large sourire.

– Plus que tout ! s'exclama-t-il.

299

J'ai pris la bonne décision, tenta-t-elle de se persuader. *Enfin, j'en ai l'impression.*

— Bien. Alors boucle ta ceinture.

— Pourquoi ? Où va-t-on ?

Emma mit le contact.

— On quitte Storybrooke.

CHAPITRE 16

LA POMME EMPOISONNÉE

out s'était déroulé si vite… Dès que le Prince Charmant avait disparu de ses souvenirs, Blanche avait été déterminée à trouver la Méchante Reine et à la supprimer une fois pour toutes. Et, quelques instants seulement après que le prince fut parvenu à lui faire retrouver la raison et l'amour qu'elle éprouvait pour lui, les soldats du roi lui avaient de nouveau mis la main dessus. Elle avait l'impression qu'ils étaient destinés à être séparés, que des forces se liguaient pour les tenir à l'écart l'un de l'autre. Dès qu'il la retrouvait, elle le reperdait. Elle avait bien l'intention de réagir, cette fois.

Elle disposait d'une armée.

C'était à son tour d'aller le chercher.

Certes, son armée n'était pas des plus conventionnelles. Elle était composée des sept nains, de Rouge et de Mère-Grand. Ils s'étaient rendus au château du roi George dans le but de secourir le prince, et à présent faisaient leurs derniers préparatifs. Blanche scruta de nouveau les portes avec sa longue-vue, puis s'adossa au muret derrière lequel ils étaient tous rassemblés.

– Il y a une demi-douzaine de gardes sur chaque parapet, annonça-t-elle.

– Il va nous falloir un appui aérien, fit remarquer Mère-Grand.

– « Aérien » ? répéta Grincheux. Je sais qui va pouvoir nous aider : quelqu'un qui m'est redevable.

Avant que Blanche ait pu lui demander de qui il s'agissait, ils perçurent un bruissement dans les arbres, non loin. Les nains et Blanche-Neige dégainèrent leurs armes, mais furent soulagés de voir Rouge surgir du bois.

– Ne tirez pas ! Ce n'est que moi.

Blanche remarqua la présence d'un filet de sang séché au coin de ses lèvres et décida qu'il valait mieux éviter de lui demander à qui il appartenait.

– Alors ? demanda-t-elle.

– Ton prince est encore en vie, répondit Rouge. Et la reine est là.

Blanche fut transportée de joie par cette nouvelle, mais s'inquiéta de la présence de la reine. Il était déjà assez difficile de s'introduire dans un château défendu par les hommes du roi George. La tâche allait se révéler d'autant plus ardue s'il fallait compter avec la magie de la reine.

– C'est un piège, se méfia Mère-Grand.

L'air grave, Blanche acquiesça.

– On ne peut pas s'arrêter maintenant.

Elle imagina le prince enchaîné à l'intérieur, à la merci de deux tortionnaires particulièrement cruels.

– Mais je comprendrais si certains d'entre vous préféraient renoncer. Je ne peux pas vous demander de risquer vos vies.

Elle se tourna vers les nains et les dévisagea l'un après l'autre. Elle toisa ensuite Mère-Grand et Rouge. Personne ne broncha.

– Très bien. Il n'y a pas de temps à perdre, alors.

Elle se tourna vers le nain.

– Grincheux ? Un appui aérien, ce serait vraiment fantastique.

Il esquissa un sourire.

– Je ne t'ai jamais raconté que j'étais tombé amoureux d'une fée ? On avait échafaudé un plan pour s'enfuir tous les deux.

– Il ne me semble pas, répondit Blanche.

Il secoua la tête en se remémorant de si bons souvenirs.

– Ouah! C'était quelque chose…

Il adressa un signe de tête à ses amis.

– On revient.

Et il s'enfonça dans les bois.

– Pourquoi la reine fait-elle ça, à ton avis? s'enquit Rouge en s'asseyant auprès de Blanche, contre le muret.

– À cause d'une erreur que j'ai commise quand j'étais enfant, répondit-elle. Mon père était censé l'épouser, mais elle aimait quelqu'un d'autre. Un garçon d'écurie prénommé Daniel.

– Que s'est-il passé? voulut savoir Rouge.

– Ils se sont aimés en secret, mais j'ai fini par le découvrir. J'ai trahi sa confiance et révélé son secret. Et à cause de ça, soupira-t-elle, Daniel a été obligé de s'enfuir, et leurs chances de pouvoir s'aimer ont été réduites à néant.

– Il l'a quittée?

Blanche hocha la tête d'un air accablé.

– Elle ne l'a plus jamais revu.

– Je n'avais jamais imaginé que la Méchante Reine ait pu un jour tomber amoureuse, fit remarquer Rouge.

– C'est pourtant le cas. Et c'est moi qui ai réduit son bonheur à néant. À présent, elle n'a qu'une envie, briser le mien.

Emma et Henry traversèrent la ville en toute hâte, et le garçon ne reprit la parole qu'à l'approche de la sortie de la ville.

– Je ne veux pas partir, déclara-t-il. Et… et mes affaires?

Jetant un coup d'œil sur la banquette arrière, il aperçut le petit sac d'Emma.

– C'est tout ce que tu as?

– C'est tout ce dont j'ai besoin, répondit-elle en hochant la tête. Il faut qu'on s'en aille d'ici. Qu'on s'éloigne d'elle.

– Non, non! rétorqua-t-il en secouant la tête. Arrête la voiture.

Elle ne l'avait jamais vu dans cet état. Il avait tendance à s'enthousiasmer facilement, certes, mais il semblait plutôt effrayé à présent. Elle n'était pas certaine d'avoir pris la meilleure décision qui soit.

– Tu dois rester à Storybrooke. À cause de la malédiction. Tu dois y mettre un terme!

Comprenant qu'il était au bord des larmes, elle secoua la tête.

– Non. Il faut que je t'aide. Ce sont deux choses différentes.

– Mais tu es une héroïne! s'écria-t-il. Tu ne peux pas fuir! Tu es censée secourir tout le monde.

Elle se rappela sa discussion avec August, dans la forêt. C'était la même chose: aider les autres avant de s'aider soi-même. Mais Emma n'avait jamais raisonné de cette façon et n'avait pas l'intention de commencer.

– Écoute, mon garçon. Je sais que c'est difficile pour toi de le comprendre, mais j'agis pour ton bien. C'était ce que tu voulais quand tu m'as fait venir à Storybrooke. Et c'est ce que je fais.

– Je veux que tu agisses dans l'intérêt de tous, insista Henry, parvenant presque à instiller le doute dans son esprit. Il me semblait que tu croyais... Il me semblait que tu commençais à comprendre.

– Henry...

– Ce n'est pas le cas?

– Je ne sais pas ce que je faisais. Mais, à présent, la situation est parfaitement claire. Le problème, c'est le lieu. Ce lieu. Storybrooke.

– Mais la malédiction, insista-t-il en secouant la tête. Tu es la seule à pouvoir faire revenir les fins heureuses...

N'ayant rien à lui répondre, elle ne se donna même pas la peine de tenter de le réconforter. Il finirait par comprendre. Elle se tourna d'un air grave vers le panneau qui indiquait la limite de la ville, réfléchissant pour la première fois à ce à quoi leurs vies ressembleraient à Boston. Ils pourraient…

– Henry! s'écria-t-elle.

Ça s'était passé à la vitesse de l'éclair. Il avait tendu le bras et donné un violent coup de volant. Emma tenta tant bien que mal d'éviter le tonneau. Elle rectifia la trajectoire de sa Coccinelle, se jeta sur le frein et tourna le volant dans l'autre sens pour compenser leur élan sur la droite. La voiture partit en tête-à-queue, mais resta sur ses quatre roues. Elle s'immobilisa en travers de la chaussée.

Emma se tourna vers Henry.

– Qu'est-ce qui t'a pris? Tu aurais pu nous tuer tous les deux!

Mais son cœur l'empêcha d'en dire davantage. Il semblait abattu. Les larmes aux yeux, une boule dans la gorge, il prononça des paroles décousues:

– On ne peut pas partir… s'il te plaît… S'il te plaît, ne m'oblige pas à… Tout est là… tes parents… moi… ta famille… On ne peut pas partir. Ne m'oblige pas à partir.

Il baissa la tête. Emma le prit dans ses bras et l'attira contre elle. Ce n'était pas la bonne façon de s'y prendre. Ça n'allait pas marcher. Elle allait devoir trouver un autre moyen.

– D'accord, consentit-elle. Je suis désolée. On ne part pas.

Elle secoua la tête.

– Je suis désolée.

Après un long moment, Henry enfin calmé, Emma fit demi-tour et reprit la direction de Storybrooke. Elle déposa le garçon chez lui et rentra chez elle. Mary Margaret était dans la cuisine, préparant le petit déjeuner.

– Je te croyais partie, déclara l'enseignante en la voyant arriver.

Génial, se dit Emma. *Voilà qu'elle aussi m'en veut.*

— Mary Margaret… commença-t-elle.

— Mais c'était dur à dire, vu qu'aucun de vous deux ne nous avait dit au revoir.

Elle leva les yeux de son grille-pain et s'approcha d'Emma, visiblement furieuse.

— Tu te rappelles quand je me suis enfuie? Que m'as-tu dit, alors? Qu'il fallait se serrer les coudes. Qu'on formait une famille…

— C'est vrai, en convint Emma. Je suis désolée. Je n'aurais pas dû partir.

— Exactement. Tu n'aurais pas dû. Pourquoi vouloir t'enfuir après tout ce qui s'est passé?

Emma soupira.

— Je ne veux plus être shérif. Je ne veux plus que les gens comptent sur moi. Je ne veux plus de ça.

Elle secoua la tête, abattue comme jamais depuis son arrivée à Storybrooke.

— Et Henry? demanda Mary Margaret.

— J'ai… j'ai tenté de l'emmener avec moi.

— Tu l'as enlevé?

Emma ne l'avait jamais vue si furieuse. Et ses accusations étaient parfaitement justifiées.

— Je veux ce qu'il y a de mieux pour lui.

— Et être en cavale, tu trouves que c'est ce qu'il y a de mieux? On dirait que c'est ce qu'il y a de mieux pour toi, Emma. Je croyais que tu avais changé.

— Tu as eu tort.

— Eh bien, quoi qu'il en soit, tu dois agir pour son bien, à présent.

— En faisant quoi?

— Je n'en sais rien. C'est toi, sa mère.

Elle lança à Emma un dernier regard noir.

— À toi de le découvrir.

✳✳

Blanche observa la muraille du château à l'aide de sa longue-vue jusqu'à ce qu'elle perçoive le signal : un hurlement de loup strident. Le moment était venu.

Elle se tourna vers Grincheux.

– Vas-y, lui dit-elle.

Il acquiesça. Elle vit alors Joyeux encocher une flèche et Grincheux enflammer le morceau d'étoffe imprégné de lanoline enroulé autour de la pointe du projectile. Ensuite, Joyeux arma son tir et décocha la flèche dans le ciel nocturne.

C'était le signal.

– Allons-y ! s'écria Blanche.

Elle s'élança alors vers les murailles du château avec les nains, Mère-Grand et Jiminy.

Pendant qu'ils couraient, Blanche-Neige entendit les premiers « bombardements » déclenchés par leur « appui aérien » : la Fée bleue et une escouade de ses semblables s'abattirent sur la place forte en pilonnant les gardes de boules de feu multicolores.

– Allez, allez ! cria Blanche.

Ils gagnèrent bientôt les murailles. Au-dessus d'eux, les soldats étaient occupés avec les fées. Elle fit un signe à Mère-Grand, qui lança un grappin par-dessus les créneaux. Les crochets métalliques s'agrippèrent, et Blanche-Neige hocha la tête. Jusque-là, tout se déroulait comme prévu.

Suivie des nains et de Mère-Grand, elle grimpa à la corde et, un à un, ils atteignirent le parapet le moins élevé. Blanche observa les lieux. La majeure partie des gardes s'était rassemblée dans la cour centrale et tirait ses traits vers le ciel.

– Venez ! ordonna-t-elle.

Ils dévalèrent un escalier de pierre et atteignirent bientôt la cour intérieure. Au même instant, Blanche sentit que quelqu'un lui posait la main sur l'épaule. Quand elle se retourna, elle constata que Rouge les avait rejoints. Elle hocha la tête. Ils étaient au complet. À une centaine de mètres de là, elle vit la porte derrière laquelle le prince était sans doute détenu. Une dizaine de gardes leur en bloquaient l'accès.

Cette fois, il lui fut inutile de donner la moindre directive. Les nains s'élancèrent, brandissant leurs pioches, poussant tous des cris de guerre. Blanche et Rouge les suivaient de près.

Les gardes n'eurent pas le temps de les voir.

Il ne fallut qu'une minute à Blanche-Neige et à ses compagnons pour s'en débarrasser, tant ils étaient concentrés sur l'attaque aérienne. À ses côtés, elle sentit Rouge se métamorphoser avant de se ruer sur les soldats pétrifiés de peur. Elle se concentra ensuite sur son propre combat contre un homme en armure un peu trop enrobé, trop lent pour empêcher la jeune femme de le noyer sous le déluge de coups qu'elle lui assena avec son épée courte.

— Attention ! s'écria Mère-Grand au moment même où s'écroulait le garde contre lequel elle se battait.

À l'est, une dizaine de soldats supplémentaires s'engouffraient dans la cour intérieure.

— C'est maintenant ou jamais, poursuivit-elle. Allez-y pendant qu'on les retient.

Blanche acquiesça, puis s'élança vers la porte, gravissant les marches quatre à quatre, s'efforçant de se souvenir du trajet grâce à sa dernière incursion.

En haut des marches, elle atteignit un long couloir plongé dans l'obscurité. Les torches étaient éteintes. Elle scruta les ténèbres, le souffle court, à l'affût du moindre bruit. *Je suis seule*, se dit-elle. Elle avança d'un pas.

Au même instant, le roi George surgit d'un passage, au milieu du couloir. Il dégaina une énorme épée et la brandit à hauteur de tête.

— Bonjour, ma chère, l'accueillit-il. Vous allez quelque part ?

Blanche continua à progresser, brandissant, elle, sa petite épée minable. *C'est cet homme qui est à l'origine de tous mes problèmes*, se dit-elle. Elle devait franchir cet obstacle, elle le savait. Mais elle était terrifiée.

Quand elle parvint à une dizaine de mètres de lui, elle distingua un mouvement près des pieds de George. Avant de comprendre ce dont il s'agissait, le roi poussa un cri de douleur.

Jiminy, une minuscule épée à la main, s'en prenait au mollet du monarque.

Il poussa un cri et le frappa de nouveau.

George tenta de riposter, mais Jiminy était trop prompt. Il s'élança vers l'autre mollet qu'il frappa à son tour. Cette fois, Blanche eut un mouvement de recul en voyant du sang jaillir de la jambe du roi, qui s'effondra.

La jeune femme accourut.

— Bon boulot, félicita-t-elle Jiminy en écartant l'épée de leur adversaire d'un coup de pied. Allez, viens.

— Blanche ! s'écria quelqu'un. Blanche-Neige !

C'était le Prince Charmant. Sa voix provenait d'une pièce au fond du couloir.

— Il est là, dit-elle. Va prévenir les autres.

Jiminy acquiesça avant de rebrousser chemin vers l'escalier.

Blanche prit une nouvelle inspiration avant de se diriger vers la voix de son bien-aimé. La Méchante Reine se trouvait encore dans les parages, et elle redoutait un piège. Brandissant son arme, elle pénétra dans la pièce avec précaution.

Et elle le vit.

Il se tenait dans une alcôve, les mains liées, le regard à la fois plein d'espoir et de crainte.

Elle s'élança vers lui.

— Mon amour ! s'écria-t-elle. Mon prince charmant !

Ce fut seulement en s'approchant davantage qu'elle comprit qu'elle s'était fait piéger. Il ne s'agissait que d'une image : le prince était prisonnier d'un miroir. Il n'était donc pas dans ce château. La Méchante Reine l'avait emmené dans sa propre forteresse. Elle les avait bernés. Elle posa la main sur le miroir.

— La reine m'a emmenée dans son palais, déclara-t-il d'un air attristé.

— Je viens te secourir.

— Blanche, dit-il en secouant la tête.

Ils étaient tous les deux en sanglots.

— Notre vie se résume-t-elle à ça ? demanda-t-elle. On va aller au secours l'un de l'autre à tour de rôle ?

— On finira par se retrouver. Je le sais. Aie confiance.

Elle entendit le rire étouffé de la Méchante Reine, et un nuage de fumée verte envahit le miroir, faisant disparaître son amour. Le rire se fit de plus en plus sonore et, bientôt, Blanche se retrouva face au reflet d'une Regina à la fois hautaine et joyeuse.

— Libérez-le. C'est moi, votre adversaire.

Elle avait du mal à croire que cette femme puisse encore lui en vouloir d'avoir trahi son secret si longtemps auparavant. Elle savait à quel point l'amour pouvait être puissant, mais, malgré ce qui s'était produit, elle ne parvenait pas à concevoir que l'on puisse vouloir exercer une vengeance si terrible.

— C'est précisément ce que je me disais, ma vieille amie. Sais-tu ce que sont des pourparlers ? Mettons un terme à ce conflit sanglant et discutons, toutes les deux. Sans armes.

— Très bien. Où voulez-vous qu'on se voie ?

— Là où tout a commencé, répondit Regina.

Blanche savait exactement ce qu'elle entendait par là.

Emma s'était déjà rendue au cabinet d'Archie, mais elle avait trouvé une affichette « Parti déjeuner » sur sa porte. Dans cette ville, cela signifiait presque toujours : « Parti chez Mère-Grand ».

Elle le trouva, seul à une table, devant un croque-monsieur et une soupe à la tomate.

– Vous avez une minute ? demanda-t-elle en se glissant sur la banquette qui lui faisait face.

Il se tamponna les lèvres.

– Bien sûr, Emma. Bien sûr.

Elle lui raconta ce que Henry avait fait, la veille au soir, dans la voiture. Il l'écouta attentivement et, quand elle en eut terminé, il déclara :

– Il a donné un coup de volant ? Il n'a sans doute pas mesuré les conséquences de son geste.

– C'est précisément où je voulais en venir. Je crois qu'il les a parfaitement bien mesurées, mais qu'il préférerait mourir plutôt que de quitter Storybrooke.

Il hocha la tête.

– Les enfants aiment bien avoir un cadre stable et structuré. Le changement signifie à leurs yeux qu'il n'y aura personne pour s'occuper d'eux.

– Je veux être là pour lui, déclara-t-elle. Mais c'est plus facile à dire qu'à faire.

– Permettez-moi de vous poser une question : à votre avis, qui souffre le plus dans cette guerre entre Regina et vous ?

Elle connaissait bien évidemment la réponse et n'éprouva pas le besoin de la formuler à voix haute.

Combien de temps ce garçon pourra-t-il le supporter ?

– Mais n'est-ce pas bon pour lui que je sois à ses côtés ? s'enquit-elle.

– Emma, tout jugement personnel, et professionnel, mis à part, je crains que votre dossier ne soit pas suffisant pour obtenir sa garde.

– Je suis sa mère.

– C'est vrai. Et Regina aussi. Et la cour va examiner de près le comportement de cet enfant depuis que vous êtes entrée dans sa vie.

— Il est plus heureux qu'avant, non ? demanda-t-elle d'un ton plein d'espoir.

— Sans doute. Mais objectivement ? Il fait l'école buissonnière, il a volé une carte de crédit. Il a fugué. Il s'est mis en danger. À plusieurs reprises. Alors, aux yeux de la loi...

— Et à vos propres yeux ? l'interrompit-elle. Quel est votre avis ?

— Vous savez, il y a un moment de ça, je vous ai encouragée à lui parler de son monde imaginaire, et peut-être que...

Il soupira.

— Je me suis peut-être trompé. Il s'y réfugie de plus en plus.

— Vous pensez donc qu'il est mieux avec Regina.

— Ce n'est pas ce que j'ai dit.

— Vous croyez qu'elle pourrait lui faire du mal ? demanda Emma.

— Non. Jamais. À n'importe qui d'autre, sans doute, mais pas à lui. Que ses actes soient justifiés ou non, elle est sur la défensive. Je ne porte aucun jugement, bien sûr. Mais d'une certaine manière, Emma, votre arrivée a réveillé le dragon qui sommeillait en elle.

Elle trouva le choix des termes assez incongru.

— Alors dites-moi, insista-t-elle. Franchement. Henry ne va-t-il pas mieux depuis mon arrivée ?

— Je ne crois pas que ce soit la bonne question à se poser. Il faut que cesse cette rivalité. Si vous souhaitez toutes les deux rester dans sa vie, il va vous falloir trouver le meilleur moyen de mettre un terme à tout ça. Purement et simplement.

C'est ça, se dit Emma. *Purement et simplement.*

— D'accord, en convint-elle. Merci, docteur.

Elle se leva de la banquette.

— Ça va ? s'inquiéta-t-il. Vous semblez souffrante.

— Pas moi, répondit-elle. Uniquement ma conscience.

Elle quitta le *diner* en pleine confusion, oppressée par ses propres sentiments. Qu'avait-elle fait à Henry ? Qu'avait-elle fait? Elle avait l'impression de s'être montrée d'une grande arrogance. D'avoir agi de manière imprudente et téméraire. Ce garçon, son fils, n'était pas en mesure de supporter tous ces conflits et ces changements, pourtant elle s'était brutalement immiscée dans sa vie. En fait, c'était elle, le dragon du passé. Dans ce cas précis, c'était elle, la Méchante Reine.

Subjuguée par cette horrible pensée, elle manqua se faire renverser par un pick-up en traversant la rue; celui-ci freina en klaxonnant, faisant sursauter la jeune femme.

– Emma! entendit-elle quelqu'un crier depuis le trottoir d'en face.

Mary Margaret accourait vers elle.

– Ça va?

Emma leva les yeux vers elle et acquiesça.

– Je suis désolé, retentit une autre voix, celle du conducteur. Je ne t'avais pas vue.

Elle se tourna vers lui. C'était David. Génial.

– Tu n'as rien? s'enquit-il en se précipitant vers elle.

– Non, répondit-elle en reprenant ses esprits. Je ne regardais pas. Tout va bien.

Elle sentit David et Mary Margaret s'approcher d'elle, chacun d'un côté. David lui passa un bras autour de la taille.

– On va t'emmener à l'hôpital, tu n'as pas l'air bien du tout.

– Tu as mal quelque part? demanda Mary Margaret.

– Franchement, les amis, non.

Elle les repoussa.

– Je n'ai rien.

Elle s'éloigna d'un pas vif. Il lui fallait trouver Regina.

Le château du roi George ne leur avait pas résisté longtemps. Le monarque lui-même était enfermé dans les geôles, et Blanche, Mère-Grand, Rouge, Jiminy et les nains se tenaient dans la salle d'état-major, préparant la prochaine

313

étape. C'était du moins ce qu'ils croyaient faire : Blanche-Neige n'avait besoin d'aucun plan. Elle avait une idée précise de ce que seraient ses prochaines actions. Elle allait accepter la proposition de la Méchante Reine et mettre un terme à ce conflit une fois pour toutes.

Évidemment, ses compagnons refusaient de la laisser faire.

– Ton honnêteté te perdra, lui fit remarquer Rouge en la voyant se départir de toutes ses armes et de ses protections.

– Je ne crois pas. Mais vous avez suffisamment risqué votre vie pour quelque chose qui ne concerne finalement que la reine et moi. Je refuse que quelqu'un d'autre se fasse blesser à cause de moi. Je ne vous demande rien. Je vous remercie pour votre soutien et sachez que je vous aime, tous autant que vous êtes. Mais je n'ai pas le choix, il faut que j'y aille. Seule.

Elle écarta les nains de son chemin, jeta un dernier regard à ses amis et leur adressa un sourire. C'était sa famille. Ils étaient forts. Ils croyaient en elle. Elle les aimait.

– Je n'ai aucune confiance en la reine, lui fit savoir Rouge.

– Je sais. Moi non plus.

Elle esquissa un dernier sourire et se dirigea vers la porte.

Ce n'était pas très loin. Blanche partit à l'aube et, une heure avant le coucher du soleil, elle atteignait le domaine dans lequel Regina avait grandi et où elle-même avait passé toute son enfance. Bien de l'eau avait coulé sous les ponts, depuis cette époque ! Et pourtant elle y était revenue. Plus forte que jamais. En pleine possession de ses moyens. Même après la mort de son père, après que Regina eut tué son père, plus précisément, Blanche-Neige n'avait pas su voir l'arbre qui cachait la forêt, et avait été trop intimidée par le vaste monde pour l'affronter, pour exiger que justice soit faite, pour évincer Regina. Sur-le-champ. Par un étrange coup du sort, il avait fallu toutes ces épreuves, son existence de bandit solitaire, son amitié avec Rouge et les nains et son amour pour le prince pour obtenir gain de cause. Pour avoir la possibilité d'affronter la reine. Curieux comme le destin ne laissait rien au hasard.

Elle attacha sa monture à l'entrée du domaine et se dirigea à pied vers les écuries, où Regina était censée l'attendre.

L'apercevant en haut de la côte, elle s'approcha d'elle d'un air déterminé, la tête haute, soutenant son regard sans ciller.

— Bonjour Regina, lui dit-elle en arrivant à sa hauteur.

La reine regarda en bas de la côte.

— Tu te rappelles que j'ai intercepté ton cheval, quand il s'était emballé ? Que je t'ai sauvé la vie ?

— Bien sûr, répondit Blanche. On dirait que rien n'a changé, depuis.

— Presque rien, rectifia-t-elle. Ça, c'est nouveau.

Blanche suivit son regard : un monticule verdoyant orné d'une simple pierre. Elle comprit ce dont il s'agissait.

— Une tombe ?

— Une tombe, répéta Regina. Celle de Daniel.

— Daniel ? s'étonna Blanche. Je croyais qu'il s'était enfui.

— Enfui ? C'est ce que je t'ai dit pour te ménager. Par… gentillesse. Mais il est mort. À cause de toi.

Des années. Cela faisait des années qu'elle croyait que Daniel était quelque part en lieu sûr. Cela changeait tout.

— Je suis… désolée. J'étais jeune, et votre mère…

— … lui a arraché le cœur sous mes yeux. À cause de toi. Parce que tu n'as pas su garder un secret.

— Et vous, se défendit Blanche, vous avez tué mon père, vous me l'avez volé. N'avons-nous pas suffisamment souffert comme ça, toutes les deux ?

— Non.

Le mot résonna aux oreilles de la jeune femme. Après un moment, Regina tira une pomme d'une sacoche noire.

— Savais-tu que les pommes sont bonnes pour la santé et qu'elles rendent sage ? demanda-t-elle en contemplant le fruit.

Blanche lui trouva un aspect repoussant.

— Pourquoi ai-je l'impression qu'elle me tuera, si je croque dedans ? demanda Blanche d'un ton méfiant.

— Elle ne te tuera pas, non, ce sera bien pire. Ton corps sera ton tombeau, et tu y resteras emprisonnée à tout jamais avec tes propres regrets.

La reine baissa les yeux sur la pomme en souriant.

— Vous allez m'obliger à la manger ?

— Non, bien sûr que non. Ce serait inhumain. Tu as le choix. Tu dois prendre cette décision de ton plein gré.

— Et pourquoi mangerais-je cette pomme ?

— Parce que si tu refuses ton prince mourra.

Blanche s'était attendue à cette réponse, mais en entendant la reine la formuler, elle imagina sa mort et entrevit ce qu'elle éprouverait. De la souffrance. Des années… des décennies de souffrance. De toute façon, la vie n'aurait plus aucun intérêt, sans lui. Elle était prise au piège.

— Comme je te l'ai dit, la décision t'appartient, répéta la reine.

— Si je la mange, il vivra ? Nous sommes d'accord ?

— Nous sommes d'accord.

Blanche hocha la tête et prit une profonde inspiration.

— Alors, félicitations, dit-elle. Vous avez gagné.

Elle s'approcha d'un pas, s'empara du fruit et, sans hésitation, croqua dedans à pleines dents.

Elle le mâcha lentement, le regard rivé sur la reine, attendant l'arrivée de la douleur. Celle-ci se propagea en elle d'un coup, lui enserrant la poitrine. Elle laissa tomber la pomme, puis sentit ses yeux s'écarquiller et ses jambes trembler. Regina se fendit d'un large sourire.

La dernière chose que Blanche vit, ce furent des brins d'herbe. La dernière chose qu'elle entendit, ce fut le rire étouffé de la reine.

Emma s'immobilisa au milieu de Mifflin Street, rassembla ses esprits et se dirigea vers la demeure de Regina. Avant de sonner, elle se souvint d'une chose : ce n'était pas seulement chez Regina, mais aussi chez Henry.

Vêtue d'un tablier et une spatule à la main, le maire lui ouvrit. Elle sembla sincèrement surprise de voir la jeune femme.

– Il faut qu'on parle, déclara cette dernière.

– Oui, je suis bien d'accord. Entrez.

Emma se remémora sa première visite, le soir où elle était arrivée en ville. Rien n'avait changé, et pourtant plus rien n'était pareil. Un parfum accueillant de tarte ou de pâtisserie, venu de la cuisine, envahissait tout le rez-de-chaussée. Elle ne s'y fia pas pour autant.

– Écoutez, dit-elle à Regina qui attendait patiemment. Ce n'est pas facile, mais je crois qu'on ferait bien de mettre fin à nos querelles, à… tout ça.

– Pour une fois, je suis d'accord avec vous, répondit sèchement celle-ci.

– Je souhaiterais qu'on passe un accord. À propos de Henry.

– Quel genre d'accord ? demanda Regina avec une certaine prudence.

– Je vais quitter la ville.

– Pardon ?

Madame le maire sembla soudain complètement décontenancée.

Emma fut ravie de l'avoir prise au dépourvu, même si, sa joie était pour le moins douce-amère.

– Ça, ce que nous faisons, c'est un problème.

Elle fit un geste qui les engloba toutes les deux.

– Je vais partir. Mais à certaines conditions. Je continuerai à voir Henry. À lui rendre visite, à passer du temps avec lui, peu importe. Et vous allez me promettre de ne plus vous en prendre à qui que ce soit. Ni à David, ni à Mary Margaret. À personne.

— Je ne m'en suis jamais prise à quiconque, se défendit le maire.

— Alors, ce sera une promesse facile à tenir.

Regina semblait hésiter. Elle croisa les bras.

— Vous espérez vraiment que je vais croire que vous allez abandonner si facilement?

— Je n'abandonne pas, rétorqua la jeune femme. Je fais comme d'habitude: ce qu'il y a de mieux pour Henry. Le meilleur moyen pour qu'on cesse de se disputer, c'est de... d'arrêter de se disputer.

— Vous avez raison. Il faut en finir.

— Alors, faisons au plus simple, proposa Emma. Je retourne à Boston et vous gardez Henry.

— Et vous continuez à le voir. Vous restez dans sa vie.

— Jouons cartes sur table. Vous savez aussi bien que moi qu'il est hors de question que je cesse de le voir. C'est comme ça.

Regina prit une profonde inspiration avant de hocher la tête.

— Très bien. Vous avez raison. Vous voulez bien me suivre un moment?

Emma l'accompagna jusque dans la cuisine, où il faisait légèrement plus chaud. Elle dut reconnaître que c'était un véritable foyer. Bien tenu et sécurisant. Elle regarda Regina se diriger vers le four fumant et en tirer un chausson aux pommes croustillant.

Je serais bien incapable de préparer ce genre de pâtisserie, se dit-elle.

— Que me proposez-vous, alors, exactement? demanda Regina.

— Je ne sais pas. J'imagine que ça viendra tout seul avec le temps, avec un peu de bonne foi.

Regina hocha la tête.

— Quoi qu'il en soit, insista-t-elle, c'est mon fils.

— Tout ce que je vous demande, c'est de me donner votre

parole que vous vous occuperez bien de lui. Et que vous ne vous en prendrez à personne, ni à lui ni à aucun habitant de cette ville.

Le maire acquiesça.

– Vous avez ma parole.

Emma la dévisagea. Elle savait toujours quand on lui mentait. Elle soutint le regard de Regina un long moment, tentant d'y déceler le moindre mensonge.

– Qu'est-ce qu'il y a ? finit par demander cette dernière.

– J'essaie simplement de savoir si vous me dites la vérité.

– Et c'est le cas ?

Emma hocha la tête.

– Nous sommes d'accord.

Le fait de voir Regina sourire lui fit un drôle d'effet. Était-ce la première fois ?

– Mademoiselle Swan ?

Elle lui tendit un Tupperware dans lequel elle avait mis le chausson aux pommes.

– Un petit quelque chose pour la route ?

Emma haussa les épaules.

– Pourquoi pas ? dit-elle en acceptant la boîte.

– Puisque nous allons continuer à nous voir, autant rester cordiales l'une envers l'autre, non ?

Emma acquiesça.

– J'espère que vous aimez les pommes.

Il fallut un quart d'heure à Henry pour arriver chez Emma après qu'elle l'eut appelé sur son talkie-walkie. Elle l'attendait aussi à la table de la cuisine, le cœur serré, réfléchissant à la manière dont elle allait lui annoncer qu'elle quittait Storybrooke.

Quand elle lui ouvrit, il leva les yeux vers elle et lui demanda :

– Tout va bien ? Tu avais une drôle de voix au talkie.

Il entra et elle se rappela avec quelle effronterie il s'était introduit chez elle, à Boston. Il avait toujours l'air aussi déterminé. C'était l'un de ses traits de caractère qui lui plaisait le plus.

– Henry, hier… quand j'ai tenté de t'emmener…

Elle croisa les bras. *Ne pleure pas*, s'ordonna-t-elle.

– Tu avais raison. Je ne peux pas t'obliger à quitter Storybrooke. Mais je ne peux pas rester.

Il plissa les yeux, tentant de saisir ce qu'elle voulait dire.

– Je ne comprends pas, finit-il par reconnaître.

– Il faut que je parte, Henry.

Voilà. C'était dit. Le plus dur était fait. Elle eut l'impression de se prendre une flèche en plein cœur. Quelque chose en elle se mourait.

– Que tu partes? répéta-t-il. Tu vas quitter Storybrooke?

– Oui. J'en ai parlé à Regina. J'ai passé un accord avec elle. Je vais continuer à te voir. Je ne serai simplement plus là… tous les jours.

– Non! s'écria-t-il. Non! Tu ne peux pas lui faire confiance!

Il était de nouveau sur le point d'éclater en sanglots et elle aussi sentit les larmes lui monter aux yeux.

– Il le faut, Henry. C'est pour ton bien.

– Tu as simplement peur, déclara-t-il. Ça arrive à tous les héros avant les grandes batailles. C'est juste le creux de la vague avant que tu te reprennes.

Elle secoua la tête.

– Ce n'est pas un conte de fées. C'est la réalité. Et il faut que les choses changent. Tu ne peux plus manquer aussi souvent l'école. Tu ne peux plus t'enfuir comme ça. Il y a des conséquences. Tu ne peux plus… Il faut que tu cesses de croire à cette malédiction.

Il se tourna de nouveau vers elle, les yeux écarquillés, secouant la tête.

– Tu n'y crois vraiment pas, hein?

– Voici comment ça va se passer: j'ai passé un accord. J'ai

fait appel à mon superpouvoir. Elle m'a dit la vérité. Elle va bien s'occuper de toi.

— Sans doute, mais elle veut te tuer, lui fit remarquer le garçon.

Cela étonna Emma.

— Allons, Henry.

— Elle veut te tuer, et tu es la seule qui peut l'en empêcher.

— L'empêcher de faire quoi ? demanda-t-elle en haussant le ton. Que fait-elle à part se battre pour toi ?

Elle s'approcha de lui, avec l'intention de l'enlacer.

— La situation nous a complètement échappé.

Elle lui posa une main sur l'épaule et s'agenouilla devant lui. Elle crut qu'il allait reculer et se débattre, mais ce ne fut pas le cas. Il enfouit son visage contre sa poitrine et sanglota. C'était insupportable. Elle le sentit alors se raidir et il redressa la tête. Il observait quelque chose par-dessus son épaule. Elle suivit son regard. Il s'agissait du chausson aux pommes.

— D'où ça vient ? demanda-t-il.

— C'est Regina qui me l'a offert. Pourquoi ?

Il huma l'air.

— C'est aux pommes ?

— Pourquoi ?

Il se dirigea vers le comptoir et repoussa le chausson.

— Il ne faut pas que tu le manges. Il est empoisonné.

— Pardon ?

— Tu ne comprends pas ? L'accord, c'est une ruse. Pour te faire manger ça. Pour se débarrasser de toi une fois pour toutes. Elle s'est débarrassée de Blanche-Neige exactement de la même manière. Sauf que, cette fois, il n'y aura pas de Prince Charmant pour te réveiller.

Elle fut déçue de l'entendre de nouveau prendre cette voie. Archie avait raison : il s'y réfugiait. Sa présence auprès de lui le faisait souffrir.

— Pourquoi ferait-elle ça alors que je lui ai dit que je partais ? lui fit-elle remarquer.

– Parce que tant que tu es en vie, où que tu sois, tu représentes une menace pour elle.

– Il faut que tu cesses de penser de cette façon.

– Mais c'est la vérité! hurla-t-il.

C'était la première fois qu'elle l'entendait crier si fort.

Elle tendit la main vers le chausson.

– Très bien, dit-elle. Je vais te le prouver.

Mais quand il comprit ce qu'elle allait faire, il s'en saisit brusquement avant qu'elle puisse s'en emparer et le porta à sa propre bouche.

Comme une menace.

– Qu'est-ce que tu fais? demanda-t-elle.

– Je suis désolé d'en arriver là. Tu ne crois peut-être pas à la malédiction, ni en moi, mais moi je crois en toi.

Sur ce, il en prit une grosse bouchée.

C'est du pareil au même, pensa Emma.

D'une façon ou d'une autre, la même conclusion allait s'imposer à lui.

Elle attendit.

Il mâcha et déglutit.

– Tu vois? le prit-elle à témoin. Tu veux un peu de glace pour l'accompagner? Sinon, on pourrait…

Avant qu'elle ait pu achever sa phrase, Henry s'écroula.

Elle accourut, le saisit par ses petites épaules et le secoua.

– Henry? Henry?

Paniquée, elle lui prit le pouls. Henry ne plaisantait pas: elle ne le sentait presque pas.

– Henry? s'écria-t-elle encore, la voix tremblante.

Elle ne pensait plus qu'à une chose: *Dites-moi que ce n'est pas vrai…*

– Henry! hurlait-elle. Henry!

CHAPITRE 17

LE VÉRITABLE AMOUR

’hôpital. Des cris. Des sanglots affolés. Les questions inquiètes du docteur Whale.

Des médecins. Tentant de stabiliser l’état de Henry.

Des larmes.

Les yeux pleins de larmes, Emma courait à côté du brancard, tandis que l’on conduisait son fils aux urgences. Elle était incapable de réfléchir. Elle parvenait tout juste à répondre à leurs questions. Elle tenta de parler du chausson aux pommes au docteur Whale, de lui dire que Henry s’était empoisonné ; mais tout cela n’avait aucun sens, rien ne lui paraissait logique. On aurait dit qu’elle était folle à lier. Et le médecin qui insistait sur le fait que rien ne laissait supposer que le garçon ait été empoisonné.

– Quelque chose a-t-il changé, dernièrement ? demanda Whale. Il faut que vous vous rappeliez, Emma. Que s’est-il passé au cours de ces dernières heures ?

Agacée, elle s’empara du sac à dos de Henry, sur le brancard, et entreprit de fouiller à l’intérieur, à la recherche de la moindre idée. Bientôt elle le fit tomber et son contenu se répandit sur le sol. Il y avait des affaires du garçon partout. Les larmes aux yeux, elle jeta un regard autour d’elle.

– Je ne sais pas, dit-elle. Je ne sais pas.

Agacé, Whale reporta son attention sur Henry.

Au même instant, Emma repéra le livre de son fils.

De la magie, se dit-elle. *Ce n’est pas du poison. C’est de la magie.*

Elle se souvint des paroles de Henry, le premier jour : « Toutes les histoires de ce livre sont vraies. »

Elle s'empara de l'ouvrage. Ce faisant, elle eut de nouveaux souvenirs.

Elle se rappela…

Sa mère, qui la remettait à son père.

Son père, affrontant les hommes de la reine pendant qu'il la tenait dans ses bras.

L'armoire, quand il la déposa à l'intérieur.

Les bois. Le réveil… avec August.

Elle cilla, les images se succédant dans son esprit.

Toute sa vie, Emma avait été du genre sceptique. C'était toujours elle qui cherchait la faille dans le discours des autres, qui se méfiait des apparences par lesquelles les autres se laissaient piéger. C'était ce qui avait fait d'elle un bon chasseur de primes, et aussi ce qui lui avait attiré tant d'ennuis. Mais cette fois, c'était différent. Cette fois, elle rêvait tout éveillée. Emma la réaliste s'était trompée sur toute la ligne.

C'est vrai. Tout est vrai.

Tout.

Le brancard et l'équipe de médecins atteignirent une double porte et, quand ils la franchirent, un hurlement strident retentit dans l'hôpital. Tout le monde se figea et leva les yeux. Regina, prise de panique, courait vers lui.

— Mon fils ! s'écria-t-elle.

Emma plissa les yeux. Si c'était vrai, Regina était derrière tout cela. Et si c'était le cas, il était temps de l'éliminer.

— C'est vous, la responsable, dit-elle en saisissant le maire par le col avant de la plaquer contre une porte.

Cette dernière céda et les deux femmes se retrouvèrent dans un débarras. Regina ne comprenait pas ce qui lui prenait.

— Bon sang, mais que…

Emma lui assena un coup de poing avec toute la puissance de la rage accumulée au cours de ces dernières semaines, projetant contre une étagère la tête de Regina. Celle-ci tenta de riposter, mais pas assez rapidement. Emma la saisit par le bras et la poussa encore contre l'étagère.

— Arrêtez ! bredouilla le maire. Mon fils est…

— Votre fils est malade. À cause de vous, lâcha Emma. Ce chausson aux pommes que vous m'avez offert ? C'est Henry qui l'a mangé.

Emma vit de la terreur de son regard. Comme elle n'en avait jamais vu.

— Quoi ? hurla Regina, qui semblait se décomposer à vue d'œil.

Le shérif la regarda droit dans les yeux, le temps pour son adversaire de comprendre la situation.

— Il… il était… pour vous, bafouilla Regina.

Emma, qui la tenait à bout de bras, était persuadée qu'elle se serait effondrée si elle l'avait lâchée.

— C'est vrai, alors ?

— De quoi parlez-vous ?

Elle la plaqua de nouveau contre l'étagère.

— C'est vrai ?

Regina comprit.

— Oui. C'est vrai.

— Pourquoi ? Je quittais la ville. Pourquoi ne pas vous en satisfaire ? Vous ne craigniez plus rien !

Le maire secoua la tête.

— Parce que tant que vous serez en vie, Henry ne sera jamais vraiment à moi.

— Il ne sera plus à personne si vous ne réglez pas ce problème, lui fit-elle remarquer. Réveillez-le. Interrompez ce sortilège.

— C'est impossible, répondit Regina en secouant la tête.

— Et pourquoi ?

— C'étaient les derniers restes de magie dans ce monde. C'était censé vous plonger dans le sommeil. Ça aurait suffi.

— Quel effet ce sort va-t-il avoir sur lui ?

— Je l'ignore. La magie est imprévisible.

Emma la regarda fixement.

– Il pourrait en mourir?

– Oui.

– Que faut-il faire, alors, Regina?

Celle-ci se redressa puis réfléchit en hochant la tête.

– Il nous faut de l'aide. Quelqu'un d'autre dans cette ville s'y connaît en magie.

Emma savait de qui elle parlait. Il n'y avait qu'une possibilité.

– M. Gold.

Regina acquiesça.

– En fait, son véritable nom est Rumpelstiltskin.

– On peut discuter?

Mary Margaret leva les yeux. Elle manqua renverser son gobelet de café brûlant en voyant David approcher. Il avait l'air contrit, même si cela ne signifiait pas grand-chose. Elle en avait assez de cet homme qui ne cessait de s'excuser. Tout le temps.

– Je ne crois pas. Nous avons déjà abordé tous les sujets.

Elle se dirigea vers sa voiture.

– J'avais tort.

Elle s'immobilisa et se tourna de nouveau vers lui. Malgré tous ses efforts, il lui était impossible de rester loin de lui.

– À propos de toi, poursuivit-il. À propos de moi. De tout.

– Je t'écoute.

– Je n'ai pas cru en toi. Je n'avais aucune bonne raison… Je ne sais pas pourquoi, mais j'ai l'impression de toujours prendre les mauvaises décisions.

Il secoua la tête d'un air agacé. Elle aurait pu le lui confirmer, mais elle n'en fit rien.

– Depuis que je suis sorti du coma… plus rien n'a de sens. À part toi. Et ce que j'éprouve, Mary Margaret, c'est de l'amour. Ça ne cesse de me ramener vers toi.

Elle tenta de l'imaginer amoureux, depuis tout ce temps. Malgré ses décisions ineptes. Ce ne fut pas facile, mais elle pensa l'entrevoir. D'une certaine manière.

– Peut-être, dit-elle, mais je vais te dire ce que je ressens depuis que tu es entré dans ma vie : de la souffrance.

– Je le sais. J'en suis désolé.

– Qu'es-tu venu faire ici, David ?

– Kathryn a versé un acompte pour un appartement à Boston. Elle ne va pas y aller. Mais moi, si.

Il la regarda d'un air attristé.

– À moins que tu me donnes une raison de vouloir rester.

Elle le dévisagea un long moment.

– C'est impossible, répondit-elle enfin. Désolée.

Elle se dirigea de nouveau vers sa voiture et y monta sans se retourner, refusant qu'il voie son visage. Combien de fois cette situation s'était-elle déjà produite ? Trop souvent.

Son téléphone sonna, comme déjà plusieurs fois ce matin-là. Elle n'y avait jusqu'alors prêté aucune attention, mais cette fois, si. Sans doute pour penser à autre chose. Huit appels en absence. Tous provenant d'Emma. Elle composa le numéro de sa boîte vocale et porta le téléphone à son oreille.

« Mary Margaret, résonna la voix affolée d'Emma. C'est Henry. C'est Henry… Je ne… quelque chose ne va pas. Quelque chose ne tourne pas rond. »

Il était vrai qu'Emma ne s'était rien imaginé de tout cela en prenant la décision de quitter Storybrooke. En tout cas, même dans ses rêves les plus fous, jamais elle n'aurait cru pouvoir un jour travailler de concert avec Regina. Elles se dirigeaient toutes les deux vers la boutique de Gold. Elles n'avaient pas échangé le moindre mot depuis qu'elles avaient quitté l'hôpital, et Emma n'avait aucune intention d'y changer quoi que ce soit. Elle la détestait, évidemment. Mais il lui fallait travailler avec elle.

– Je me trompe, ou vous avez enfin fini par y croire ? demanda Gold.

Il connaissait manifestement la réponse à sa question. Quelque chose en Emma avait changé.

– Nous avons besoin de votre aide, déclara-t-elle.

— En effet, répondit-il aussitôt. On dirait bien que notre jeune ami est victime d'une dramatique affection.

Il se tourna vers Regina.

— Je vous avais bien dit que la magie avait un prix. Toujours.

— Ce n'est pas à Henry de le payer, lui fit-elle remarquer.

— Non, c'est à vous. Et ce sera le cas, sans aucun doute. Mais hélas, pour l'instant, les choses sont comme elles sont.

Il lui adressa un sourire courtois et croisa les bras.

— Vous pouvez nous aider? demanda Emma.

— Bien sûr. L'amour véritable, ma chère. C'est la seule magie suffisamment puissante pour franchir les royaumes et rompre toutes les malédictions. Par chance, il se trouve que j'en ai un peu dans un flacon.

Regina prit un air incrédule, ce qu'Emma remarqua immédiatement.

— Vraiment? demanda-t-elle à Gold.

Apparemment, ce n'était pas une plaisanterie. Il avait une fiole d'amour quelque part.

Il va me falloir m'habituer aux règles de ce nouveau monde, pensa Emma.

— Absolument.

Il se tourna vers le shérif.

— À partir des mèches de cheveux de vos parents, j'ai conçu la potion la plus puissante qui soit. À tel point que lorsque j'ai imaginé la malédiction, j'en ai versé une goutte sur le parchemin. En guise de soupape de sécurité.

En fait, Emma trouva cela tout à fait logique. Elle n'y connaissait pas grand-chose en magie, mais elle savait reconnaître une issue de secours quand elle en voyait une.

— Et voilà pourquoi que je suis celle qui va vous sauver, comprit-elle, presque soulagée qu'il ne soit pas question de religion ou d'une prophétie, mais seulement de la façon dont un vieil homme solitaire avait conçu un sort. Et que je peux y mettre un terme.

— Elle a tout compris, se félicita Gold.

– Je me moque de mettre fin à la malédiction, poursuivit-elle. Je souhaite seulement sauver Henry.

– Raison pour laquelle il s'agit de votre jour de chance ! Je n'ai pas utilisé toute la potion. J'en ai gardé un peu. Au cas où.

– Eh bien, c'est le moment ou jamais, non ? Où est-elle ?

– Ce n'est pas le lieu où elle se trouve, le problème. Ce qui devrait vous inquiéter, c'est de savoir comment vous allez la récupérer. Ce ne sera pas facile.

– Ça suffit, les énigmes, Rumpelstiltskin ! s'exclama Regina.

Emma fut surprise de l'entendre l'appeler par son « véritable » nom.

– Que doit-on faire ?

– Vous, rien, répondit Gold. Il faut que ce soit Mlle Swan.

– C'est mon fils, ça devrait être moi, insista Regina.

– Sans vouloir vous manquer de respect, c'est son fils, et il faut que ce soit elle. C'est elle le produit de la magie, et c'est à elle de la trouver.

– D'accord, répondit Emma.

Elle s'en sentait capable. Pour sauver Henry, elle était prête à tout. Tout ce qui s'était passé l'avait conduite à ce moment précis.

– Méfiez-vous de lui, Emma, la prévint Regina en se tournant vers elle.

Elle lui posa une main sur le bras. Le shérif trouva déroutant de l'entendre l'appeler par son prénom, mais le fait qu'elle ait posé la main sur son bras, même pour un rapide contact débordant de compassion, était tout bonnement surréaliste.

Elle ôta aussitôt son bras.

– On a le choix ? demanda-t-elle.

– Vous allez me faire croire que vous avez conservé une fiole de la magie la plus puissante qui soit, en plus d'être la seule disponible dans ce monde, et que vous allez nous la remettre pour sauver Henry ?

Regina secoua la tête.

— Non. Il mijote quelque chose.

— Peut-être que j'ai beaucoup d'affection pour ce garçon, suggéra-t-il.

— Et pourquoi donc ?

— Pourquoi ? Pourquoi ? Vous n'êtes pas venue me voir pour que je réponde à vos « pourquoi », Regina. Vous êtes venue me voir pour que je vous dise « comment ». Et c'est ce que je fais. À présent, si vous vouliez bien cesser de gaspiller le peu de temps qu'il reste à ce malheureux garçon, on pourrait peut-être passer à l'action.

Emma savait qu'il avait raison.

— D'accord. Où se trouve cette fiole ?

— Auprès d'une vieille connaissance, répondit-il en regardant Regina. Quelqu'un de plutôt désagréable.

Elles attendirent toutes les deux qu'il crache le morceau, mais il se contenta de s'agenouiller pour ramasser une boîte en bois tout en longueur qui se trouvait à ses pieds. Il la déposa ensuite sur le comptoir, devant elles.

— Dites-moi, Regina, poursuivit-il, votre vieille amie est-elle encore dans le sous-sol ?

— Non, répondit-elle. Vous l'avez cachée avec elle ?

Emma les regarda tour à tour. Elle ne comprenait rien à leur discussion.

— Pas avec elle, répondit Gold. En elle. Je savais que vous ne résisteriez pas à l'envie de l'amener avec vous. La cachette idéale ! gloussa-t-il.

— De qui parlez-vous ? voulut savoir Emma.

— D'une personne qu'il va falloir vous apprêter à rencontrer, répondit-il.

Sur ce, il ouvrit la boîte. Baissant les yeux, elle y aperçut une longue et magnifique épée dorée.

— Là où vous allez, elle va vous être bien utile.

— Qu'est-ce que c'est ? demanda-t-elle en contemplant l'arme étincelante.

— L'épée de votre père.

Emma souhaitait s'entretenir avec deux personnes : son fils, qui ne serait pas en mesure de lui répondre, et un pantin de bois.

L'état de Henry s'étant stabilisé, on lui permit de se rendre à son chevet. De nombreux appareils dans sa chambre émettaient des bips et des bruits divers en contrôlant ses constantes vitales. Emma lui prit la main.

— Tu avais raison, Henry, lui dit-elle après un moment, assise auprès de lui. À propos de la malédiction. De cette ville. De tout. J'aurais dû te croire. Je te demande pardon.

Elle le regarda fixement. Il avait les yeux fermés. Elle écouta le bourdonnement des appareils.

Elle avait son livre sur les genoux. Elle s'en empara et le déposa sur sa table de chevet.

— Pour quand tu te réveilleras, chuchota-t-elle.

Elle l'embrassa sur la joue et se leva.

Tout était calme à Storybrooke à la nuit tombée. Elle retourna au centre-ville, à la maison d'hôte de Mère-Grand. Emma frappa un long moment à la porte d'August, se demandant s'il n'avait pas quitté la ville, quand elle perçut une légère plainte à l'intérieur. Il ne lui en fallut pas davantage. Elle s'élança contre la porte, une fois, deux fois. Après un troisième coup d'épaule, elle entendit un craquement : la serrure avait cédé. Elle s'introduisit dans la chambre.

August était dans son lit. Et à présent elle le voyait distinctement : il se transformait en pantin de bois. Ses bras étaient déjà d'un brun granuleux, et le bois, telle une maladie, se propageait jusqu'à son cou. Il avait l'air terrifié. Il ne pouvait plus remuer que les yeux.

— Non, dit-elle en s'approchant de lui. Non, non, non.

Elle avait perdu Graham dès qu'elle avait commencé à en pincer pour lui, et le même phénomène se reproduisait.

— Que t'arrive-t-il ? demanda-t-elle d'un ton attristé en lui caressant les cheveux.

– Tu le vois, à présent. Tu y crois.

Elle acquiesça.

– Oui. J'y crois. Mais comment… comment arrêter ça ?

Il lui répondit lentement, posément, la regardant droit dans les yeux.

– Brise la malédiction.

– Je vais essayer. Je te le promets. Mais, d'abord, je dois sauver Henry. Et j'ai besoin de ton aide.

– Non. Tu n'as pas besoin de mon aide. Tu n'as pas besoin de magie. Tu n'as besoin de l'aide de personne.

– Si, rétorqua-t-elle. C'est trop pour moi. Je… je viens de m'entretenir avec la Méchante Reine et Rumpelstiltskin, et je dois partir en quête de magie. Avec cette épée dorée, je suis censée… je ne sais pas. Personne ne sait. Je ne m'en sens pas capable, August. Personne de normal ne s'en sentirait capable.

– Tu n'es pas quelqu'un de normal, lui garantit-il en souriant. Tu es quelqu'un de particulier. Il te suffit de croire.

– Mais je t'ai déjà dit que j'y croyais.

– Pas à la malédiction. En toi, Emma.

Elle le regarda fixement. Le bas de son visage était désormais gagné par le bois. Elle lui soutint la tête, espérant qu'il ne souffrait pas. Il lui répéta :

– Crois en toi. C'est ça, la véritable magie.

Et il se figea.

Son épée à la main, Emma se dirigea vers la tour de l'horloge. Regina l'y attendait, devant la porte cadenassée. Sans un mot, la jeune femme s'approcha et donna avec la poignée de l'arme un grand coup dans le cadenas, qui se brisa et tomba à terre avec un bruit métallique.

Elle fit signe au maire d'entrer.

– Montrez-moi le chemin.

Elles pénétrèrent dans une petite pièce aux murs de pierre. Au premier coup d'œil, cela ressemblait à un débarras, mais le regard d'Emma était attiré par un objet en particulier :

un gigantesque miroir. Regina s'en approcha d'un pas déterminé et posa la main dessus. En réaction, le miroir coulissa sur le côté, révélant un passage.

Il y eut soudain beaucoup de bruit, des machines souterraines se mettant à vrombir. Une sorte de cadre apparut, s'élevant du sol pour occuper toute la largeur du passage. Emma se rendit alors compte qu'il ne s'agissait pas du tout d'un passage mais d'une cage d'ascenseur.

– Bien, dit Regina. Allez-y.

– Après vous.

– Il faut que j'actionne le monte-charge d'ici, lui fit remarquer le maire en secouant la tête. C'est moi qui vais vous faire descendre. De plus, ajouta-t-elle, c'est vous qui avez l'épée.

– Et je suis censée croire que vous n'allez pas me faire descendre jusqu'en enfer ?

– Je crains que vous n'ayez pas vraiment le choix, mademoiselle Swan.

Emma songea à Henry, étendu dans son lit d'hôpital. Le mari avait raison.

– Qu'y a-t-il, en bas, Regina ?

– Une vieille ennemie. Son châtiment est exceptionnel. Cela fait vingt-huit ans qu'elle est en bas, prisonnière d'une autre apparence. Elle ne veut plus entendre parler de moi.

Emma accepta sa réponse, même si elle était persuadée que le maire ne lui avait pas tout dit.

– D'accord, consentit-elle enfin. Je vais descendre, mais que les choses soient claires, « Votre Majesté ». Je sais qui vous êtes, à présent. Ce que vous avez fait. Qui vous avez fait souffrir. Qui vous avez tué. Et il faut que vous sachiez une chose, avant d'aller plus loin.

Elle lui lança un regard glacial.

– Vous êtes encore en vie pour une seule raison : j'ai besoin de vous pour sauver Henry. S'il meurt, vous mourrez aussi.

Regina hocha brusquement la tête.

– Allez-y, qu'on en termine.

Emma entra dans le monte-charge, que Regina fit ensuite lentement descendre.

Cela prit deux longues minutes et plus elle s'enfonçait, plus il faisait sombre. Quand la cabine toucha enfin le sol, Emma se rendit compte qu'elle n'y voyait goutte. En levant les yeux, elle aperçut un petit point lumineux, tout en haut. Elle se trouvait dans les entrailles de la terre.

Elle s'engagea dans une sorte de caverne enfumée. Il y faisait chaud, contrairement à ce qu'elle s'était imaginé. À la lueur de sa lampe torche, elle devina quelque chose, un reflet. Elle s'en approcha et s'agenouilla devant quelque chose. Quelque chose d'imposant. En verre. Il lui fallut un moment pour comprendre de quoi il s'agissait. Un cercueil. Cela lui fit penser à l'histoire de Blanche-Neige. Comment était-ce, déjà ? Ne l'avait-on pas mise dans un cercueil de verre ?

Elle se releva et prit une profonde inspiration avant de jeter un coup d'œil autour d'elle.

Et elle le vit.

Elle crut tout d'abord qu'il s'agissait d'une autre source lumineuse, d'une autre personne avec une lampe torche. Mais ce n'était pas le cas.

C'était un œil.

Un œil jaune.

Toutefois, Emma ne décelait aucun mouvement. Elle décida donc de s'approcher, tendant la main dans l'obscurité, à côté de l'œil. Elle entra en contact avec quelque chose qui n'était pas de la roche.

Mince, qu'est-ce que c'est ? se demanda-t-elle.

Une texture écailleuse, tiède. Elle passa la main dessus.

Puis les parois de la caverne bougèrent. Elle entendit un grognement, suivi d'un rugissement. Elle recula en titubant, les yeux écarquillés, comprenant ce dont il s'agissait : un dragon.

La créature s'anima, poussa un cri strident puis cracha du feu.

Mary Margaret trouva le livre dans la chambre de Henry, mais il n'y avait aucune trace d'Emma. Quel que soit le problème, elle était quelque part, occupé à le régler. Voilà pourquoi elle appréciait tant son amie. Elle savait toujours comment rendre coup pour coup. Une qualité qu'elle admirait et qui lui faisait personnellement défaut depuis trop longtemps.

Le docteur Whale lui avait expliqué la situation, et le moins qu'elle puisse faire, se dit-elle, c'était de rester auprès du garçon, de l'aider à surmonter cette épreuve. Elle pourrait lui lire une histoire.

Elle lui raconta celle où Blanche-Neige se sacrifiait pour mettre un terme au conflit qui l'opposait à la reine et tombait dans un sommeil magique après avoir croqué dans la pomme. Pendant ce temps, le Prince Charmant était parvenu à s'échapper des geôles de la Méchante Reine et, grâce à l'aide de Rumpelstiltskin, il avait pu de nouveau localiser l'amour de sa vie. Elle n'était pas en grande forme quand il l'avait retrouvée. Pas du tout, même.

– « Lorsque le Prince Charmant vit sa bien-aimée Blanche-Neige, lut-elle, là, dans son cercueil de verre, il comprit qu'il ne lui restait plus qu'à lui faire ses adieux. Il voulait lui donner un dernier baiser. Mais quand leurs lèvres s'effleurèrent, ce baiser d'amour se révéla plus puissant que n'importe quelle malédiction. Une onde d'amour véritable se forma et recouvrit tout le royaume. Lorsqu'elle ouvrit les yeux, il lui fut évident, quoi qu'il advienne, qu'ils vivraient heureux… »

Elle s'interrompit et reprit son souffle. Elle sanglotait. Sans s'en être rendu compte.

Elle reprit :

– « … heureux et qu'ils auraient beaucoup d'enfants. »

Elle posa le livre, puis ferma les yeux. Ce n'était qu'un conte de fées. La vie n'était malheureusement pas si facile.

– Je suis désolée, Henry, dit-elle en lui prenant la main. Si je t'ai offert ce livre, c'est parce que je savais… je savais que tout ne se terminait pas forcément bien, dans la vie. Mais je trouvais… je trouvais que c'était injuste.

Elle serra sa main, se rappelant comment David, M. X à l'époque, s'était réveillé après l'avoir écoutée raconter une histoire d'amour. Et, pendant un instant, elle crut que le même phénomène se reproduisait. L'un des appareils s'étant mis à sonner, elle s'était tournée vers le garçon, pleine d'espoir. Toutefois, les bips se faisaient de plus en plus pressants, et cela ressemblait désormais à un signal d'alarme. Des infirmières firent irruption dans la chambre.

– Que se passe-t-il ? s'enquit Mary Margaret.

Le docteur Whale fit son apparition.

– On le perd, déclara-t-il simplement. Laissez-nous.

Elle se retrouva dans le couloir, la main sur la bouche, le cœur battant. Des infirmières et des médecins s'étaient agglutinés autour du lit de Henry. Elle ne voyait plus rien. À l'exception de l'inquiétude dans le regard des praticiens et dans leur voix.

Henry se mourait.

Le dragon se dressa, révélant à Emma sa silhouette terrifiante. Les ailes déployées, il poussa un nouveau cri strident à l'intention de la jeune femme. Il était presque trop gros, trop effrayant et trop épouvantable pour que quelqu'un de sensé puisse admettre qu'il était réel. Cela n'eut guère d'importance dans son cas, puisque son instinct de conservation prit le dessus : elle s'enfuit, changeant fréquemment de direction, se jetant à terre quand le monstre approchait d'elle en crachant du feu. *Il est drôlement fâché*, se dit Emma en se relevant.

Le dragon décrivait des cercles au-dessus de sa tête quand elle aperçut un affleurement rocheux, à l'autre bout de la caverne. Elle parvint à plonger dessous juste à temps, sentant la chaleur des flammes sur ses joues. Cette fois, le dragon ne s'éloigna pas pour prendre son élan.

Il se posa.

Emma se retourna, les yeux écarquillés, et observa la créature qui se dressait à moins de trois mètres d'elle. Elle brandit timidement son épée, qui lui sembla lourde et peu maniable. Elle sentit le dragon s'en amuser.

– Oh, et puis tant pis !

Elle laissa tomber sa lame, dégaina son revolver et tira.

Dix balles en plein cœur. Et elle eut l'impression de n'avoir même pas chatouillé la créature. Celle-ci fit un mouvement brusque dans sa direction, et Emma courut de nouveau vers l'autre bout de la caverne, le dragon refermant ses gigantesques mâchoires juste derrière elle. Arrivée de l'autre côté, la jeune femme tenta de retrouver son calme.

Cette fois, elle préféra viser la tête du monstre. Encore dix tirs, tous groupés près de son museau. Elle devina quelques petits jets de sang à chacun des impacts, mais, là non plus, cela ne sembla pas lui faire le moindre mal.

– Vraiment ? demanda-t-elle à voix haute.

Ce faisant, elle remarqua que le torse de la créature une teinte luminescente orangée. Elle s'imagina que c'était là que se trouvait la potion qu'elle devait récupérer.

Elle avait laissé l'épée à l'autre bout de la caverne. Elle se débarrassa de son revolver, cherchant le meilleur moyen d'aller reprendre la lame. Le dragon se tourna vers elle. Emma lui adressa un sourire. Puis s'élança droit sur lui.

Le monstre sembla surpris par la charge de la jeune femme et tarda trop longtemps avant de cracher des flammes, ce qui permit à Emma d'aller se réfugier entre les pattes de la créature titanesque. Elle se jeta sur l'épée et la ramassa. Perplexe, le dragon se retourna lentement, poussant un cri d'agacement.

Il s'éleva, prêt à la transformer en cendres.

Emma attendit jusqu'au dernier moment.

Puis elle lança son épée.

La lame s'enfonça en plein milieu de la partie luminescente du buste du dragon, qui poussa un hurlement de douleur, battant des ailes de désespoir. Il ne cria pas longtemps, cependant. Tout à coup, la formidable créature explosa en une boule de feu.

Emma se jeta à terre et attendit que le souffle brûlant se dissipe. Quand le calme revint, elle s'approcha de ce qui restait du monstre, juste une sorte de magma noir. Elle regarda un moment autour d'elle, mais n'eut aucun mal à retrouver la potion. Un œuf blanc orné de pierreries, le réceptacle idéal pour un philtre d'amour. Emma le ramassa, alla récupérer l'épée puis regagna le monte-charge.

Le souffle court, encore incapable de véritablement admettre qu'elle venait d'affronter et de vaincre un dragon, Emma tira sur la corde et cria dans la cage d'ascenseur :

– Je remonte, Regina !

Un instant plus tard, la cabine s'ébranla.

Pendant son ascension, elle examina l'œuf du mieux qu'elle put. Elle avait perdu sa lampe torche, mais la lueur provenant du haut du puits lui permit d'étudier le fermoir. Après l'avoir ouvert, elle vit la fiole, à l'intérieur, aux étranges reflets violets.

Voici donc à quoi ressemble l'amour, se dit-elle.

À environ trois mètres du sommet, le monte-charge s'immobilisa. Emma leva la tête.

– Regina ?

Elle aperçut un visage au-dessus du trou.

Ce n'était pas celui du maire.

– Gold ? s'étonna-t-elle. Que faites-vous ici ? Où est Regina ?

– Elle m'a demandé de prendre le relais, déclara-t-il. Vous avez l'œuf, je vois !

Elle était douée pour savoir quand on lui mentait, mais n'importe qui se serait méfié de Gold, vu comment il se pencha vers elle d'un air avide en attendant sa réponse.

– Ouais, je l'ai. Faites-moi remonter jusqu'en haut.

– Je ne peux pas, répondit-il. Le monte-charge est cassé. Il va vous falloir faire un peu d'escalade.

Emma baissa les yeux sur son pantalon et fouilla dans ses poches, cherchant comment mettre l'œuf en sécurité pendant son ascension.

– Il est trop fragile, vous ne pourrez pas grimper avec. Lancez-le-moi !

– C'est hors de question, Gold. Ne vous emballez pas.

– Il n'y a pas de temps à perdre pour Henry, mademoiselle Swan.

Emma leva de nouveau les yeux en soupirant. Elle allait devoir lui faire confiance. Cela ne lui plaisait guère, mais elle était obligée.

Elle lui lança l'œuf.

Il le rattrapa, l'examina un moment, lui adressa un signe de tête et se volatilisa.

– Gold ? appela-t-elle. Gold ?

Rien.

Il était parti.

Il lui fallut une dizaine de minutes pour gagner la surface, et cinq autres pour atteindre l'hôpital. L'idée de se lancer à la poursuite de Gold ne l'effleura même pas. Elle se rendit directement au chevet de Henry. Pendant toute son ascension, elle avait mûrement réfléchi aux paroles d'August, lui certifiant qu'elle n'avait aucunement besoin de magie. Oui, peut-être que tout cela était-il vrai et, oui, peut-être la malédiction fonctionnait-elle selon une logique un peu folle. Mais une chose restait certaine : elle aimait ce garçon. Elle l'aimait plus qu'elle-même. Elle ne s'était jamais suffisamment préoccupée d'elle pour savoir si elle était capable de donner de l'amour à quelqu'un, mais elle en était sûre, à présent. Elle se rendit donc auprès de lui. De Henry. De sa famille.

Tout le monde était d'humeur sinistre quand elle arriva aux urgences. Elle sentit son cœur se serrer à la vue du visage de Mary Margaret. À sa droite, Regina. Elle comprit à présent pourquoi elle avait quitté la tour en la laissant au fond du

puits. Elle était venue veiller sur son fils. Derrière elles, le docteur Whale et les infirmières. Tous semblaient abattus. Brisés.
L'enseignante sanglotait. En remarquant que Regina avait les
larmes aux yeux, Emma comprit que le pire était arrivé.

— Que se passe-t-il ? parvint-elle à demander.

— On a fait tout ce qu'on a pu, lui expliqua Whale.

— Je suis désolée, dit la mère supérieure, aux côtés du
médecin. Vous arrivez trop tard.

Emma prit la nouvelle comme un choc. Un choc à l'état
pur. Elle se dirigea vers la chambre de Henry, leur passant
devant d'un air absent. Elle entendit tout juste Regina qui
répétait inlassablement :

— Non, non, non…

Ses oreilles bourdonnaient. Et elle le vit. Son visage magnifique. Ses yeux clos.

— Henry, murmura-t-elle en se laissant tomber à genoux à
son chevet.

Elle posa la main sur sa poitrine.

— Henry, chuchota-t-elle.

Elle se moquait de savoir s'il était en vie ou non.

— Je t'aime.

Elle se pencha, ferma les yeux et l'embrassa sur le front.

Le résultat fut immédiat : une décharge d'énergie jaillit de
ses lèvres et s'immisça en lui, en provenance directe de son
cœur. La puissance du choc la força à rouvrir les yeux. C'était
douloureux, mais il s'agissait d'amour, de tout l'amour qu'elle
avait accumulé depuis des dizaines d'années. Et toute cette
énergie était concentrée là, sur lui. Elle se sentit alors traversée
par une nouvelle onde de choc, qui, celle-ci, la fit partir à la
renverse. Elle se retrouva par terre. Tout le monde avait subi
l'onde de choc de plein fouet. Emma eut l'impression qu'une
tornade s'était déclenchée dans la chambre.

Il fallut un moment pour que la tempête se dissipe et pour
qu'Emma se relève. Alors, elle lança vers le garçon un regard
incrédule.

Il avait ouvert les yeux.

Il la regardait.

– Moi aussi, je t'aime, déclara-t-il avec un sourire.

Mary Margaret s'éloigna de l'hôpital et prit la direction du centre-ville de Storybrooke, réfléchissant à son nom.

Mary.

Mary Margaret.

Ces mots lui semblaient déjà étranges en eux-mêmes, et davantage encore quand ils étaient associés. Elle s'immobilisa devant le *diner*, les yeux plissés, concentrée, alors qu'une succession de vieux sentiments enfouis dans les tréfonds de son âme lui revenaient en mémoire.

Elle avait déjà employé ce nom. Il venait de quelque part. Elle se rappela un paysage enneigé, et aperçut ensuite le sol vierge maculé de sang. Des corps. Un loup. Et… et son amie. Son amie Rouge.

Elle commença à avoir des vertiges. Jetant un coup d'œil dans la rue, elle le vit approcher, un sourire au coin des lèvres. Les bras écartés.

– Mon prince, chuchota-t-elle tandis que David, non, le Prince Charmant, venait à sa rencontre. Mon prince !

Il courut, et elle vers lui . Ils se retrouvèrent au milieu de la rue et, en se jetant dans ses bras, Blanche se souvint soudain de tout. Du pont. De son père. De Regina. De Rouge. De l'attaque du château. Des fées. Des nains.

De la malédiction.

– Je savais bien que j'allais finir par te retrouver, déclara le Prince Charmant en la soulevant de terre.

– Moi aussi, je savais que j'allais te retrouver, répondit-elle.

Il éclata de rire avant de l'embrasser. La vie avait enfin repris son cours normal.

Pour la plupart, les infirmières et les médecins vaquaient de nouveau à leurs occupations. Certains étaient restés dans la chambre de Henry, observant Emma bouche bée, se demandant comment elle avait pu accomplir ce miracle. Mais bientôt, commençant peu à peu à retrouver la mémoire et à comprendre qu'ils avaient vécu dans les brumes d'une malédiction pendant vingt-huit ans, ils se dispersèrent, parcourant la ville à la recherche de leurs proches et de leurs amis. Emma était parfaitement à sa place.

Étonnamment, Regina s'était elle aussi volatilisée.

Henry semblait aller mieux, même s'il était encore un peu affaibli. Emma lui parla du dragon et de ce qu'elle avait dû faire pour obtenir le philtre d'amour. Elle lui révéla également que Gold s'était enfui avec la fiole.

— August m'avait dit que je n'en aurais pas besoin. Alors j'ai compris qu'il valait mieux que je revienne auprès de toi. Mais quelle idée Gold peut-il avoir derrière la tête, à ton avis ?

Le garçon haussa les épaules, suçotant la paille de son jus d'orange.

— De toute façon, poursuivit-elle, il s'agit certainement d'un autre mauvais coup pour cette ville.

Un châtiment à court terme. Mais après ?

— Qu'est-ce que c'est ? demanda Henry en indiquant la fenêtre.

Emma vit un nuage de fumée violette qui se déversait dans la rue comme un raz de marée. Elle se leva et s'approcha de la vitre.

— Je n'en ai pas la moindre idée, répondit-elle. Mais ça ne me dit rien qui vaille.

Elle se tourna vers Henry, qui écarquillait les yeux. Cette fois, il ne souriait pas, mais l'émerveillement dans le regard de son fils lui rappela leur arrivée à Storybrooke, des mois auparavant. Il semblait tout aussi fasciné.

— C'est de la magie ! s'exclama-t-il. C'est de la magie !

Elle se retourna et observa le nuage qui recouvrait la ville, comprenant que son fils avait raison. Elle savait ce que cela signifiait. C'était loin d'être terminé.

En fait, ce n'était que le début.

Sans quitter le nuage des yeux, Emma recula jusqu'au lit de Henry et lui posa une main sur l'épaule. Ensemble, ils contemplèrent la scène en silence. Était-elle en sécurité ? Non. Pourrait-elle un jour retrouver la vie qu'elle aurait pu avoir ou celle qu'elle aurait dû avoir avec Henry ? Non. Elle ne pourrait plus revenir en arrière, ni modifier le passé. Cela ne fonctionnait pas ainsi. Pas dans ce monde. Ni dans aucun autre. Le mieux qu'elle pouvait faire, c'était prendre les bonnes décisions. Dans le présent.

Elle n'abandonnerait plus son fils. Elle serait toujours là pour le protéger. Toujours. Elle referma les doigts sur son épaule.

Henry, comme s'il avait deviné le vœu formulé par sa mère au plus profond de son cœur, la prit par la main.

– Merci.

– Pour quoi ? demanda-t-elle en lui souriant.

Il leva les yeux vers elle.

– Merci d'être revenue.

RENAISSANCE S'INSPIRE DES ÉPISODES SUIVANTS :

Il était une fois (pilote)
Écrit par Edward Kitsis & Adam Horowitz

Le Sort noir
Écrit par Edward Kitsis & Adam Horowitz

Le Pont des Trolls
Écrit par Liz Tigelaar

Le Prix à payer
Écrit par David H. Goodman

La Petite voix de la conscience
Écrit par Jane Espenson

Le Berger
Écrit par Andrew Chambliss & Ian Goldberg

Le Cœur du chasseur
Écrit par Edward Kitsis & Adam Horowitz

Le Ténébreux
Écrit par Jane Espenson

Hansel et Gretel
Écrit par David H. Goodman & Liz Tigelaar

Le Vol de la colombe
Scénario : Daniel T. Thomsen / Histoire : Edward Kitsis & Adam Horowitz

Le Génie
Écrit par Ian Goldberg & Andrew Chambliss

La Belle et la Bête
Écrit par Jane Espenson

Le Chevalier d'or
Écrit par David H. Goodman

Nova et Rêveur
Écrit par Edward Kitsis & Adam Horowitz

Le Grand Méchant Loup
Écrit par Jane Espenson

Le Chemin des ténèbres
Écrit par Andrew Chambliss & Ian Goldberg

Le Chapelier fou
Écrit par Vladimir Cvetko & David H. Goodman

Daniel
Écrit par Edward Kitsis & Adam Horowitz

Le Bon fils
Écrit par by Jane Espenson

La Promesse de Pinocchio
Écrit par Ian Goldberg & Andrew Chambliss

La Pomme empoisonnée
Écrit par Jane Espenson & David H. Goodman

Le Véritable Amour
Écrit par Edward Kitsis & Adam Horowitz

Imprimé au Canada

Dépôt légal : juin 2013
ISBN : 978-2-7499-1994-2
LAF 1750